"十三五"国家重点出版物出版规划项目

国家出版基金项目
NATIONAL PUBLICATION FOUNDATION

中国中药资源大典

中国中药资源大典

新疆卷

3

黄璐琦 / 总主编

李晓瑾　贾晓光　徐建国　朱　军　王果平 / 主　编

北京科学技术出版社

图书在版编目（CIP）数据

中国中药资源大典. 新疆卷. 3 / 李晓瑾等主编. --
北京：北京科学技术出版社，2024. 6. -- ISBN 978-7
-5714-4019-0

Ⅰ. R281.4

中国国家版本馆CIP数据核字第2024JF5907号

责任编辑：吕　慧　庞璐璐　吴　丹　李兆弟　侍　伟
责任校对：贾　荣
图文制作：樊润琴
责任印制：李　茗
出 版 人：曾庆宇
出版发行：北京科学技术出版社
社　　　址：北京西直门南大街16号
邮政编码：100035
电　　　话：0086-10-66135495（总编室）　　0086-10-66113227（发行部）
网　　　址：www.bkydw.cn
印　　　刷：北京博海升彩色印刷有限公司
开　　　本：889 mm×1 194 mm　　1/16
字　　　数：1 120千字
印　　　张：50.5
版　　　次：2024年6月第1版
印　　　次：2024年6月第1次印刷
审 图 号：GS京（2023）1758号
ISBN 978-7-5714-4019-0

定　　价：490.00元

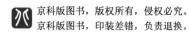

序 言

　　新疆地处亚欧大陆腹地，地理环境、气候条件和生物资源多样，中药资源丰富、特色鲜明。在新疆阿尔泰山区、天山山脉、阿尔金山－昆仑山区以及伊犁河谷、准噶尔盆地、塔里木河流域等区域分布着大量特色中药资源，形成具有地域特色的中药资源宝库。

　　中药资源是中医药事业发展的物质基础，是国家重要的战略资源，在经济社会发展中具有重要作用。新疆作为首批启动实施第四次全国中药资源普查工作的省份之一，在各级政府部门的大力支持下、在全体普查伙计的共同努力下，出色地完成了新疆的中药资源普查工作。还对新中国成立后才被收回祖国的夏尔希里进行了专题调查，为新疆建设工作做出贡献。

　　《中国中药资源大典·新疆卷》以第四次全国中药资源普查工作成果为基础，全面展示了新疆的中药资源现状。该书内容丰富、图文并茂，专业性、科普性、实用性并存，是一部较为权威的具有参考价值的中药资源学著作。该书的出版可为中药专业的人士提供参考，也可为政府部门制定中药产业政策提供支撑，亦可为乡村振兴和推动新疆区域经济社会发展发挥积极作用，为助力新疆中医药事业发展贡献力量。

在该书付梓面世之际，仅书片言，乐为之序！

中国工程院院士

中国中医科学院院长

第四次全国中药资源普查技术指导专家组组长

2024 年 4 月

前　言

　　中药资源是国家战略性资源，是中医药传承、创新、发展的物质基础。新疆地处亚欧大陆腹地，其独特的地理位置和自然条件，孕育了独具特色的中药资源，诸如"峭壁悬崖绽雪莲，天山峰脉育芙娟"的天山雪莲，以及阿魏、紫草、伊贝母、一枝蒿等药材均为新疆特有的道地优势资源。

　　新疆第四次中药资源普查工作历时10年，完成了新疆（含新疆生产建设兵团在内）166万km²的中药资源普查，累计实地调查样地3 502个样方套17 652个，采集腊叶标本15.1万份、药材标本2 710份、种质资源1 784份，拍摄照片322 116张，调查蕴藏量150种；调查到药用植物3 107种，全面摸清了自第三次中药资源普查以来新疆30余年来的中药资源变迁情况；首次建立了新疆中药资源数据库管理系统，建立了种质资源保存体系（低温保存库、超低温保存库）、标本库、种子种苗繁育基地，开展了中药材生产区划和30种重点药材的生产适宜性分析，为新疆中药产业发展提供了最新的基础数据和系统的技术服务。

　　本书以新疆第四次中药资源普查成果为基础，收载新疆中药资源（含维吾尔医药、哈萨克医药等新疆少数民族医药）1 362种。本书分为上篇、中篇、下篇，上篇为新疆中药资源概论，介绍了新疆的自然环境、第四次中药资源普查情况、中药资源发展现状，中篇介绍了新疆道地、大宗中药资源，下篇为新疆中药资源各论。该书首次系统、全面、客观地反映了新疆现有的中药资源情况，并配以高清彩图，增强了本书的可读性、科学性、实用性，可供中医药领域的研究者及爱好者参考。

宝剑锋从磨砺出，梅花香自苦寒来。新疆第四次中药资源普查工作克服了调查区域广、环境类型多样、物种差异大、学科领域多、技术人员断层严重等诸多困难，取得了丰硕的成果。《中国中药资源大典·新疆卷》的最终付梓亦非易事，本书的出版无不凝聚着新疆所有普查工作者的汗水。希望本书能为政府部门制定中药产业政策提供支撑，为推动新疆道地药材体系建设进程、加速现代中药产业转型、助力乡村振兴、推动新疆经济高质量发展贡献一份力量。

本书对于读者全面了解新疆中药资源现状具有重要的参考价值，但由于编者水平有限，书中难免有不妥之处，敬请广大读者批评指正，以便后期再版时修改、补充与完善。

编　者

2024 年 4 月

凡 例

（1）本书共4册，分为上、中、下篇。上篇综述了新疆自然环境、第四次中药资源普查情况、中药资源发展现状；中篇论述了60种新疆道地、大宗中药资源；下篇共收录药用植物资源1362种。

（2）本书下篇以中药资源名为条目名，下设药材名、形态特征、生境分布、资源情况、采收加工、功能主治、用法用量及附注等，其中资源情况、采收加工、用法用量、附注为非必要项，资料不详者项目从略。各项目编写原则简述如下。

1）条目名。该项记述中药资源物种及其科属的中文名、拉丁学名。其中蕨类植物、裸子植物、被子植物的名称主要参考《中国植物志》和《新疆植物志》。

2）药材名。该项记述中药资源的药材名、药用部位。凡《中华人民共和国药典》等法定标准收载者，原则上采用法定药材名；法定标准未收载者，主要参考《中华本草》《全国中草药名鉴》《中国中药资源志要》。

3）形态特征。该项简要描述中药资源的形态特征，突出鉴别特征。主要参考《中国植物志》和《新疆植物志》，并结合普查实际所获取的信息进行描述。

4）生境分布。该项记述中药资源在新疆的生存环境与分布区域。生存环境主要源于普查实际获取的生境信息，并参考相关志书的描述。分布区域主要介绍野生资源的分布情况，源于植物标本采集地，以"分布于新疆地市级行政区划（县级行政区划）／地市级行政区划/县级行政区划"的形式进行描述；栽培资源的分布区域以"地市级行政区划（县级行政区划）/地市级行政区划/县级行政区划有栽培"的形式进行描述。在新疆各地皆有野生者，记述为"新疆各地均有分布"；在新疆各地皆有栽培者，记述为"新疆各地均有栽培"。

5）资源情况。该项记述中药资源的蕴藏量情况，用丰富、一般、稀少来表示；并用"野生"或"栽培"记述药材的主要来源。

6）采收加工。该项记述药材的采收时间与加工方法。

7）功能主治。该项主要记述药材的功能和主治。

8）用法用量。该项主要记述药材的用法和用量。

9）附注。该项描述物种的濒危等级、其他医药相关用途等。

（3）附录。以名录形式收载中篇、下篇没有收载的新疆药用植物资源。

目录

被子植物

蔷薇科 Rosaceae 龙牙草属 Agrimonia

亚洲龙牙草 *Agrimonia asiatica* Juz.

药材名

仙鹤草（药用部位：全草）。

形态特征

多年生草本。高 30 ~ 60 cm。根茎粗壮。茎直立，多分枝，密被长硬毛。叶为间断奇数羽状复叶，中间夹有较小叶片，有小叶 3 ~ 11，椭圆形、长圆形或倒卵状椭圆形，长 2 ~ 7 cm，宽 1.5 ~ 4 cm，先端圆钝或钝尖，基部楔形，边缘有粗锯齿，上面绿色，被疏柔毛，下面密被柔毛；托叶大，半圆形，边缘有齿或裂片。花序常不分枝，花序轴粗壮，长 9 ~ 20 cm，被柔毛；苞片 3 深裂，裂片条形，中裂片特长；小苞片 1 对，卵形，3 齿裂；萼筒钟状，外面有 10 纵沟，被疏毛，萼片 5，卵状三角形，外面有 3 脉纹；花瓣黄色，倒卵状椭圆形；花直径 1 ~ 1.2 cm。果实下垂，钩状刺外层反折，内层展开。花期 6 ~ 7 月，果期 8 ~ 9 月。

生境分布

生于海拔 1 400 ~ 2 800 m 的河谷灌丛或林缘。分布于新疆特克斯县、阿勒泰市、塔城市等。

| 采收加工 | 夏、秋季在枝叶茂盛未开花时采收，除净泥土，晒干。

| 功能主治 | 健胃消炎，收敛止血，止泻。用于咯血，吐血，尿血，便血，赤白痢，崩漏，带下，劳伤脱力，痈肿，跌打损伤，疮伤出血。

蔷薇科 Rosaceae 龙牙草属 *Agrimonia*

龙牙草
Agrimonia pilosa Ledeb.

| **药 材 名** | 仙鹤草（药用部位：全草）。

| **形态特征** | 多年生草本。根多呈块茎状，周围生出若干侧根。根茎短，基部常有1至数个地下芽。茎高 30 ~ 120 cm，被疏柔毛及短柔毛，稀下部被稀疏长硬毛。叶为间断奇数羽状复叶，通常有小叶 3 ~ 4 对，稀 2 对，向上减少至 3 小叶，叶柄被稀疏柔毛或短柔毛；小叶片无柄或有短柄，倒卵形、倒卵状椭圆形或倒卵状披针形，长 1.5 ~ 5 cm，宽 1 ~ 2.5 cm，先端急尖至圆钝，稀渐尖，基部楔形至宽楔形，边缘有急尖至圆钝锯齿，上面被疏柔毛，稀脱落几无毛，下面通常脉上伏生疏柔毛，稀脱落几无毛，有显著腺点；托叶草质，绿色，镰形，稀卵形，先端急尖或渐尖，边缘有尖锐锯齿或裂片，稀全缘，茎下部

托叶有时卵状披针形，常全缘。穗状总状花序顶生，分枝或不分枝，花序轴被柔毛；花梗长 1 ~ 5 mm，被柔毛；苞片通常 3 深裂，裂片带形，小苞片对生，卵形，全缘或边缘分裂；花直径 6 ~ 9 mm；萼片 5，三角卵形；花瓣黄色，长圆形；雄蕊 5 ~ 8（~ 15）；花柱 2，丝状，柱头头状。果实倒卵圆锥形，外面有 10 肋，被疏柔毛，先端有数层钩刺，幼时直立，成熟时靠合，连钩刺长 7 ~ 8 mm，最宽处直径 3 ~ 4 mm。花果期 5 ~ 12 月。

| 生境分布 | 生于海拔 100 ~ 3 800 m 的溪边、路旁、草地、灌丛、林缘及疏林下。分布于新疆奇台县、阜康市、木垒哈萨克自治县、新源县、阿勒泰市等。

| 采收加工 | 夏、秋季在枝叶茂盛未开花时采收，除净泥土，晒干。

| 功能主治 | 消积杀虫，祛湿止痛，清热解毒，止血消炎，健胃止泻，收敛。用于咯血，吐血，尿血，便血，赤白痢，崩漏，带下，劳伤脱力，痈肿，跌打损伤，疮伤出血。

蔷薇科 Rosaceae 羽衣草属 Alchemilla

光柄羽衣草 *Alchemilla krylovii* Juz.

| 药 材 名 | 羽衣草（药用部位：全草）。

| 形态特征 | 多年生草本。高 20 ~ 30 cm，植株常为绿色。茎长于基生叶叶柄或长超过 1 倍，茎直立、无毛或仅在初生节间有散生开展的柔毛。基生叶叶片肾形或肾圆形，长 2 ~ 5 cm，宽 3 ~ 8 cm，具 7 ~ 9 浅裂片，半圆形或钝三角形，边缘有细锯齿，基部宽展或呈弯缺状，上面有疏毛或几无毛，下面有散生柔毛，沿脉有紧贴柔毛。花序为疏散的聚伞花序，花长 2 ~ 2.5 mm，宽 2 ~ 3 mm，绿色；花梗等于或长于萼筒，无毛；萼筒钟状，无毛；萼片无毛，副萼片短于萼片 1/3 或更多，窄于萼片 2 倍。花期 6 ~ 8 月。

| 生境分布 | 生于溪旁草丛或林缘。分布于新疆新源县、和布克赛尔蒙古自治县、木垒哈萨克自治县等。 |

| 采收加工 | 夏、秋季花开时采收，晒干。 |

| 功能主治 | 止血收敛，消炎止痛，活血，祛风，止痛，解毒。用于跌打损伤，风湿疼痛，痞块，痈肿。 |

蔷薇科 Rosaceae 羽衣草属 *Alchemilla*

阿尔泰羽衣草
Alchemilla pinguis Juz.

| 药 材 名 | 羽衣草（药用部位：全草）。

| 形态特征 | 多年生草本。高 10 ~ 20 cm，植株暗绿色。茎略长于根生叶叶柄，茎较粗，直立，密被向下展的柔毛。基生叶叶片宽肾形或圆肾形，长 1.5 ~ 5 cm，宽 2 ~ 6 cm，裂片半圆形，边缘具有缺刻状的钝齿，叶片两面几无毛，上面仅沿边缘有散生柔毛，下面沿脉有柔毛；叶柄粗，密被绒毛和向下展的柔毛；托叶具钝齿。聚伞花序疏松，少花，黄绿色；花梗几等长于萼筒，无毛；萼筒长，倒圆锥形或倒卵形，无毛；萼片微短于萼筒，副萼片明显短于、窄于萼片。花期 7 ~ 8 月。

| **生境分布** | 生于谷地草丛及亚高山草甸。分布于新疆富蕴县、阿勒泰市等。

| **采收加工** | 夏、秋季花开时采收，晒干。

| **功能主治** | 止血收敛，消炎止痛，活血，祛风，止痛，解毒。用于跌打损伤，风湿疼痛，痞块，痈肿。

薔薇科 Rosaceae 羽衣草属 Alchemilla

西伯利亚羽衣草

Alchemilla sibirica Zämelis

| 药 材 名 | 羽衣草（药用部位：全草）。

| 形态特征 | 多年生草本。高 7 ~ 30 cm，植株灰绿色。茎长略超过基生叶叶柄，呈弧形上升，全株密被开展的柔毛。基生叶肾形或肾圆形，长 1.5 ~ 5 cm，宽 2.5 ~ 6.5 cm，基部宽展或呈窄槽，或几平展，7 ~ 9 浅裂片，半圆形或半卵形，边缘有三角状尖齿，两面被密柔毛，下面沿中脉较密；茎生叶中等大小。花为疏散的聚伞花序，黄绿色；花梗等于或略长于萼筒；萼筒钟状，密被柔毛或在上面有散生的柔毛，萼片短于萼筒，被柔毛，副萼片略短于萼片。花期 6 ~ 7 月。

| 生境分布 | 生于海拔 2 300 m 左右的亚高山草甸及林缘或灌丛。分布于新疆和静县、阿勒泰市、和布克赛尔蒙古自治县、玛纳斯县、哈巴河县等。

| 采收加工 | 夏、秋季花开时采收，晒干。

| 功能主治 | 止血收敛，消炎止痛，祛风活血，清热解毒。

蔷薇科 Rosaceae 羽衣草属 Alchemilla

天山羽衣草 Alchemilla tianschanica Juz.

| 药 材 名 | 羽衣草（药用部位：全草）。

| 形态特征 | 多年生草本。高 20 ~ 50 cm。植株黄绿色。茎长于基生叶叶柄或长超过 1 倍。基生叶直立或向外倾，叶柄密被平展的柔毛，叶片圆形或肾形，长 2 ~ 8 cm，宽 2.5 ~ 10 cm，7 ~ 9 浅裂，裂片半圆形或尖卵形，边缘有细锯齿，基部直角展开或呈窄槽，上面无毛，下面被散生柔毛或较密，沿中脉具平展的柔毛；茎生叶数枚，托叶具尖齿。花序小，为多花紧密的聚伞花序；花序梗细，有棱角；花黄绿色，花梗等于或短于萼筒，光滑；萼筒圆锥形，无毛或仅在基部有开展的柔毛；萼片短于萼筒，宽卵形，无毛或被毛，副萼片小，比萼片短 2 倍且窄于萼片。花期 7 ~ 8 月。

| **生境分布** | 生于海拔 1 600 ~ 2 400 m 的山间溪旁草丛、山坡草地及林缘。分布于新疆裕民县、新源县、塔城市等。 |

| **采收加工** | 夏、秋季花开时采收，晒干。 |

| **功能主治** | 止血收敛，消炎止痛，润肺止咳，化痰平喘。 |

蔷薇科 Rosaceae 桃属 *Amygdalus*

野扁桃
Amygdalus ledebouriana (Schltdl.) Y. Y. Yao

| 药 材 名 | 巴旦仁（药用部位：种子）。

| 形态特征 | 灌木。高 1 ~ 1.5 m。枝条交叉伸展，嫩枝数量多而短缩；多年生枝灰色或淡红灰色；一年生枝淡红褐色，无毛。叶在长枝上互生，在短枝上簇生，叶片狭长圆形、长圆状披针形或披针形，长 3 ~ 6 cm，宽 0.5 ~ 1.5 cm，先端渐尖，稀微钝，基部狭楔形，两面无毛，边缘有锯齿。花单生，与叶同放，花梗短；萼筒圆筒形；无毛；萼片卵形或卵状披针形，边缘具腺状小齿；花瓣为长圆状卵形，先端钝或有凹缺，粉红色；雄蕊多数，短于花瓣；子房密被长柔毛，花柱与雌蕊近等长。核果卵球形，直径 1 ~ 2 cm，外面密被淡黄色长柔毛；果肉干燥，成熟时开裂；核卵球形，两侧扁，腹缝肥厚而

较弯，背缝龙骨状，先端有小凸尖，基部偏斜，表面有不明显的洼点，粗糙，核壳厚而坚硬。花期 5 ~ 6 月，果期 7 ~ 8 月。

| 生境分布 | 生于海拔约 1 200 m 的干旱草坡及谷地。分布于新疆塔城市、格民县等。

| 功能主治 | 润肺止咳，强身健脑，润肠软便，热身壮阳，填精固精。用于干性肺虚咳嗽，身体虚弱，记忆力减退，便秘，精液稀少，早泄遗精。

蔷薇科 Rosaceae 地蔷薇属 *Chamaerhodos*

地蔷薇 *Chamaerhodos erecta* (L.) Bunge

| 药 材 名 | 地蔷薇（药用部位：全草）。

| 形态特征 | 一年生或二年生草本。高 10 ~ 60 cm。根木质。茎直立或呈弧形上升，单一，少有多茎丛生，常上部分枝，密被腺毛和柔毛。基生叶密集，呈莲座状，叶 2 回羽状深裂，裂片窄条形，两面绿色，疏生伏柔毛；具长柄，果期枯萎；托叶 3 至多裂，基部与叶柄合生，茎生叶与基生叶相似。二歧聚伞圆锥花序；苞片 2 ~ 3 裂；萼筒倒圆锥形或钟形；萼片卵状及针形，密被柔毛及腺毛；花瓣粉红色或白色，倒卵状匙形，先端微凹，基部有爪；雄蕊 5；雌蕊 10 ~ 15，离生，花柱丝状，侧基生，子房卵形或长圆形。瘦果近球形，褐色，平滑无毛，先端具尖头。花期 6 ~ 8 月。

| **生境分布** | 生于海拔 1 400 ～ 2 200 m 的石质山坡、干旱草原及河滩地。分布于新疆青河县、福海县、布尔津县、阜康市、昌吉市等。

| **采收加工** | 夏、秋季采收，晒干。

| **功能主治** | 祛风湿。用于风湿性关节炎。

蔷薇科 Rosaceae 地蔷薇属 *Chamaerhodos*

砂生地蔷薇 *Chamaerhodos sabulosa* Bunge

| 药 材 名 | 地蔷薇（药用部位：全草）。

| 形态特征 | 多年生草本。高 6 ~ 10（~ 18）cm。根木质化。茎丛生，被短柔毛和腺毛。基生叶莲座状，2 回羽状 3 深裂，裂片条状倒披针形，两面灰色，被柔毛和腺毛，花果期不枯萎；托叶不裂；茎生叶与基生叶相似，裂片少或不裂。圆锥状聚伞花序，顶生；苞片条形，不裂；萼筒钟形或倒圆锥形，萼片三角状卵形，直立，与萼筒等长或稍长，被毛；花瓣粉红色或白色，倒长卵形，比萼片短或等长；雄蕊 5；雌蕊 6 ~ 10，离生，子房卵形，花柱基生。瘦果窄卵形，棕黄色，有光泽。花期 6 ~ 7 月，果期 8 ~ 9 月。

| 生境分布 | 生于河边沙地、干旱河滩及干旱荒漠草原。分布于新疆阿勒泰地区

及若羌县等。

| **采收加工** | 夏、秋季采收，晒干。

| **功能主治** | 祛风湿。用于风湿性关节炎。

蔷薇科 Rosaceae 沼委陵菜属 Comarum

西北沼委陵菜

Comarum salesovianum (Stephan) Asch. & Graebn.

| 药 材 名 |　沼委陵菜（药用部位：全株）。

| 形态特征 |　亚灌木。高 30 ～ 100 cm。茎直立，有分枝，幼时有粉质蜡层，具长柔毛，红褐色，冬季仅残留木质化基部。奇数羽状复叶，连叶柄长 4.5 ～ 9.5 cm，叶柄长 1 ～ 1.5 cm；小叶片 7 ～ 11，纸质，互生或近对生，长圆状披针形或卵状披针形，稀倒卵状披针形，长 1.5 ～ 3.5 cm，宽 4 ～ 12 mm，越向下越小，先端急尖，基部楔形，边缘有尖锐锯齿，上面绿色，无毛，下面有粉质蜡层及贴生柔毛，中脉在下面微隆起，侧脉 4 ～ 5 对，不明显；叶轴带红褐色，有长柔毛；小叶柄极短或无；托叶膜质，先端长尾尖，大部分与叶柄合生，有粉质蜡层及柔毛，上部叶具 3 小叶或成单叶。聚伞花序顶生或腋

生，有数朵疏生花；总花梗及花梗有粉质蜡层及密生长柔毛，花梗长 1.5 ~ 3 cm；苞片及小苞片线状披针形，长 6 ~ 20 mm，红褐色，先端渐尖；花直径 2.5 ~ 3 cm；萼筒倒圆锥形，肥厚，外面被短柔毛及粉质蜡层；萼片三角卵形，长约 1.5 cm，带红紫色，先端渐尖，外面有短柔毛及粉质蜡层，内面贴生短柔毛，副萼片线状披针形，长 7 ~ 10 mm，紫色，先端渐尖，外被柔毛；花瓣倒卵形，长 1 ~ 1.5 cm，约和萼片等长，白色或红色，无毛，先端圆钝，基部有短爪；雄蕊约 20，花丝长 5 ~ 6 mm；花托肥厚，半球形，密生长柔毛；子房长圆卵形，有长柔毛。瘦果多数，长圆卵形，长约 2 mm，有长柔毛，埋藏在花托长柔毛内，外有宿存副萼片及萼片包裹。花期 6 ~ 8 月，果期 8 ~ 10 月。

| 生境分布 | 生于海拔 3 600 ~ 4 000 m 的山坡、沟谷及河岸。分布于新疆塔什库尔干塔吉克自治县、伊吾县等。

| 采收加工 | 夏、秋季采收，晒干。

| 功能主治 | 祛风除湿，清热解毒，凉血止痢。用于血痢腹痛，久痢不止，痔疮出血，痈肿疮毒。

蔷薇科 Rosaceae 栒子属 Cotoneaster

异花栒子 *Cotoneaster allochrous* Pojark.

| 药 材 名 |

水栒子（药用部位：枝条）。

| 形 态 特 征 |

灌木。高达 1.5 m。枝条纤细，直立，一年生枝被短绒毛。叶片宽卵形、菱状卵形或椭圆形，先端渐尖，常有尖头，基部宽楔形，上面亮绿色无毛或初具疏毛，下面色淡，有稀疏的或散生的短绒毛；叶柄有绒毛。花序直立，有花 5 ~ 9；花序轴长 6 ~ 13 mm；花梗长 3 ~ 7 mm，有时密被细柔毛；萼筒与萼片初被疏毛，后脱落；花直径约 1 cm；花瓣圆形，展开，白色，边缘有不规则的齿；雄蕊 17 ~ 20；花柱 2。果实倒卵形，直径约 5 mm，红紫色，具 2 核。花期 6 ~ 7 月，果期 8 ~ 9 月。

| 生 境 分 布 |

生于海拔 1 100 ~ 2 100 m 的河谷灌丛或石砾坡地。分布于新疆乌鲁木齐市、伊犁哈萨克自治州及巴里坤哈萨克自治县等。

| 采 收 加 工 |

6 ~ 8 月采收。

| **功能主治** | 凉血止血，解毒敛疮。用于鼻衄，牙龈出血，月经过多。

大果栒子 *Cotoneaster megalocarpus* M. Pop.

| 药 材 名 | 水栒子（药用部位：枝条）。

| 形态特征 | 落叶、常绿或半常绿灌木，有时为小乔木状。冬芽小形，具数个覆瓦状鳞片。叶互生，有时成2列状，叶柄短，全缘；托叶细小，较早脱落。花单生，2～3或数朵成聚伞花序，腋生或着生在短枝先端；萼筒钟状、筒状或陀螺状，有短萼片5；花瓣5，白色、粉红色或红色，直立或张开，在花芽中覆瓦状排列；雄蕊常20，稀5～25；花柱2～5，离生，心皮背面与萼筒连合，腹面分离，每心皮具2胚珠；子房下位或半下位。果实小形梨果状，红色、褐红色至紫黑色，先端有宿存萼片，内含1～5小核；小核骨质，常具1种子；种子扁平，子叶平凸。

| **生境分布** | 生于碎石坡地及林缘。分布于新疆吉木乃县、博乐县、温泉县等。

| **采收加工** | 6 ~ 8 月采收。

| **功能主治** | 凉血止血，解毒敛疮。用于鼻衄，牙龈出血，月经过多。

蔷薇科 Rosaceae 栒子属 *Cotoneaster*

黑果栒子

Cotoneaster melanocarpus Lodd., G. Lodd. & W. Lodd.

| 药 材 名 | 水栒子（药用部位：枝条）。

| 形态特征 | 落叶灌木。高 1 ~ 2 m。枝条展开，小枝圆柱形，褐色或紫褐色，
幼时具短柔毛，不久脱落无毛。叶片卵状椭圆形至宽卵形，长
2 ~ 4.5 cm，宽 1 ~ 3 cm，先端钝或微尖，有时微缺，基部圆形或
宽楔形，全缘，上面幼时微具短柔毛，老时无毛，下面被白色绒
毛；叶柄长 2 ~ 5 mm，有绒毛；托叶披针形，具毛，部分宿存。花
3 ~ 15 组成聚伞花序；总花梗和花梗具柔毛，下垂；花梗长 3 ~ 7
（~ 9）mm；苞片线形，有柔毛；花直径约 7 mm；萼筒钟状，内、
外两面无毛；萼片三角形，先端钝，外面无毛，内面仅沿边缘微
具柔毛；花瓣直立，近圆形，长与宽均 3 ~ 4 mm，粉红色；雄蕊

20，短于花瓣；花柱 2 ～ 3，离生，比花瓣短；子房先端具柔毛。果实近球形，直径 6 ～ 7 mm，蓝黑色，有蜡粉，内具 2 ～ 3 小核。花期 5 ～ 6 月，果期 8 ～ 9 月。

| **生境分布** | 生于海拔 700 ～ 2 600 m 的山坡、疏林间或灌丛中。分布于新疆霍城县、阜康市、巩留县等。

| **采收加工** | 6 ～ 8 月采收。

| **功能主治** | 凉血止血，解毒敛疮。用于鼻衄，牙龈出血，月经过多，烫伤。

蔷薇科 Rosaceae 栒子属 Cotoneaster

水栒子 *Cotoneaster multiflorus* Bunge

| 药 材 名 | 水栒子（药用部位：枝条）。

| 形态特征 | 落叶灌木。高达 4 m。枝条细瘦，常呈弓形弯曲，小枝圆柱形，红褐色或棕褐色，无毛，幼时带紫色，具短柔毛，不久脱落。叶片卵形或宽卵形，长 2 ~ 4 cm，宽 1.5 ~ 3 cm，先端急尖或圆钝，基部宽楔形或圆形，上面无毛，下面幼时稍有绒毛，后渐脱落；叶柄长 3 ~ 8 mm，幼时有柔毛，以后脱落；托叶线形，疏生柔毛，脱落。花 5 ~ 21，成疏松的聚伞花序；总花梗和花梗无毛，稀微具柔毛，花梗长 4 ~ 6 mm；苞片线形，无毛或微具柔毛；花直径 1 ~ 1.2 cm；萼筒钟状，内、外两面均无毛；萼片三角形，先端急尖，通常除先端边缘外，内、外两面均无毛；花瓣平展，近圆形，直径 4 ~ 5 mm，

先端圆钝或微缺，基部有短爪，内面基部有白色细柔毛，白色；雄蕊约20，稍短于花瓣；花柱通常2，离生，比雄蕊短；子房先端有柔毛。果实近球形或倒卵形，直径8 mm，红色，具2核，腹面扁。花期5～6月，果期8～9月。

| **生境分布** | 生于海拔1 200～1 800 m的干旱坡地及谷地灌丛。分布于新疆阿勒泰市、布尔津县、塔城市等。

| **采收加工** | 6～8月采收。

| **功能主治** | 凉血止血，解毒敛疮。用于鼻衄，牙龈出血，月经过多，烫伤。

蔷薇科 Rosaceae 枸子属 Cotoneaster

少花枸子

Cotoneaster oliganthus Pojark.

| 药 材 名 | 水枸子（药用部位：枝条）。

| 形态特征 | 落叶灌木。高 1 ～ 2 m。小枝幼时密被平铺绿灰色绒毛，最后脱落近无毛，深褐色。叶片椭圆形或卵圆形，先端常圆钝，稀稍急尖，有时微凹，并有短尖，基部宽楔形至圆形，长 8 ～ 25 mm，宽 4 ～ 17 mm，上面深绿色，有稀疏平铺柔毛或无毛，下面被绿灰色绒毛；叶柄有绒毛，长 2 ～ 4 mm。花序比叶片短约一半，花 2 ～ 4 组成总状短花束；总花梗长 2 ～ 3 mm；花梗有毛，长 2 ～ 5 mm；花朵小，直径 7 ～ 8 mm；萼筒外被平铺稀疏柔毛，萼片宽三角形，先端圆钝或稍急尖，有稀疏柔毛或近无毛，边缘带紫色并有绒毛状睫毛；花瓣淡红色，内面基部有曲柔毛；雄蕊 20；花柱 2 ～ 3，离生。

果实近球形至椭圆形，直径 5 ~ 8 mm，红色，常具 2 ~ 3 小核。

| 生境分布 | 生于海拔 1 000 ~ 2 100 m 的石质坡地、谷地灌丛及林缘。分布于新疆阜康市、巴里坤哈萨克自治县、和布克赛尔蒙古自治县、吉木乃县、阿勒泰市等。

| 采收加工 | 6 ~ 8 月采收。

| 功能主治 | 凉血止血，解毒敛疮。用于鼻衄，牙龈出血，月经过多，烫伤。

蔷薇科 Rosaceae 枸子属 *Cotoneaster*

梨果枸子

Cotoneaster roborowskii Pojark.

| 药 材 名 | 水枸子（药用部位：枝条）。

| 形态特征 | 灌木。高 2 ~ 3 m。具帚状开展的枝条，暗紫色，有光泽；当年生枝纤细，初被密绒毛，下部很快脱落；老枝暗灰色。叶片椭圆形或圆状椭圆形，长 12 ~ 22 mm，宽 6 ~ 12 mm，无性枝叶长可达 25 mm，宽 16 mm，上面无毛，下面被灰绒毛；叶柄长 2 ~ 6 mm，先端圆钝，基部宽楔形或圆形。花序直立，聚伞花序，稀疏开展，有花 4 ~ 8；花梗被密绒毛；花直径约 1 cm，萼筒与萼片被毛；花瓣近圆形，平展或下弯，白色；雄蕊 18 ~ 20；花柱 2，子房顶部有密柔毛。果实倒卵形，先端多少收缩，直径 6 ~ 7 mm，紫红色，具 2 核。花期 6 ~ 7 月，果期 8 ~ 9 月。

| 生境分布 | 生于海拔 1 200 ~ 2 700 m 的碎石坡地、谷地灌丛或林缘。分布于新疆奇台县、乌鲁木齐县、霍城县、特克斯县等。

| 采收加工 | 6 ~ 8 月采收。

| 功能主治 | 凉血止血，解毒敛疮。用于鼻衄，牙龈出血，月经过多，烫伤。

薔薇科 Rosaceae 枸子属 *Cotoneaster*

准噶尔枸子

Cotoneaster soongoricus (Regel & Herder) Popov

| **药 材 名** | 水枸子（药用部位：枝条）。

| **形态特征** | 落叶灌木。高达 1 ~ 2.5 m。枝条张开，稀直升，小枝细瘦，圆柱形，灰褐色，嫩时密被皮灰色绒毛，成长时逐渐脱落无毛。叶片广椭圆形、近圆形或卵形，长 1.5 ~ 5 cm，宽 1 ~ 2 cm，先端常圆钝而有小凸尖，有时微凹，基部圆形或宽楔形，上面无毛或具稀疏柔毛，叶脉常下陷，下面被白色绒毛，叶脉稍微突起；叶柄长 2 ~ 5 mm，具绒毛。花 3 ~ 12，聚伞花序；总花梗和花梗被白色绒毛，花梗长 2 ~ 3 mm；花直径 8 ~ 9 mm；萼筒钟状，外被绒毛，内面无毛；萼片宽三角形，先端急尖，外面有绒毛，内面近无毛或无毛；花瓣平展，卵形至近圆形，先端圆钝，稀微凹，基部有短爪，内面近基

部微具带白色细柔毛，白色；雄蕊 18 ~ 20，稍短于花瓣，花药黄色；花柱 2，离生，稍短于雄蕊，子房顶部密生白色柔毛。果实卵形至椭圆形，长 7 ~ 10 mm，红色，具 1 ~ 2 小核。花期 5 ~ 6 月，果期 9 ~ 10 月。

| 生境分布 | 生于海拔 2 300 m 的干旱山坡。分布于新疆阿克苏地区等。

| 采收加工 | 6 ~ 8 月采收。

| 功能主治 | 凉血止血，解毒敛疮。用于鼻衄，牙龈出血，月经过多，烫伤。

薔薇科 Rosaceae 栒子属 Cotoneaster

甜栒子 *Cotoneaster suavis* Pojark.

| 药 材 名 | 水栒子（药用部位：枝条）。

| 形态特征 | 灌木。高 1 ~ 1.5 m。枝初被绒毛，后脱落，一年生枝褐红色，有纵沟，老枝紫灰色或紫红灰色。叶片椭圆形或阔椭圆形，稀菱状椭圆形，长 2 ~ 4 cm，宽 1 ~ 2 cm，先端尖或钝，有尖头，少凹缺，上面无毛，下面被灰白色短绒毛。短的聚伞花序，直立，有花 6 ~ 12；花梗、萼筒、萼片均密被灰色绒毛；花直径 8 ~ 12 mm，展开；花瓣圆形，平展，白色；雄蕊 20；花柱 2。果实近球形或倒卵形，鲜紫色，具 2 核。花期 7 ~ 8 月，果期 8 ~ 9 月。

| 生境分布 | 生于海拔 1 400 m 左右的干旱坡地。分布于新疆塔城地区、伊犁哈萨克自治州等。

| 采收加工 | 6 ~ 8 月采收。

| 功能主治 | 凉血止血，解毒敛疮。用于鼻衄，牙龈出血，月经过多。

蔷薇科 Rosaceae 栒子属 *Cotoneaster*

单花栒子

Cotoneaster uniflorus Bunge

| 药 材 名 | 水栒子（药用部位：枝条）。

| 形态特征 | 落叶矮小灌木。有时平贴地面，高不过 1 m。小枝圆柱形，灰褐色至灰黑色，嫩枝纤细，密被带黄色短柔毛，成长时脱落，老时无毛。叶片多数卵形，稀卵状椭圆形，长 1.8 ~ 3.5 cm，宽 1.3 ~ 2.5 cm，先端急尖，稀圆钝，基部宽楔形至圆形，全缘，上面无毛，下面初被绒毛，老时脱落，近无毛；叶柄长 3 ~ 5 mm，稍具柔毛；托叶披针形，紫红色，有稀疏柔毛。花单生，有时为 2；花梗极短，有稀疏柔毛；花直径 7 ~ 8 mm；萼筒钟状，内、外两面均无毛；萼片三角形，先端稍钝或急尖，边缘有时具数个浅锯齿，内、外两面均无毛或仅边缘有稀疏柔毛；花瓣直立，近圆形，长与宽均为 3 ~ 3.5 mm，

先端圆钝，基部具短爪，粉红色；雄蕊 15～20，短于花瓣；花柱 2～3，离生，比雄蕊短；子房先端具柔毛。果实球形，直径 6～7 mm，红色，常具 3 小核。花期 5～6 月，果期 8～9 月。

| 生境分布 | 生于海拔 1 500～2 100 m 的碎石坡地及林缘。分布于新疆阿勒泰市、福海县、布尔津县、塔城市等。

| 采收加工 | 6～8 月采收。

| 功能主治 | 凉血止血，解毒敛疮。用于鼻衄，牙龈出血，月经过多。

薔薇科 Rosaceae 山楂属 Crataegus

准噶尔山楂 *Crataegus songorica* C. Koch

药材名

山楂（药用部位：果实）。

形态特征

小乔木，稀灌木。高 3 ~ 5 m。当年生枝条紫红色，多年生枝条灰褐色，刺粗壮。叶片阔卵形或菱形，常 2 ~ 3 回羽状深裂，先端裂片有不规则的缺刻状粗牙齿，幼叶时有毛，后脱落；托叶呈镰状弯曲，边缘有齿。伞房花序多花；萼筒钟状；萼片三角状卵形或宽披针形，较萼筒短；雄蕊 15 ~ 20，花药粉红色；花柱 2 ~ 3，子房先端有柔毛。果实椭圆形或球形，直径 1 ~ 1.5 cm，黑紫色，具少数淡色斑点；小核 2 ~ 3，两侧平滑。花期 5 ~ 6 月，果期 7 ~ 8 月。

生境分布

生于海拔 700 ~ 2 000 m 的河谷或干旱碎石坡地。分布于新疆霍城县、伊宁县等。

采收加工

秋季果实成熟时采收，切片，干燥。

| 功能主治 | 消食健胃，行气散瘀，化浊降脂。用于肉食积滞，胃脘胀满，泻痢腹痛，瘀血经闭，产后瘀阻，心腹刺痛，胸痹心痛，疝气疼痛，高脂血症。

蔷薇科 Rosaceae 榅桲属 Cydonia

榅桲
Cydonia oblonga Mill.

| **药 材 名** | 榅桲（药用部位：果实）。

| **形态特征** | 灌木或小乔木。有时高达 8 m。小枝细弱，无刺，圆柱形，嫩枝密被绒毛，以后脱落，紫红色；二年生枝条无毛，紫褐色，有稀疏皮孔。冬芽卵形，先端急尖，被绒毛，紫褐色。叶片卵形至长圆形，长 5 ~ 10 cm，宽 3 ~ 5 cm，先端急尖、凸尖或微凹，基部圆形或近心形，上面无毛或幼嫩时有疏生柔毛，深绿色，下面密被长柔毛，浅绿色，叶脉显著；叶柄长 8 ~ 15 mm，被绒毛；托叶膜质，卵形，先端急尖，边缘有腺齿，近无毛，早落。花单生；花梗长约 5 mm 或近无柄，密被绒毛；苞片膜质，卵形，早落；花直径 4 ~ 5 cm；萼筒钟状，外面密被绒毛；萼片卵形至宽披针形，长 5 ~ 6 mm，先

端急尖，边缘有腺齿，反折，比萼筒长，内、外两面均被绒毛；花瓣倒卵形，长约 1.8 cm，白色；雄蕊 20，长不及花瓣之半；花柱 5，离生，约与雄蕊等长，基部密被长绒毛。果实梨形，直径 3 ～ 5 cm，密被短绒毛，黄色；萼片宿存反折；果柄短粗，长约 5 mm，被绒毛。花期 4 ～ 5 月，果期 10 月。

| **生境分布** | 生于砂土或黏土中。分布于新疆喀什市、莎车县、和田县等。

| **采收加工** | 果实成熟后采摘，晒干。

| **功能主治** | 祛湿解暑，舒筋活络。用于伤暑，呕吐，腹泻，消化不良，关节疼痛，腓肠肌痉挛。

蔷薇科 Rosaceae 金露梅属 Dasiphora

帕米尔金露梅 *Dasiphora dryadanthoides* Juz.

| 药 材 名 | 金露梅（药用部位：叶、花）。

| 形态特征 | 矮小灌木。高 7 ~ 15 cm。枝条铺散，嫩枝棕黄色，稍被疏柔毛。奇数羽状复叶，小叶片 3 或 5，椭圆形，先端钝圆，基部楔形，边缘平坦或略反卷，两面被白色绢状柔毛，下面沿脉有开展的长柔毛；托叶卵形，膜质，淡棕色。花单生于叶腋，花梗短，花直径 1 ~ 1.5 cm；萼片宽卵形，副萼片披针形或卵形，具短尖，短于萼片；花瓣黄色，宽椭圆形，长于萼片；花柱近基生，棒状，基部稍细，柱头扩大。瘦果被毛。花期 6 ~ 7 月。

| 生境分布 | 生于海拔 3 800 ~ 4 500 m 的干旱草原及石砾坡地。分布于新疆塔什库尔干塔吉克自治县、皮山县等。

| 采收加工 | 夏季采收，晒干。

| 功能主治 | 清泄暑热，健胃消食，调经。用于暑热眩晕，两目不清，胃气不和，食滞纳呆，月经不调。

蔷薇科 Rosaceae 金露梅属 Dasiphora

金露梅 *Dasiphora fruticosa* (L.) Rydb.

| 药 材 名 | 金露梅（药用部位：叶、花）。

| 形态特征 | 灌木。高 0.5 ~ 2 m。多分枝，树皮纵向剥落。小枝红褐色，幼时被长柔毛。羽状复叶，有小叶 2 对，稀 3 小叶，上面 1 对小叶基部下延与叶轴汇合；叶柄被绢毛或疏柔毛；小叶片长圆形、倒卵状长圆形或卵状披针形，长 0.7 ~ 2 cm，宽 0.4 ~ 1 cm，全缘，边缘平坦，先端急尖或圆钝，基部楔形，两面绿色，疏被绢毛、柔毛或脱落近无毛；托叶薄膜质，宽大，外面被长柔毛或脱落。花单生或数朵生于枝顶；花梗密被长柔毛或绢毛；花直径 2.2 ~ 3 cm；萼片卵圆形，先端急尖至短渐尖，副萼片披针形至倒卵状披针形，先端渐尖至急尖，与萼片近等长，外面疏被绢毛；花瓣黄色，宽倒卵形，先端圆钝，

比萼片长；花柱近基生，棒形，基部稍细，顶部缢缩，柱头扩大。瘦果近卵形，褐棕色，长 1.5 mm，外被长柔毛。花果期 6 ~ 9 月。

| **生境分布** | 生于海拔 1 000 ~ 4 000 m 的山坡草地、砾石坡、灌丛及林缘。分布于新疆乌鲁木齐县、和静县及昌吉地区。

| **采收加工** | 夏季采收，晒干。

| **功能主治** | **中医** 叶，清暑热，益脑清心，调经，健胃。用于暑热眩晕，两目不清，胃气不和，滞食，月经不调。
藏医 花，用于赤白带。

小叶金露梅 *Dasiphora parvifolia* (Fisch. ex Lehm.) Juz.

| 药 材 名 | 金露梅（药用部位：叶、花）。

| 生境分布 | 灌木。高 0.3 ~ 1.5 m。分枝多，树皮纵向剥落。小枝灰色或灰褐色，幼时被灰白色柔毛或绢毛。羽状复叶，小叶 2 对，常混生有 3 对，基部 2 对小叶呈掌状或轮状排列；小叶小，披针形、带状披针形或倒卵状披针形，长 0.7 ~ 1 cm，宽 2 ~ 4 mm，先端常渐尖，稀圆钝，基部楔形，全缘，明显向下反卷，两面绿色，被绢毛，或下面粉白色，有时被疏柔毛；托叶膜质，褐色或淡褐色，全缘，外面被疏柔毛。顶生单花或数朵，花梗被灰白色柔毛或绢状柔毛；花直径 1.2 ~ 2.2 cm；萼片卵形，先端急尖，副萼片披针形、卵状披针形或倒卵状披针形，先端渐尖或急尖，短于萼片或近等长，外面被绢状

柔毛或疏柔毛；花瓣黄色，宽倒卵形，先端微凹或圆钝，比萼片长 1 ~ 2 倍；花柱近基生，棒状，基部稍细，在柱头下缢缩，柱头扩大。瘦果表面被毛。花果期 6 ~ 8 月。

| **生境分布** | 生于海拔 900 ~ 5 000 m 的干燥山坡、岩石缝中、林缘及林中。分布于新疆乌鲁木齐县、玛纳斯县、额敏县、尼勒克县、和静县等。

| **采收加工** | 夏季采收，晒干。

| **功能主治** | 清泄暑热，健胃消食，调经。用于暑热眩晕，两目不清，胃气不和，食滞纳呆，月经不调。

薔薇科 Rosaceae 蚊子草属 Filipendula

合叶子 *Filipendula vulgaris* Moench

| **药 材 名** | 合叶子（药用部位：花、根）。

| **形态特征** | 多年生草本。高 20 ~ 60 cm。根茎具有纺锤形或球形块根。茎直立，
圆筒形，微有棱。茎生叶与基生叶相似。花为圆锥花序，花瓣长倒

卵形，有短爪，白色或淡粉红色。瘦果无柄，直立，被黄色柔毛。花期 5 ~ 8 月。

| 生境分布 | 生于海拔 1 400 ~ 2 000 m 的山坡草地、溪旁草丛及林缘。分布于新疆塔城市、博乐市等。

| 采收加工 | 6 ~ 7 月采收花，6 ~ 9 月采挖根，晒干。

| 功能主治 | 收敛，降血压。用于高血压，疮疡脓血。

薔薇科 Rosaceae 草莓属 Fragaria

草莓

Fragaria × ananassa (Weston) Duchesne ex Rozier

| 药 材 名 | 草莓（药用部位：果实）。

| 形态特征 | 多年生草本。高 10 ~ 40 cm。茎低于叶或近相等，密被开展黄色柔毛。叶三出；小叶具短柄，质地较厚，倒卵形或菱形，稀圆形，长 3 ~ 7 cm，宽 2 ~ 6 cm，先端圆钝，基部阔楔形，侧生小叶基部偏斜，边缘具缺刻状锯齿，锯齿极尖，上面深绿色，几无毛，下面淡白绿色，疏生毛，沿脉较密；叶柄长 2 ~ 10 cm，密被开展黄色柔毛。花呈聚伞花序，有花 5 ~ 15，花序下面具 1 短柄的小叶；花两性，直径 1.5 ~ 2 cm；萼片卵形，比副萼片稍长，副萼片椭圆状披针形，全缘，稀 2 深裂，果时扩大；花瓣白色，近圆形或倒卵状椭圆形，基部具不显的爪；雄蕊 20，不等长；雌蕊极多。聚合果，大，直径

达 3 cm，鲜红色，宿存萼片直立，紧贴于果实；瘦果尖卵形，光滑。果期 5 ~ 6 月。

| 生境分布 |　适宜于地势较高、地面平坦、土质疏松、排灌方便、光照良好、有机质丰富、pH 呈弱酸性或中性的壤土或砂壤土中种植。新疆各地均有栽培。

| 采收加工 |　近成熟期采收。

| 功能主治 |　清凉止渴，健胃消食。用于口渴，食欲不振，消化不良。

蔷薇科 Rosaccac 草莓属 Fragaria

绿草莓 *Fragaria viridis* Weston

| 药 材 名 | 草莓（药用部位：果实）。

| 形态特征 | 多年生草本。高 5 ~ 15 cm。匍匐茎细长，有柔毛；节生不定根。三出复叶基生；小叶椭圆形，上面疏被柔毛，下面仅叶脉上毛较密，边缘具锯齿；叶柄长 1 ~ 10 cm，被开展的毛；托叶与叶柄相连。花序聚伞状；花两性，花瓣黄白色；萼片 5，披针形，小于副萼片，果期紧贴果实。聚合果肉质，小球形或矩圆状卵形，暗红色，基部淡绿色或白色。

| 生境分布 | 生于海拔 1 400 ~ 2 400 m 的山坡草地、溪旁草丛及林缘。分布于新疆塔城市、新源县、昭苏县等。

| 采收加工 | 近成熟期采收。

| 功能主治 | 清凉止渴，健胃消食。用于口渴，食欲不振，消化不良。

| **采收加工** | 近成熟期采收。

| **功能主治** | 清凉止渴，健胃消食。用于口渴，食欲不振，消化不良。

蔷薇科 Rosaceae 路边青属 Geum

路边青 *Geum aleppicum* Jacq.

| **药 材 名** | 水杨梅（药用部位：全草或鳞茎）。

| **形态特征** | 多年生草本。高 40 ~ 80 cm。茎直立，被开展的粗硬毛，稀无毛。基生叶为极不整齐的大头羽状复叶，具小叶 3 ~ 13，顶生小叶最大，菱状卵形或宽扁圆形，长 4 ~ 8 cm，宽 5 ~ 10 cm，边缘具浅裂片或不规则的粗锯齿，两面绿色，被稀疏硬毛，茎生叶 3 ~ 5，三浅裂或羽状裂；茎生托叶大，卵形，边缘具齿。单花顶生；花梗被毛；花直径 1 ~ 1.5 cm；花瓣黄色，近圆形，长于萼片；萼片卵状三角形，副萼片狭小，披针形，先端尖，稀 2 裂，比萼片短，外面密被短柔毛及长柔毛；花柱线形，顶生，上部扭曲，成熟后自扭曲处脱落。聚合果倒卵球形，瘦果被毛，花柱宿存，先端具钩状喙。花期 6 ~ 7 月。

| **生境分布** | 生于海拔 1 200 ~ 2 300 m 的山坡草地、林缘或溪旁。分布于新疆木垒哈萨克自治县、奇台县、福海县、布尔津县、新源县等。

| **采收加工** | 春、秋季采收茎叶。8 ~ 11 月果实未成熟时采摘花序和果序，除去杂质，鲜用或晒干。

| **功能主治** | 清利湿热，解毒消肿。用于湿热泄泻，痢疾，湿疹，疮疖肿毒，风火牙痛，跌打损伤，外伤出血。

蔷薇科 Rosaceae 路边青属 Geum

紫萼水杨梅
Geum rivale L.

| 药 材 名 | 紫萼水杨梅（药用部位：茎叶、花、果序）。

| 形态特征 | 多年生草本。高 30 ~ 70 cm。茎直立，被疏柔毛或微硬毛。基生叶为极不相等的大头羽状复叶，有小叶 5 ~ 9，顶生小叶最大，呈菱状卵形，长 4 ~ 9 cm，宽 3 ~ 8 cm，边缘缺刻状浅裂或 3 深裂，具粗大的重锯齿，两面绿色，散生长硬毛；茎生叶为单叶，3 裂；茎生托叶草质，卵状椭圆形，边缘浅裂或中裂。花序疏散，有花 2 ~ 4，常下垂；花梗被黄色柔毛；花直径 2 ~ 2.5 cm；萼片卵状三角形，先端渐尖，副萼片细小，狭披针形，短于萼片，常带紫色；花瓣黄色，有紫褐色条纹，半圆形，基部有长爪，比萼片稍长；花柱顶生，丝状，关节处扭曲，下半部及子房被黄色长柔毛。瘦果被毛，花柱宿存，

果喙先端具钩。花期 6 ～ 7 月，果期 8 ～ 9 月。

| **生境分布** | 生于海拔 1 400 ～ 2 200 m 的河边草甸及谷地灌丛。分布于新疆新源县、巩留县、奇台县、裕民县、玛纳斯县等。

| **采收加工** | 春、秋季采收茎叶。8 月果实未成熟时采摘花序和果序，除去杂质，鲜用或晒干。

| **功能主治** | 清利湿热，解毒消肿。用于湿热泄泻，痢疾，湿疹，疮疖肿毒，风火牙痛，跌打损伤，外伤出血。

蔷薇科 Rosaceae 苹果属 *Malus*

花红
Malus asiatica Nakai

| **药 材 名** | 花红（药用部位：果实）。

| **形态特征** | 小乔木。高 4 ~ 6 m。小枝粗壮，圆柱形，嫩枝密被柔毛，老枝暗
紫褐色，无毛，有稀疏浅色皮孔。冬芽卵形，先端急尖，初时密被
柔毛，逐渐脱落，灰红色。叶片卵形或椭圆形，长 5 ~ 11 cm，宽
4 ~ 5.5 cm，先端急尖或渐尖，基部圆形或宽楔形，边缘有细锐锯齿，
上面有短柔毛，逐渐脱落，下面密被短柔毛；叶柄长 1.5 ~ 5 cm，
具短柔毛；托叶小，膜质，披针形，早落。伞房花序具花 4 ~ 7，
集生于小枝先端；花梗长 1.5 ~ 2 cm，密被柔毛；花直径 3 ~ 4 cm；
萼筒钟状，外面密被柔毛；萼片三角状披针形，长 4 ~ 5 mm，先
端渐尖，全缘，内、外两面密被柔毛，萼片比萼筒稍长；花瓣倒卵

形或长圆倒卵形，长 8 ~ 13 mm，宽 4 ~ 7 mm，基部有短爪，淡粉色；雄蕊 17 ~ 20，花丝长短不等，比花瓣短；花柱 4 ~ 5，基部具长绒毛，比雄蕊较长。果实卵形或近球形，直径 4 ~ 5 cm，黄色或红色，先端渐狭，不具隆起，基部陷入，宿存萼肥厚隆起。花期 4 ~ 5 月，果期 8 ~ 9 月。

| **生境分布** | 生于海拔 50 ~ 2 800 m 的山坡向阳处、平原沙地。分布于新疆阿克苏市、库车市、墨玉县等。

| **采收加工** | 夏、秋季果实成熟时采摘，切碎，晒干。

| **功能主治** | 祛风除湿，止咳平喘。用于风湿痹痛，咳嗽气喘，胸膜炎。

蔷薇科 Rosaceae 苹果属 *Malus*

山荆子 *Malus baccata* (L.) Borkh.

| 药 材 名 |

山荆子（药用部位：果实）。

| 形态特征 |

乔木。树冠广圆形。幼枝细弱，微屈曲，圆柱形，无毛，红褐色；老枝暗褐色。冬芽卵形，先端渐尖，鳞片边缘微具绒毛，红褐色。叶片椭圆形或卵形，长 3 ~ 8 cm，宽 2 ~ 3.5 cm，先端渐尖，稀尾状渐尖，基部楔形或圆形，边缘有细锐锯齿，嫩时稍有短柔毛或完全无毛；叶柄长 2 ~ 5 cm，幼时有短柔毛及少数腺体，不久即全部脱落，无毛；托叶膜质，披针形，长约 3 mm，全缘或有腺齿，早落。伞形花序具花 4 ~ 6，无总梗，集生于小枝先端，直径 5 ~ 7 cm；花梗细长，1.5 ~ 4 cm，无毛；苞片膜质，线状披针形，边缘具有腺齿，无毛，早落；花直径 3 ~ 3.5 cm；萼筒外面无毛；萼片披针形，先端渐尖，全缘，长 5 ~ 7 mm，外面无毛，内面被绒毛，长于萼筒；花瓣倒卵形，长 2 ~ 2.5 cm，先端圆钝，基部有短爪，白色；雄蕊 15 ~ 20，长短不齐，约等于花瓣之半；花柱 4 或 5，基部有长柔毛，较雄蕊长。果实近球形，直径 8 ~ 10 mm，红色或黄色，柄洼及萼洼稍微陷入，萼片脱落；果柄长 3 ~ 4 cm。花期 4 ~ 5 月，果期 8 ~ 9 月。

| 生境分布 | 生于海拔 50 ~ 1 500 m 的山坡杂木林中及山谷阴处灌丛中。分布于新疆塔城市、玛纳斯县等。

| 采收加工 | 秋季果实成熟时采摘，切片，晾干。

| 功能主治 | 收敛止泻，清热。用于泻痢，痢疾，吐泻。

蔷薇科 Rosaceae 苹果属 *Malus*

楸子

Malus prunifolia (Willd.) Borkh.

| **药 材 名** | 楸子（药用部位：果实）。

| **形态特征** | 小乔木。高 3 ~ 8 m。小枝粗壮，嫩枝密被短柔毛，老枝灰紫色或灰褐色，无毛。叶互生；叶柄长 1 ~ 5 cm，嫩果密被柔毛；叶片卵形或椭圆形，长 5 ~ 9 cm，宽 4 ~ 5 cm，先端渐尖或急尖，基部宽楔形，边缘有细锐锯齿。花两性；伞形或近伞形花序，花 4 ~ 10；花梗长 2 ~ 3.5 cm，被短柔毛；萼筒外面有长柔毛；萼片 5，披针形，两面均被柔毛；花白色或带粉红色；花瓣 5，倒卵状椭圆形，长 2.5 ~ 3 cm，宽约 1.5 cm，基部有短爪；雄蕊 20，花丝长短不齐，约等于花瓣的 1/3；花柱 4 ~ 5，基部有长绒毛，较雄蕊长。梨果卵形，直径 2 ~ 2.5 cm，红色，萼片宿存，肥厚，果柄细长。花期 4 ~ 5 月，

果期 8 ~ 9 月。

| **生境分布** | 生于海拔 50 ~ 1 300 m 的山坡、平地或山谷梯田边。新疆各地均有栽培。

| **采收加工** | 8 ~ 9 月果实成熟时采摘，鲜用。

| **功能主治** | 生津，消食。用于口渴，食积。

蔷薇科 Rosaceae 苹果属 *Malus*

苹果
Malus pumila Mill.

| 药 材 名 | 苹果（药用部位：果实）。

| 形态特征 | 落叶乔木。高达 15 m。幼枝有绒毛。芽有短柔毛。叶片广椭圆形至椭圆形或卵形，长 4.5 ~ 10 cm，宽 3 ~ 5.5 cm，先端稍尖，基部阔楔形，边缘具圆钝锯齿，幼叶两面有短柔毛；叶柄长 1.5 ~ 3 cm，有短柔毛。伞房花序有花 3 ~ 7；花白色而带红晕；花梗长 1 ~ 2.5 cm；萼宿存，裂片三角状披针形，较萼筒长，花梗与萼都有绒毛；花瓣 5，倒卵形；雄蕊多数；子房下位，花柱 5，下半部有短柔毛。梨果扁球形，通常约 7 cm，顶部及基部均凹陷。花期 4 月，果期 8 ~ 10 月。

| **生境分布** | 生于海拔 50 ~ 2 500 m 的山坡梯田、平原旷野以及黄土丘陵等处。新疆各地均有栽培。

| **采收加工** | 9 ~ 10 月果实成熟时采收。

| **功能主治** | 生津润肺，除烦解暑，开胃醒酒，止泻。用于慢性胃炎，消化不良，慢性腹泻，神经性结肠炎，便秘，高血压，高脂血症，肥胖，解酒，恶性肿瘤，贫血。

蔷薇科 Rosaceae 苹果属 Malus

新疆野苹果

Malus sieversii (Ledeb.) M. Roem.

| 药 材 名 | 苹果（药用部位：果实）。

| 形态特征 | 乔木。高达 2 ~ 10 m，稀 14 m。树冠宽阔，常有多数主干。小枝短粗，圆柱形，嫩时具短柔毛；二年生枝微屈曲，无毛，暗灰红色，具疏生长圆形皮孔。冬芽卵形，先端钝，外被长柔毛，鳞片边缘较密，暗红色。叶片卵形或宽椭圆形，稀倒卵形，长 6 ~ 11 cm，宽 3 ~ 5.5 cm，先端急尖，基部楔形，稀圆形，边缘具圆钝锯齿，幼叶下面密被长柔毛，老叶较少，浅绿色，上面沿叶脉有疏生柔毛，深绿色，侧脉 4 ~ 7 对，下面叶脉显著；叶柄长 1.2 ~ 3.5 cm，具疏生柔毛；托叶膜质，披针形，边缘有白色柔毛，早落。花序近伞形，具花 3 ~ 6；花梗较粗，长约 1.5 cm，密被白色绒毛；花直径

3 ～ 3.5 cm；萼筒钟状，外面密被绒毛；萼片宽披针形或三角状披针形，先端渐尖，全缘，长约 6 mm，两面均被绒毛，内面较密，萼片比萼筒稍长；花瓣倒卵形，长 1.5 ～ 2 cm，基部有短爪，粉色，含苞未放时带玫瑰紫色；雄蕊 20，花丝长短不等，长约为花瓣的一半；花柱 5，基部密被白色绒毛，与雄蕊约等长或稍长。果实大，球形或扁球形，直径 3 ～ 4.5 cm，稀 7 cm，黄绿色有红晕，萼洼下陷，萼片宿存，反折；果柄长 3.5 ～ 4 cm，微被柔毛。花期 5 月，果期 8 ～ 10 月。

| 生境分布 | 生于山坡中、下部或山谷底部及河谷地带。分布于新疆伊宁县、新源县、霍城县、巩留县等。

| 采收加工 | 9 ～ 10 月果实成熟时采收。

| 功能主治 | 生津润肺，除烦解暑，开胃醒酒，止泻。用于慢性胃炎，消化不良，慢性腹泻，神经性结肠炎，便秘，高血压，高脂血症，肥胖，解酒，恶性肿瘤，贫血。

蔷薇科 Rosaceae 金露梅属 Pentaphylloides

紫萼金露梅
Pentaphylloides phyllocalyx (Juz.) Sojak

| 药 材 名 | 金露梅（药用部位：叶、花）。

| 形态特征 | 小灌木。高 5 ~ 30 cm。枝条铺散，带花枝条直立。奇数羽状复叶，小叶 5，长圆形或窄披针形，长 0.5 ~ 0.8 cm，宽 0.3 ~ 0.4 cm，两面被稀疏或较密柔毛，边缘反卷。花单生于叶腋，较大，花直径可达 3 cm；萼片三角状卵形，先端渐尖，带紫色，副萼片叶状，2 深裂或 3 裂，裂片分离成小叶状，短于或等长于萼片，外面密被白色长柔毛；花瓣黄色，圆形，通常长于萼长 2 倍，花柱近茎生，棒状，柱头扩大。瘦果棕褐色，密被长柔毛。花期 7 ~ 8 月。

| 生境分布 | 生于海拔 2 400 ~ 2 900 m 的高山草甸。分布于新疆巩留县、乌什县、各静县、青河县、阿勒泰市等。

| **采收加工** | 夏季采收，晒干。

| **功能主治** | 收敛止泻，强心利尿，补气，降血压，补血安胎。

蔷薇科 Rosaceae 委陵菜属 Potentilla

窄裂委陵菜 *Potentilla angustiloba* Yu et Li

药材名

委陵菜（药用部位：全草）。

形态特征

多年生草本。根圆柱形，上部较粗壮，向下延伸、细长。花茎铺散或上升，长 8 ~ 30 cm，伏生疏长柔毛或微硬毛。基生叶为五出掌状复叶，连叶柄长 3 ~ 12 cm，伏生疏长柔毛及微硬毛；小叶片倒卵状长椭圆形或长椭圆形，边缘深裂至中脉，每边有 2 ~ 4 带形裂片，长 0.5 ~ 1.5 cm，宽 0.8 ~ 1 mm，顶部急尖或渐尖，上面伏生疏柔毛或几无毛，下面密被白色绒毛，沿脉伏生白色长柔毛；茎生叶 1 ~ 3，小叶 3 ~ 5 分裂，与基生叶相似，唯叶柄向上逐渐缩短；基生叶托叶膜质，深褐色，被疏柔毛或几无毛，茎生叶托叶草质，绿色，卵状披针形，全缘或有 1 ~ 2 齿，下面密被伏生柔毛。伞房状聚伞花序顶生，有花 3 ~ 12；花梗长 0.5 ~ 1 cm，外被伏生长柔毛；花直径 0.8 ~ 1 cm；萼片三角状卵形或卵状长圆形，先端渐尖，副萼片带状披针形，先端渐尖，与萼片近等长或稍短，外面伏生长柔毛；花瓣黄色，倒卵形，先端微凹，比萼片长或近等长；雄蕊约 20；心皮多数，花柱近顶生，基部膨大，柱头稍扩大。花果期 6 ~ 8 月。

| 生境分布 | 生于海拔 2 500 ～ 3 150 m 的草原、河滩、山谷或冲积平原。分布于新疆塔什库尔干塔吉克自治县、叶城县、沙湾市、巩留县、若羌县等。

| 采收加工 | 春季未抽茎时采收，除去泥沙，晒干。

| 功能主治 | 清热解毒，凉血止痢。用于血痢腹痛，久痢不止，痔疮出血，痈肿疮毒。

蔷薇科 Rosaceae 委陵菜属 Potentilla

鹅绒委陵菜 *Potentilla anserina* L.

| 药 材 名 | 蕨麻（药用部位：全草）。

| 形态特征 | 多年生草本。根向下延长，有时在根的下部延长成纺锤形或椭圆形块根。茎匍匐，在节处生根，常着地长出新植株，外被伏生或半开展疏柔毛或脱落几无毛。基生叶为间断羽状复叶，有小叶 6 ~ 11 对，连叶柄长 2 ~ 20 cm，叶柄被伏生或半开展疏柔毛，有时脱落几无毛；小叶对生或互生，无柄或顶生小叶有短柄，最上面 1 对小叶基部下延与叶轴汇合，基部小叶渐小呈附片状；小叶片通常椭圆形，倒卵状椭圆形或长椭圆形，长 1 ~ 2.5 cm，宽 0.5 ~ 1 cm，先端圆钝，基部楔形或阔楔形，边缘有多数尖锐锯齿或呈裂片状，上面绿色，被疏柔毛或脱落几无毛，下面密被紧贴银白色绢毛，叶脉明显

或不明显；茎生叶与基生叶相似，唯小叶对数较少；基生叶和下部茎生叶托叶膜质，褐色，和叶柄连成鞘状，外面被疏柔毛或脱落几无毛，上部茎生叶托叶草质，多分裂。单花腋生；花梗长 2.5 ～ 8 cm，被疏柔毛；花直径 1.5 ～ 2 cm；萼片三角状卵形，先端急尖或渐尖，副萼片椭圆形或椭圆状披针形，常 2 ～ 3 裂，稀不裂，与副萼片近等长或稍短；花瓣黄色，倒卵形，先端圆形，比萼片长 1 倍；花柱侧生，小枝状，柱头稍扩大。

| 生境分布 | 生于海拔 500 ～ 4 100 m 的河岸、路边、山坡草地及草甸。分布于新疆温泉县、清河县、玛纳斯县、乌鲁木齐县、布尔津县、焉耆回族自治县等。

| 采收加工 | 春季未抽茎时采挖，除去泥沙，晒干。

| 功能主治 | 清热解毒，凉血止痢。用于血痢腹痛，久痢不止，痔疮出血，痈肿疮毒。

蔷薇科 Rosaceae 委陵菜属 Potentilla

双花委陵菜 *Potentilla biflora* Willd. ex Schlecht.

| 药 材 名 | 委陵菜（药用部位：全草）。

| 形态特征 | 多年生丛生或垫状草本。根粗壮，圆柱形。花茎直立，高 4 ~ 12 cm，被疏柔毛。基生叶羽状至近掌状五出复叶，连叶柄长 2 ~ 6 cm，叶柄被白色长柔毛，上面 1 对小叶基部下延与叶轴汇合，下面 1 对小叶常深裂为 2 部分，几达基部，稀不裂；小叶片线形，长 0.8 ~ 1.7 cm，宽 1 ~ 3 mm，先端急尖至渐尖，全缘，向下反卷，上面暗绿色，被疏柔毛，下面绿色，中脉密被白色长柔毛；托叶膜质，褐色，外面被白色疏柔毛，以后脱落几无毛。花单生或 2，稀 3；花梗被疏柔毛，长 1 ~ 2 cm，下面有带形苞片与托叶；花直径 1.2 ~ 1.5 cm；萼片三角状卵形，先端急尖，副萼片披针形，先端渐尖，外面被疏柔毛，

稍长或略短于萼片；花瓣黄色，长倒卵形，先端下凹，比萼片长 0.5 ~ 1 倍；花柱近顶生，丝状，柱头不扩大。瘦果脐部有毛，表面光滑。花果期 7 ~ 10 月。

| **生境分布** | 生于海拔 2 300 ~ 3 600 m 的高山草地、多砾石隙缝中及雪峰间岩石上。分布于新疆新源县、乌鲁木齐县、玛纳斯县、沙湾市等。

| **采收加工** | 春季未抽茎时采挖，除去泥沙，晒干。

| **功能主治** | 清热解毒，凉血止痢。用于血痢腹痛，久痢不止，痔疮出血，痈肿疮毒。

蔷薇科 Rosaceae 委陵菜属 *Potentilla*

二裂委陵菜 *Potentilla bifurca* L.

| **药 材 名** | 委陵菜（药用部位：全草）。

| **形态特征** | 多年生草本。高 5 ～ 15 cm。根圆柱形，纤细，木质。茎直立或铺散，密被长柔毛或微硬毛。奇数羽状复叶，有小叶 3 ～ 6 对，全缘或先端 2 裂，两面被疏柔毛或背面有较密的伏贴毛；下部叶托叶膜质，褐色，被毛，上部茎生叶托叶草质，绿色，卵状椭圆形，常全缘，稀有齿。聚伞花序，顶生，疏散；花直径 0.7 ～ 1 cm；萼片卵圆形，先端急尖，副萼片卵圆形，先端急尖或钝，比萼片短或近等长，外面被疏毛；花瓣黄色，倒卵形，先端圆钝，比萼片稍长；心皮沿腹部有稀疏柔毛；花柱侧生，棒状，基部较细，先端缢缩，柱头扩大。瘦果表面光滑。花期 5 ～ 7 月。

| **生境分布** | 生于海拔 800 ~ 3 100 m 的干旱草原、碎石山坡、河滩地及平原荒地。分布于新疆布尔津县、哈巴河县、阜康市、乌鲁木齐县、石河子市、和布克赛尔蒙古自治县、巩留县、巴里坤哈萨克自治县、和硕县、和静县、乌恰县、塔什库尔干塔吉克自治县、策勒县等。

| **采收加工** | 夏、秋季采收,晒干。

| **功能主治** | 清热解毒,止血收敛。

蔷薇科 Rosaceae 委陵菜属 Potentilla

矮生二裂委陵菜 *Potentilla* bifurca L. var. *humilior* Rupr. et Osten-Sacken

| 药 材 名 |　委陵菜（药用部位：全草）。

| 形态特征 |　多年生草本或亚灌木。根圆柱形，纤细，木质。花茎直立或上升，高 5 ~ 20 cm，密被疏柔毛或微硬毛。羽状复叶，有小叶 5 ~ 8 对，最上面 2 ~ 3 对小叶基部下延与叶轴汇合，连叶柄长 3 ~ 8 cm；叶柄密被疏柔毛或微硬毛；小叶片无柄，对生，稀互生，椭圆形或倒卵状椭圆形，长 0.5 ~ 1.5 cm，宽 0.4 ~ 0.8 cm，先端常 2 裂，稀 3 裂，基部楔形或宽楔形，两面绿色，伏生疏柔毛；下部叶托叶膜质，褐色，外面被微硬毛，稀脱落几无毛，上部茎生叶托叶草质，绿色，卵状椭圆形，常全缘稀有齿。近伞房状聚伞花序，顶生，疏散；花直径 0.7 ~ 1 cm；萼片卵圆形，先端急尖，副萼片椭圆形，先端急尖或钝，

比萼片短或近等长，外面被疏柔毛；花瓣黄色，倒卵形，先端圆钝，比萼片稍长；心皮沿腹部有稀疏柔毛；花柱侧生，棒形，基部较细，先端缢缩，柱头扩大。瘦果表面光滑。花果期 5 ～ 7 月。

| **生境分布** | 生于海拔 800 ～ 3 600 m 的田地边、道路旁、沙滩、山坡草地、黄土坡上、半干旱荒漠草原及疏林下。分布于新疆吉木萨尔县、阜康市、和静县、富蕴县、霍城县、巩留县等。

| **采收加工** | 春季未抽茎时采挖，除去泥沙，晒干。

| **功能主治** | 清热解毒，止血，收敛。用于功能失调性子宫出血，产后出血过多。

蔷薇科 Rosaceae 委陵菜属 Potentilla

大萼委陵菜 *Potentilla conferta* Bunge

| **药 材 名** | 大萼委陵菜（药用部位：根）。

| **形态特征** | 多年生草本。根圆柱形，木质化。花茎直立或上升，高 20 ～ 45 cm，外被短柔毛及开展白色绢状长柔毛，柔毛长 3 ～ 4 mm。基生叶为羽状复叶，有小叶 3 ～ 6 对，间隔 0.3 ～ 0.5 cm，连叶柄长 6 ～ 20 cm，叶柄被短柔毛及开展白色绢状长柔毛；小叶片对生或互生，披针形或长椭圆形，长 1 ～ 5 cm，宽 0.5 ～ 2 cm，羽状中裂或深裂，但不达中脉，裂片通常呈三角状长圆形、三角状披针形或带状长圆形，先端圆钝或呈舌形，基部常扩大，边缘向下反卷或有时不明显，上面绿色，伏生短柔毛或脱落几无毛，下面被灰白色绒毛，沿脉被开展白色绢状长柔毛；茎生叶与基生叶相似，唯小叶对数较

少；基生叶托叶膜质，褐色，外面被疏柔毛，有时脱落，茎生叶托叶草质，绿色，常牙齿状分裂或不分裂，先端渐尖。聚伞花序多花至少花，春季时常密集于先端；夏、秋季花梗常伸长疏散，花梗长 1 ~ 2.5 cm，密被短柔毛；花直径 1.2 ~ 1.5 cm；萼片三角状卵形或椭圆卵形，先端急尖或渐尖，副萼片披针形或长圆状披针形，先端圆钝或急尖，比萼片稍短或近等长，在果时显著增大；花瓣黄色，倒卵形，先端圆钝或微凹，比萼片稍长；花柱圆锥形，基部膨大，柱头微扩大。瘦果卵形或半球形，直径约 1 mm，具皱纹，稀不明显。花期 7 ~ 8 月。

| 生境分布 | 生于海拔 1 800 ~ 2 400 m 的山间谷地、林下或山坡草地。分布于新疆阿勒泰市、奇台县、乌鲁木齐县、塔城市、额敏县、昭苏县、特克斯县、巴里坤哈萨克自治县、和静县等。

| 功能主治 | 清热，凉血，止血。用于功能失调性子宫出血。

蔷薇科 Rosaceae 委陵菜属 Potentilla

覆瓦委陵菜 Potentilla imbricata Kar. & Kir.

| 药 材 名 | 委陵菜（药用部位：全草）。

| 形态特征 | 多年生草本。高 10 ~ 20 cm，全株被毛。根粗壮，圆柱形。茎呈膝状弯曲，多分枝，密被灰色绒毛。奇数羽状复叶，茎生叶 4 ~ 7 对，小叶椭圆形，先端尖，常 2 裂或全缘，两面密被灰白色绒毛，叶柄被灰白色绒毛；托叶全缘或有缺刻。聚伞花序，生于枝顶，疏散；花小，直径 0.6 ~ 0.8 cm；花梗短，长 1 ~ 2 cm；萼片三角状卵形，先端急尖，副萼片椭圆形，先端急尖，比萼片短约 1 倍；花瓣黄色，倒卵状椭圆形，与萼片等长或稍长；花柱棒状，近侧生，倒细圆锥形，柱头扩大；心皮沿脐部被稀疏柔毛。瘦果成熟后有脉纹。花期 6 ~ 7 月。

| **生境分布** | 生于海拔 500 ～ 600 m 的低洼盐碱地及干旱河滩。分布于新疆阿勒泰市、和静县等。

| **采收加工** | 春、夏季采收，切碎，晒干。

| **功能主治** | 用于痔疮。

蔷薇科 Rosaceae 委陵菜属 Potentilla

腺毛委陵菜
Potentilla longifolia Willd. ex Schlecht.

| **药 材 名** | 委陵菜（药用部位：全草）。

| **形态特征** | 多年生草本。高 20 ~ 60 cm。根粗壮，木质，圆柱形。茎直立或斜上升，被柔毛和腺毛。基生叶奇数羽状复叶，有小叶 11 ~ 17，先端小叶最大；小叶长圆状披针形或倒披针形，长 1 ~ 4 cm，宽 0.5 ~ 1.5 cm，先端钝，基部楔形，边缘有缺刻状锯齿，上面被疏柔毛或脱落无毛，下面淡绿色，密被短柔毛和腺毛，沿脉疏生长柔毛；茎生叶与基生叶相似；基生叶托叶膜质，披针形，与叶柄合生，茎生叶托叶草质，卵状披针形，全缘或分裂，均被柔毛。伞房状聚伞花序，紧密，花直径 1.5 ~ 1.8 cm；萼片三角状披针形，副萼片长圆状披针形，与萼片等长或稍短，外面密被柔毛和腺毛，果期增大；

花瓣黄色，宽倒卵形，顶端微凹，与萼片近等长；花柱近顶生，圆锥形，基部增粗，柱头不扩大。瘦果近肾形或卵球形，表面光滑或有脉纹。花期 6 ～ 8 月。

| 生境分布 | 生于海拔 800 ～ 2 600 m 的山坡草地、溪旁、林缘。分布于新疆阿勒泰市、哈巴河县、奇台县、玛纳斯县、沙湾市、温泉县、昭苏县、巴里坤哈萨克自治县、焉耆回族自治县等。

| 采收加工 | 秋季采收，洗净，鲜用或晒干。

| 功能主治 | 清热解毒，收敛固脱。用于肠炎，痢疾，肺炎，子宫脱垂。

蔷薇科 Rosaceae 委陵菜属 Potentilla

多裂委陵菜 *Potentilla multifida* L.

药材名

委陵菜（药用部位：全草）。

形态特征

多年生草本。高 10 ～ 30 cm。主根粗壮，圆锥形，外皮暗褐色，断面白色。茎斜上或铺散，被柔毛。奇数羽状复叶，小叶无柄，长圆形，羽状深裂，裂片条形或三角状披针形，边缘反卷，上面绿色，有毛，下面密被白色毛。夏季开黄色花，聚伞花序顶生；萼片 5，窄卵形，副萼片较萼片小，均被毛；花瓣 5，倒卵形，先端微凹；雌蕊多数。瘦果近卵形，有条纹。花期 4 ～ 9 月。

生境分布

生于海拔 1 700 ～ 3 000 m 的河谷、林缘及山坡草地。分布于新疆阿勒泰市、布尔津县、巴里坤哈萨克自治县、阜康市、塔城市、新源县、塔什库尔干塔吉克自治县等。

采收加工

秋季采收，洗净，切片，晒干。

|**功能主治**| 清热利湿，止血，杀虫，用于肝炎，蛲虫病，功能失调性子宫出血，外伤出血。

蔷薇科 Rosaceae 委陵菜属 Potentilla

显脉委陵菜 *Potentilla nervosa* Juz.

| 药 材 名 |

委陵菜（药用部位：全草）。

| 形态特征 |

多年生草本。高 10 ~ 40 cm。根粗壮，圆柱形。茎直立，被灰白色绒毛及长柔毛。基生叶掌状三出复叶，具长柄，被灰白色绒毛及长柔毛；小叶片长椭圆形或倒卵状椭圆形，长 1 ~ 3 cm，宽 0.7 ~ 1.5 cm，边缘有粗牙齿，上面伏生疏柔毛，有时疏被灰白色绒毛，下面被灰白色绒毛，沿脉被伏生白色长柔毛，叶脉明显露出；茎生叶似根生叶，但具短柄；基生叶托叶膜质，褐色，被伏生长柔毛，茎生叶托叶草质，卵状披针形，全缘，稀先端 2 ~ 3 裂，下面密被白色绒毛及长柔毛。聚伞花序，顶生疏散，多花；花梗长 1.5 ~ 2.5 cm，密被绒毛；花直径 1.5 ~ 1.8 cm；萼片三角卵形，副萼片条形或披针形，与萼片等长，被伏生疏柔毛；花瓣黄色，倒卵形，先端下凹，比萼片长 0.5 ~ 1 倍；花柱顶生，基部增粗不明显，柱头扩大。花期 5 ~ 6 月。

| 生境分布 |

生于海拔 700 ~ 2 500 m 的干旱草坡及林缘。

分布于新疆乌鲁木齐县、和布克赛尔蒙古自治县、新源县、巩留县、塔什库尔干塔吉克自治县等。

| **采收加工** | 秋季采收，洗净，鲜用或晒干。

| **功能主治** | 清热解毒，降血压，止血。用于细菌感染，高血压，外伤出血。

蔷薇科 Rosaceae 委陵菜属 *Potentilla*

雪白委陵菜 *Potentilla nivea* L.

| 药 材 名 | 委陵菜（药用部位：全草或根）。

| 形态特征 | 多年生草本。根圆柱形。花茎直立或上升，高 5 ~ 25 cm，被白色绒毛。基生叶为掌状三出复叶，连叶柄长 1.5 ~ 8 cm，叶柄被白色绒毛；小叶无柄或有时顶生小叶有短柄，小叶片卵形、倒卵形或椭圆形，长 1 ~ 2 cm，宽 0.8 ~ 1.3 cm，先端圆钝或急尖，基部圆形或宽楔形，边缘有 3 ~ 6（~ 7）圆钝锯齿，上面被伏生柔毛，下面被雪白色绒毛，脉不明显；茎生叶 1 ~ 2，小叶较小；基生叶托叶膜质，褐色，外面被疏柔毛或脱落几无毛，茎生叶托叶草质，绿色，卵形，通常全缘，稀有齿，下面密被白色绒毛。聚伞花序顶生，少花，稀单花，花梗长 1 ~ 2 cm，外被白色绒毛；花直径 1 ~ 1.8 cm；

萼片三角状卵形，先端急尖或渐尖，副萼片带状披针形，先端圆钝，比萼片短，外面被平铺绢状柔毛；花瓣黄色，倒卵形，先端下凹；花柱近顶生，基部膨大，有乳头，柱头扩大。瘦果光滑。花果期 6 ～ 8 月。

| 生境分布 | 生于海拔 2 500 ～ 3 200 m 的高山灌丛边、山坡草地或沼泽边缘。分布于新疆富蕴县、玛纳斯县、沙湾市、察布查尔锡伯自治县等。

| 采收加工 | 春季未抽茎时采挖，除去泥沙，晒干。

| 功能主治 | 清热解毒，降血压，止血。

蔷薇科 Rosaceae 委陵菜属 Potentilla

帕米尔委陵菜 Potentilla pamiroalaica Juzep

| 药 材 名 | 委陵菜（药用部位：全草或根）。

| 形态特征 | 多年生草本。根粗壮，圆柱形。根茎常有数个分枝，残存多数褐色枯死托叶。花茎通常上升，稀直立，高 5 ~ 22 cm，被白色伏生柔毛，下部被毛近伸展。基生叶为羽状复叶，有小叶 3 ~ 5 对，极稀小叶接近掌状排列，间隔 0.3 ~ 0.5 cm，连叶柄长 3 ~ 10 cm，叶柄被白色伏生柔毛，小叶对生或互生，无柄，上部小叶大于下部小叶，小叶片卵形或倒卵状长圆形，通常长 0.5 ~ 1.3 cm，宽 0.3 ~ 0.7 cm，边缘羽状深裂，裂片长圆状带形，先端圆钝，边缘平坦，靠近，常微弯曲，上面绿色或灰绿色，密被白色伏生柔毛，下面密被白色绒毛，脉上密被白色绢状长柔毛；茎生叶 1 ~ 2；基生叶托叶褐色膜

质，外面被白色绢毛，稀以后脱落几无毛，茎生叶托叶草质，绿色，卵形或卵状披针形，全缘。花序疏散，少花；花梗长 1.5 ~ 3 cm，密被伏生柔毛；花直径 1.2 ~ 1.5 cm；萼片三角状披针形或卵状披针形，先端急尖或渐尖，副萼片披针形或椭圆状披针形，先端圆钝，比萼片短，稀近等长；花瓣黄色，倒卵形，先端微凹，比萼片长；花柱近顶生，基部稍膨大。瘦果光滑。花果期 6 ~ 8 月。

| 生境分布 | 生于海拔 3 300 ~ 4 700 m 的山坡、河谷背阴处。分布于新疆和静县、若羌县、且末县、乌恰县、塔什库尔干塔吉克自治县等。

| 功能主治 | 收敛止泻，祛风除湿，清热解毒。

薔薇科 Rosaceae 委陵菜属 Potentilla

直立委陵菜 *Potentilla recta* L.

药材名

委陵菜（药用部位：全草或根）。

形态特征

根圆柱形。花茎直立，高 30 ~ 40 cm，被白色长柔毛，稀脱落。基生叶为掌状五出复叶，开花时常枯死；茎生叶 5 ~ 7 出，叶柄向上逐渐缩短，最上部几无柄，被白色长柔毛；小叶片倒卵状披针形，长 2 ~ 5 cm，宽 0.5 ~ 1.5 cm，先端圆钝，基部渐狭呈楔形，边缘有缺刻状锯齿，齿端急尖或钝，上面被白色伏生长柔毛或脱落几无毛，下面被白色长柔毛，沿脉较密；基生叶托叶膜质，淡褐色，边缘有白色长柔毛，茎生叶托叶草质，绿色，全缘，先端渐尖，下面伏生长柔毛。顶生伞房状聚伞花序多花，密集；花梗长 0.5 ~ 1 cm，被白色长柔毛及短柔毛；花直径约 1.5 cm；萼片卵状长圆形，先端渐尖，副萼片披针形，先端渐尖，与萼片近等长，外面被白色长柔毛；花瓣黄色，倒卵状椭圆形，先端微凹或几圆钝，与萼片近等长；花柱基部微膨大，柱头不扩大。瘦果具脉纹。花果期 7 ~ 8 月。

| 生境分布 | 生于海拔 1 000 ~ 1 200 m 的干旱山坡及河谷。分布于新疆塔城市、额敏县、裕民县、伊宁县、巩留县等。

| 采收加工 | 秋季采收，洗净，鲜用或晒干。

| 功能主治 | 祛风湿，解毒。用于痢疾，风湿筋骨疼痛，瘫痪，癫痫，疮疥。

匍匐委陵菜 *Potentilla reptans* L.

| 药 材 名 | 委陵菜（药用部位：全草或根）。

| 形态特征 | 多年生匍匐草本。根多分枝，常具纺锤状块根。匍匐枝长 20 ~ 100 cm，节上生不定根，被稀疏柔毛或脱落几无毛。基生叶为鸟足状五出复叶，连叶柄长 7 ~ 12 cm，叶柄被疏柔毛或脱落几无毛，小叶有短柄或几无柄；小叶片倒卵形至倒卵圆形，先端圆钝，基部楔形，边缘有急尖或圆钝锯齿，两面绿色，上面几无毛，下面被疏柔毛；纤匍枝上的叶与基生叶相似；基生叶托叶膜质，褐色，外面几无毛，匍匐枝上托叶草质，绿色，卵状长圆形或卵状披针形，全缘，稀有 1 ~ 2 齿，先端渐尖或急尖。单花自叶腋生或与叶对生；花梗长 6 ~ 9 cm，被疏柔毛；花直径 1.5 ~ 2.2 cm；萼片卵状披针形，

先端急尖，副萼片长椭圆形或椭圆状披针形，先端急尖或圆钝，与萼片近等长，外面被疏柔毛，果时显著增大；花瓣黄色，宽倒卵形，先端显著下凹，比萼片稍长；花柱近顶生，基部细，柱头扩大。瘦果黄褐色，卵球形，外面被显著点纹。花果期 6 ~ 8 月。

| 生境分布 | 生于海拔 500 ~ 600 m 的田边潮湿处。分布于新疆额敏县、新源县、巩留县等。

| 功能主治 | 收敛止泻，祛风除湿，清热解毒。

蔷薇科 Rosaceae 委陵菜属 Potentilla

钉柱委陵菜 *Potentilla saundersiana* Royle

| 药 材 名 | 委陵菜（药用部位：全草或根）。

| 形态特征 | 多年生草本。根粗壮，圆柱形。花茎直立或上升，高 10 ~ 20 cm，被白色绒毛及疏柔毛。基生叶三至五掌状复叶，连叶柄长 2 ~ 5 cm，被白色绒毛及疏柔毛，小叶无柄；小叶片长圆倒卵形，长 0.5 ~ 2 cm，宽 0.4 ~ 1 cm，先端圆钝或急尖，基部楔形，边缘有多数缺刻状锯齿，齿先端急尖或微钝，上面绿色，伏生稀疏柔毛，下面密被白色绒毛，沿脉伏生疏柔毛；茎生叶 1 ~ 2，小叶 3 ~ 5，与基生叶小叶相似；基生叶托叶膜质，褐色，外面被白色长柔毛或脱落几无毛，茎生叶托叶草质，绿色，卵形或卵状披针形，通常全缘，先端渐尖或急尖，下面被白色绒毛及疏柔毛。聚伞花序顶生，有数朵花，疏散；花梗

长 1 ~ 3 cm，外被白色绒毛；花直径 1 ~ 1.4 cm；萼片三角状卵形或三角状披针形，副萼片披针形，先端尖锐，比萼片短或几等长，外被白色绒毛及柔毛；花瓣黄色，倒卵形，先端下凹，比萼片略长或长 1 倍；花柱近顶生，基部膨大不明显，柱头略扩大。瘦果光滑。花果期 6 ~ 8 月。

| **生境分布** | 生于海拔 2 600 ~ 5 150 m 的山坡草地、多石山顶、高山灌丛及草甸。新疆有分布。

| **采收加工** | 春季未抽茎时采挖，除去泥沙，晒干。

| **功能主治** | 清热解毒，降血压，止血。

蔷薇科 Rosaceae 委陵菜属 *Potentilla*

绢毛委陵菜 *Potentilla sericea* L.

| 药 材 名 | 委陵菜（药用部位：全草或根）。

| 形态特征 | 多年生草本。根粗壮，圆柱形，稍木质化。花茎直立或上升，高
5 ~ 20 cm，被开展白色绢毛或长柔毛。基生叶为羽状复叶，有小
叶 3 ~ 6 对，间隔 0.3 ~ 0.5 cm，连叶柄长 3 ~ 8 cm，叶柄被开展
白色绢毛或长柔毛，小叶对生，稀互生，无柄；小叶片长圆形，上
部小叶比下部小叶大，通常长 0.5 ~ 1.5 cm，宽 0.3 ~ 0.8 cm，边缘
羽状深裂，裂片带形，呈篦齿排列，先端急尖或圆钝，边缘反卷，
上面绿色，伏生绢毛，下面密被白色绒毛，绒毛上密盖 1 层白色绢
毛；茎生叶 1 ~ 2；基生叶托叶膜质，褐色，外面被绢毛或长柔毛，
茎生叶托叶草质，绿色，卵圆形，先端渐尖，边缘锐裂，稀全缘，

外被长柔毛。聚伞花序疏散；花梗长 1 ~ 2 cm，密被短柔毛及长柔毛；花直径 0.8 ~ 2.2 cm；萼片三角状卵形，先端急尖，副萼片披针形，先端圆钝，比萼片稍短，稀近等长；花瓣黄色，倒卵形，先端微凹，比萼片稍长；花柱近顶生，花柱基部膨大。瘦果长圆卵形，褐色，有皱纹。花果期 5 ~ 9 月。

| 生境分布 | 生于海拔 600 ~ 4 100 m 的山坡草地、沙地、草原、河漫滩及林缘。分布于新疆巴里坤哈萨克自治县、精河县、温泉县等。

| 采收加工 | 秋季采收，洗净，鲜用或晒干。

| 功能主治 | 清热解毒，降血压，止血。

薔薇科 | Rosaceae 委陵菜属 | Potentilla

准噶尔委陵菜 *Potentilla soongarica* Bge.

| **药材名** | 委陵菜（药用部位：全草或根）。

| **形态特征** | 多年生草本。根粗壮，圆柱形，稍木质化。花茎直立或上升，高20 ~ 70 cm，被稀疏短柔毛及白色绢状长柔毛。基生叶为羽状复叶，有小叶 5 ~ 15 对，间隔 0.5 ~ 0.8 cm，连叶柄长 4 ~ 25 cm，叶柄被短柔毛及绢状长柔毛；小叶片对生或互生，上部小叶较长，向下逐渐减小，无柄，小叶片长圆形、倒卵形或长圆状披针形，长 1 ~ 5 cm，宽 0.5 ~ 1.5 cm，边缘羽状中裂，裂片三角状卵形、三角状披针形或长圆状披针形，先端急尖或圆钝，边缘向下反卷，上面绿色，被短柔毛或脱落几无毛，中脉下陷，下面被白色绒毛，沿脉被白色绢状长柔毛；茎生叶与基生叶相似，唯叶片对数较少；基生叶托叶近

膜质，褐色，外面被白色绢状长柔毛，茎生叶托叶草质，绿色，边缘锐裂。伞房状聚伞花序；花梗长 0.5 ~ 16 cm，基部有披针形苞片，外面密被短柔毛；花直径通常 0.8 ~ 1 cm，稀达 1.3 cm；萼片三角卵形，先端急尖，副萼片带形或披针形，先端尖，比萼片短约 1 倍且狭窄，外面被短柔毛及少数绢状柔毛；花瓣黄色，宽倒卵形，先端微凹，比萼片稍长；花柱近顶生，基部微扩大，稍有乳头或不明显，柱头扩大。瘦果卵球形，深褐色，有明显皱纹。花果期 5 ~ 9 月。

| 生境分布 | 生于海拔 1 500 ~ 2 000 m 的山坡草地、沟谷、林缘、灌丛或疏林下。分布于新疆阜康市、乌鲁木齐县、塔城市、巴里坤哈萨克自治县、和静县等。

| 采收加工 | 秋季采收，洗净，鲜用或晒干。

| 功能主治 | 祛风湿，解毒。用于痢疾，风湿筋骨疼痛，瘫痪，癫痫，疮疥。

薔薇科 Rosaceae 委陵菜属 Potentilla

朝天委陵菜 *Potentilla supina* L.

| **药 材 名** | 委陵菜（药用部位：全草或根）。

| **形态特征** | 多年生草本。主根细长，并有稀疏侧根。茎平展，上升或直立，叉状分枝。基生叶羽状复叶，叶柄被疏柔毛或脱落几无毛；小叶互生或对生，无柄，小叶片长圆形或倒卵状长圆形，基部楔形或宽楔形，边缘有圆钝或缺刻状锯齿，两面绿色；茎生叶与基生叶相似，向上小叶对数逐渐减少；基生叶托叶膜质，褐色，茎生叶托叶草质，绿色，全缘，有齿或分裂。花茎上多叶，萼片三角状卵形，先端急尖，萼片稍长或近等长；花瓣黄色，倒卵形。瘦果长圆形，先端尖。花果期 5 ~ 10 月。

| **生境分布** | 生于海拔 600 ~ 2 000 m 的田边、荒地、河岸沙地、草甸、山坡湿地。分布于新疆玛纳斯县、和布克赛尔蒙古自治县、塔城市、精河县、霍城县、焉耆回族自治县等。 |

| **采收加工** | 春季未抽茎时采挖，除去泥沙，晒干。 |

| **功能主治** | 滋补强身，清热解毒，预防感冒，润肺化痰，消炎止泻。 |

蔷薇科 Rosaceae 委陵菜属 Potentilla

密枝委陵菜 Potentilla virgata Lehm.

| **药 材 名** | 委陵菜（药用部位：全草）。

| **形态特征** | 多年生草本。基部多分枝。根粗壮，圆柱形。花茎直立或上升，高
15 ~ 60 cm，密被伏生长柔毛或绢状柔毛。基生叶掌状五出复叶，
连叶柄长 5 ~ 20 cm，叶柄伏生长柔毛或绢状柔毛；小叶片长圆状
披针形或倒卵状披针形，长 1.5 ~ 10 cm，宽 1 ~ 2 cm，先端急尖
或圆钝，基部楔形，边缘反卷，深裂至中裂，通常边缘有裂片 5 ~ 8，
裂片三角状披针形或长圆状披针形，宽 0.1 ~ 0.3 cm，先端急尖或
渐尖，上面绿色，密被伏生柔毛，有时脱落，下面密被白色绒毛，
沿脉伏生长柔毛；基生叶托叶膜质，深褐色，几无毛，茎生叶托叶
草质，绿色，卵状披针形，全缘，稀有齿，下面被白色绒毛。伞房

状聚伞花序，多花，疏散；花梗纤细，长 0.8 ～ 1.5 cm，外被绒毛；花直径 0.8 ～ 1 cm；萼片三角状卵形或卵状披针形，先端渐尖，副萼片披针形或带形，先端急尖或圆钝，比萼片短；花瓣黄色，倒卵形，先端微凹或圆钝，比萼片稍长或长几达 1 倍；花柱近顶生，基部膨大，柱头略微扩大。瘦果表面有脉纹。花果期 6 ～ 9 月。

| 生境分布 | 生于海拔 800 ～ 3 100 m 的草地、戈壁滩上。分布于新疆奇台县、阜康市、轮、台县、拜城县等。

| 功能主治 | 凉血止痢，清热解毒。用于久痢不止，血痢腹痛，痔疮出血，疮痈肿毒。

蔷薇科 Rosaceae 李属 Prunus

杏 *Prunus armeniaca* L.

| 药 材 名 | 苦杏仁（药用部位：种子）。

| 形态特征 | 落叶乔木。高达 6 m。叶互生，广卵形或卵圆形，长 5 ~ 10 cm，宽 3.5 ~ 6 cm，先端短尖或渐尖，基部圆形，边缘具细锯齿或不明显 的重锯齿；叶柄多带红色，有 2 腺体。花单生，先叶开放，几无花梗； 萼片 5，花后反折；花瓣 5，白色或粉红色；雄蕊多数；心皮 1，有 短柔毛。核果近圆形，直径约 3 cm，橙黄色；核坚硬，扁心形，沿 腹缝有沟。花期 3 ~ 4 月，果期 6 ~ 7 月。

| 生境分布 | 生于海拔 1 000 ~ 3 000 m 的地区或与新疆野苹果林混生。分布于新 疆霍城县、新源县、巩留县、伊宁县等。新疆鄯善县、策勒县、洛浦县、

莎车县、和田县等有栽培。

|功能主治| 降气，止咳平喘，润肠通便。用于咳嗽气喘，胸满痰多，肠燥便秘。

蔷薇科 Rosaceae 李属 *Prunus*

欧洲甜樱桃 *Prunus avium* (L.) L.

| 药 材 名 | 樱桃（药用部位：果实、叶、枝、根）。

| 形态特征 | 乔木。高达 25 m。树皮黑褐色。小枝灰棕色，嫩枝绿色，无毛，冬芽卵状椭圆形，无毛。叶片倒卵状椭圆形或椭圆卵形，长 3 ~ 13 cm，宽 2 ~ 6 cm，先端骤尖或短渐尖，基部圆形或楔形，叶边有缺刻状圆钝重锯齿，齿端陷入小腺体，上面绿色，无毛，下面淡绿色，被稀疏长柔毛，有侧脉 7 ~ 12 对；叶柄长 2 ~ 7 cm，无毛；托叶狭带形，长约 1 cm，边有腺齿。花序伞形，有花 3 ~ 4，花、叶同开；花芽鳞片大形，开花期反折；总梗不明显；花梗长 2 ~ 3 cm，无毛；萼筒钟状，长约 5 mm，宽约 4 mm，无毛；萼片长椭圆形，先端圆钝，全缘，与萼筒近等长或略长于萼筒，开花后反折；花瓣白色，倒卵圆形，

先端微下凹；雄蕊约 34；花柱与雄蕊近等长，无毛。核果近球形或卵球形，红色至紫黑色，直径 1.5 ～ 2.5 cm；核表面光滑。花期 4 ～ 5 月，果期 6 ～ 7 月。

| 生境分布 |　生于海拔 2 000 m 的林地、林缘、灌丛、沟壑和河流旁或土壤深厚的湿润处。南疆多地均有栽培。

| 功能主治 |　滋养肝肾，健脾，止泻，涩精。

蔷薇科 Rosaceae 李属 Prunus

樱桃李
Prunus cerasifera Ehrh.

药材名

李仁（药用部位：果实、叶、枝、根）。

形态特征

灌木或小乔木。高可达 8 m。植株多分枝，枝条细长，展开，暗灰色，有时有棘刺；小枝暗红色，无毛。冬芽卵圆形，先端急尖，有数枚覆瓦状排列鳞片，紫红色，有时鳞片边缘有稀疏缘毛。叶片椭圆形、卵形或倒卵形，极稀椭圆状披针形，长（2 ~ ）3 ~ 6 cm，宽 2 ~ 4（ ~ 6）cm，先端急尖，基部楔形或近圆形，边缘有圆钝锯齿，有时混有重锯齿，上面深绿色，无毛，中脉微下陷，下面颜色较淡，除沿中脉有柔毛或脉腋有髯毛外，其余部分无毛，中脉和侧脉均凸起，侧脉 5 ~ 8 对；叶柄长 6 ~ 12 mm，通常无毛或幼时微被短柔毛，无腺；托叶膜质，披针形，先端渐尖，边有带腺细锯齿，早落。花 1，稀 2；花梗长 1 ~ 2.2 cm，无毛或微被短柔毛；花直径 2 ~ 2.5 cm；萼筒钟状；萼片长卵形，先端圆钝，边有疏浅锯齿，与萼片近等长，萼筒和萼片外面无毛，萼筒内面有疏生短柔毛；花瓣白色，长圆形或匙形，边缘波状，基部楔形，着生在萼筒边缘；雄蕊 25 ~ 30，花丝长短不等，紧密排成不规则 2 轮，比花瓣稍短；雌蕊 1，心皮被长柔毛，柱头盘状，花柱比雄蕊稍长，基部被稀长柔毛。核果近球形或椭圆形，长、宽几相等，直径 2 ~ 3 cm，黄色、红色或黑色，微被蜡粉，具有浅侧沟，粘核；核椭圆形或卵球形，先端急尖，浅褐色带白色，表面平滑或粗糙，有时呈蜂窝状，背缝具沟，腹缝有时扩大具 2 侧沟。花期 4 月，果期 8 月。

| **生境分布** | 生于海拔 800 ~ 2 000 m 的山坡林中或多石砾的坡地及峡谷水边处。分布于新疆霍城县、新源县、塔城市、库尔勒市、洛浦县、于田县、和田市等。

| **功能主治** | 开胃消暑，保肝护脾，降血脂。

欧洲李
Prunus domestica L.

| **药 材 名** | 李仁（药用部位：种仁、果实）。

| **形态特征** | 乔木。5 ~ 10 m。树冠开展，宽卵形。树皮深褐灰色，开裂。枝无刺或稍有刺，老枝红褐色，无毛，当年生小枝淡红色或灰绿色，有纵棱条，幼时微被短绒毛，以后脱落近无毛。冬芽卵圆形，红褐色，通常无毛。叶片椭圆形或倒卵形，长 4 ~ 10 cm，宽 2.5 ~ 5 cm，先端急尖或圆钝，稀短渐尖，基部楔形，边缘有圆钝锯齿，上面暗绿色，无毛，下面淡绿色，被柔毛，边有睫毛；叶柄长 1 ~ 2 cm，密被柔毛，常具腺体；托叶线形，早落。花 1 ~ 3，簇生于短枝先端，花先叶开放或花、叶同开放；萼筒钟状；萼片卵形，内外两面均被短柔毛；花瓣白色。核果通常卵球形至长圆形，稀近球形，直

径 1 ～ 2.5 cm，有明显的侧沟，红色、紫色、绿色、黄色，常被蓝色蜡粉，果肉离核或粘核；核广椭圆形，先端有尖头，表面平滑、粗糙或具凸点。花期 5 月，果期 9 月。

| **生境分布** | 生于海拔 100 ～ 1 800 m 的向阳山坡沙地、山地灌丛中。新疆克拉玛依市、喀什地区、和田地区、阿克苏地区及塔城市等有栽培。

| **功能主治** | 生津止渴，解热除烦，止痢。用于感冒发热，烦渴不安，泻痢，维生素缺乏症。

薔薇科 Rosaceae 李属 *Prunus*

巴旦木
Prunus dulcis (Mill.) D. A. Webb

| 药 材 名 | 扁桃（药用部位：果实）。

| 形态特征 | 中型乔木或灌木。枝直立或平展，无刺，具多数短枝，幼时无毛，一年生枝浅褐色，多年生枝灰褐色至灰黑色；冬芽卵形，棕褐色。一年生枝上的叶互生，短枝上的叶常簇生；叶片披针形或椭圆状披针形，先端急尖至短渐尖，基部宽楔形至圆形，边缘具浅钝锯齿；叶柄无毛，在叶片基部及叶柄上常具 2 ～ 4 腺体。花单生，先叶开放，着生在短枝或一年生枝上；花萼筒圆筒形，外面无毛，萼片宽长圆形至宽披针形，先端圆钝，边缘具柔毛；花瓣长圆形，先端圆钝或微凹，基部渐狭成爪，白色至粉红色；雄蕊长短不齐；花柱长于雄蕊，子房密被绒毛状毛。果实斜卵形或长圆卵形，扁平，先

端尖或稍钝，基部多数近截形，外面密被短柔毛；果肉薄，成熟时开裂；核卵形、宽椭圆形或短长圆形，核壳硬，先端尖，基部斜截形或圆截形，两侧不对称，背缝较直，具浅沟或无沟，腹缝较弯，具多少尖锐的龙骨状突起，沿腹缝线具不明显的浅沟或无沟，表面多光滑，具蜂窝状孔穴；种仁味甜或苦。

| 生境分布 | 生于肥沃干燥的砂壤土。新疆伊犁哈萨克自治州、喀什地区、和田地区、阿克苏地区有栽培。

| 采收加工 | 8 月上旬至 9 月上旬采摘果实，晒干，取出种子，贮于通风干燥处。

| 功能主治 | 消肿，润肤，清秽，止咳，平喘。用于头痛，视物不清，咳嗽气喘，肠胃积滞，疮疖。

| 用法用量 | 内服煎汤，3 ~ 9 g。

桃
Prunus persica (L.) Batsch

| 药 材 名 | 桃仁（药用部位：根皮、叶、花、幼果、种子）。

| 形态特征 | 乔木。高3～8 m；树冠宽广而平展。树皮暗红褐色，老时粗糙，
呈鳞片状。小枝细长，无毛，有光泽，绿色，向阳处转变成红色，
具大量小皮孔。冬芽圆锥形，先端钝，外被短柔毛，常2～3簇生，
中间为叶芽，两侧为花芽。叶片长圆状披针形、椭圆状披针形或倒
卵状披针形，长7～15 cm，宽2～3.5 cm，先端渐尖，基部宽楔形，
上面无毛，下面在脉腋间具少数短柔毛或无毛，叶边具细锯齿或粗
锯齿，齿端具腺体或无腺体；叶柄粗壮，长1～2 cm，常具1至数
枚腺体，有时无腺体。花单生，先于叶开放，直径2.5～3.5 cm；
花梗极短或几无梗；萼筒钟形，被短柔毛，稀几无毛，绿色而具红

色斑点；萼片卵形至长圆形，先端圆钝，外被短柔毛；花瓣长圆状椭圆形至宽倒卵形，粉红色，稀为白色；雄蕊 20 ~ 30，花药绯红色；花柱几与雄蕊等长或稍短；子房被短柔毛。果实形状和大小均有变异，卵形、宽椭圆形或扁圆形，直径（3 ~ ）5 ~ 7（ ~ 12）cm，长与宽几相等，淡绿白色至橙黄色，常在向阳面具红晕，外面密被短柔毛，稀无毛，腹缝明显，果柄短而深入果洼；果肉白色、浅绿白色、黄色、橙黄色或红色；核大，离核或粘核，椭圆形或近圆形，两侧扁平，先端渐尖，表面具纵、横沟纹和孔穴。花期 3 ~ 4 月，果实成熟期因品种而异，通常为 8 ~ 9 月。

| 生境分布 | 生于山坡、山谷、沟底或荒野的疏林及灌丛中。新疆多地均有栽培。

| 功能主治 | 活血祛瘀，润肠通便。用于痛经，血滞经闭，产后瘀滞腹痛，癥瘕结块，津少口渴，肠燥便秘，积聚，跌打损伤，瘀血肿痛，肺痈，肠痈。

蔷薇科 Rosaceae 李属 *Prunus*

李

Prunus salicina Lindl.

| 药 材 名 | 李仁（药用部位：果实）。

| 形态特征 | 落叶乔木。高 9 ~ 12 m。树冠广圆形。树皮灰褐色，起伏不平。老枝紫褐色或红褐色，无毛；小枝黄红色，无毛。冬芽卵圆形，红紫色，有数枚覆瓦状排列鳞片，通常无毛，稀鳞片边缘有极稀疏毛。叶片长圆状倒卵形或长椭圆形，稀长圆状卵形，长 6 ~ 8 (~ 12) cm，宽 3 ~ 5 cm，先端渐尖、急尖或短尾尖，基部楔形，边缘有圆钝重锯齿，常混有单锯齿，幼时齿尖带腺体，上面深绿色，有光泽，侧脉 6 ~ 10 对，不达叶片边缘，与主脉成 45° 角，两面均无毛，有时下面沿主脉有稀疏柔毛或脉腋有髯毛；托叶膜质，线形，先端渐尖，边缘有腺体，早落；叶柄长 1 ~ 2 cm，通常无毛，先端有 2 腺体或

无，有时在叶片基部边缘有腺体。花通常 3 并生；花梗 1 ~ 2 cm，通常无毛；花直径 1.5 ~ 2.2 cm；萼筒钟状；萼片长圆卵形，长约 5 mm，先端急尖或圆钝，边有疏齿，与萼筒近等长，萼筒和萼片外面均无毛，内面在萼筒基部被疏柔毛；花瓣白色，长圆状倒卵形，先端啮蚀状，基部楔形，有明显带紫色脉纹，具短爪，着生在萼筒边缘，比萼筒长 2 ~ 3 倍；雄蕊多数，花丝长短不等，排成不规则 2 轮，比花瓣短；雌蕊 1，柱头盘状，花柱比雄蕊稍长。核果球形、卵球形或近圆锥形，直径 3.5 ~ 5 cm，栽培品种可达 7 cm，黄色或红色，有时为绿色或紫色，先端微尖，基部有纵沟，外被蜡粉；核卵圆形或长圆形，有皱纹。花期 4 月，果期 7 ~ 8 月。

| 生境分布 | 生于溪边竹林内或山坡杂木林中。新疆乌鲁木齐市、喀什地区及石河子市等有栽培。

| 采收加工 | 7 ~ 8 月采摘。

| 功能主治 | 清肝涤热，生津利水。

蔷薇科 Rosaceae 李属 *Prunus*

西伯利亚杏 *Prunus sibirica* L.

| 药 材 名 | 苦杏仁（药用部位：种仁）。

| 形态特征 | 灌木或小乔木。高 2 ～ 5 m。树皮暗灰色。小枝无毛，稀幼时疏生短柔毛，灰褐色或淡红褐色。叶片卵形或近圆形，长 5 ～ 10 cm，宽 4 ～ 7 cm，先端长渐尖至尾尖，基部圆形至近心形，叶缘有细钝锯齿，两面无毛，稀下面脉腋间具短柔毛；叶柄长 2 ～ 3.5 cm，无毛，有小腺体或无。花单生，直径 1.5 ～ 2 cm，先于叶开放；花梗长 1 ～ 2 mm；花萼紫红色；萼筒钟形，基部微被短柔毛或无毛；萼片长圆状椭圆形，先端尖，花后反折；花瓣近圆形或倒卵形，白色或粉红色；雄蕊与花瓣近等长；子房被短柔毛。果实扁球形，直径 1.5 ～ 2.5 cm，黄色或橘红色，有时具红晕，被短柔毛；果肉较薄而干燥，成熟时

沿腹缝线开裂；核扁球形，易与果肉分离，两侧扁，先端圆形，基部一侧偏斜，不对称，表面较平滑，腹面宽而锐利。花期 3 ~ 4 月，果期 6 ~ 7 月。

| 生境分布 | 生于海拔 700 ~ 2 000 m 的干燥向阳山坡上、丘陵草原或与落叶乔灌木混生。新疆乌鲁木齐市、昌吉回族自治州及石河子市等有栽培。

| 采收加工 | 6 ~ 7 月采收。

| 功能主治 | 降气，止咳平喘，润肠通便。用于咳嗽气喘，胸满痰多，肠燥便秘。

蔷薇科 Rosaceae 李属 Prunus

杏李
Prunus simonii Carrière

| **药 材 名** | 李仁（药用部位：根、叶、果实）。

| **形态特征** | 乔木。高 5 ~ 8 m。树冠金字塔形，直立分枝。老枝紫红色，树皮起伏不平，常有裂痕；小枝浅红色，粗壮，节间短，无毛。冬芽卵圆形，紫红色，有数枚覆瓦状排列鳞片，边缘有细齿，通常无毛，极稀鳞片边缘有睫毛。叶片长圆状倒卵形或长圆状披针形，稀长椭圆形，长 7 ~ 10 cm，宽 3 ~ 5 cm，先端渐尖或急尖，基部楔形或宽楔形，边缘有细密圆钝锯齿，有时呈不明显重锯齿，幼时齿尖常带腺；上面深绿色，主脉和侧脉均明显下陷，下面淡绿色，中脉和侧脉均明显凸起，侧脉弧形，与主脉呈锐角，两面无毛；托叶膜质，线形，先端长渐尖，边缘有腺，早落；叶柄长 1 ~ 1.3 cm，无毛，

通常在先端两侧各有 1 ~ 2 腺体。花（1 ~ ）2 ~ 3，簇生；花梗长 2 ~ 5 mm，无毛；花直径 1.5 ~ 2 cm；萼筒钟状，萼片长圆形，先端圆钝，边有带腺细齿，萼片与萼筒外面均无毛，内面在萼筒基部被短柔毛；花瓣白色，长圆形，先端圆钝，基部楔形，有短爪，着生在萼筒边缘；雄蕊多数，花丝长短不等，排成紧密 2 轮，长花丝比花瓣稍短或近等长；雌蕊 1，心皮无毛，柱头盘状，花柱比长雄蕊稍短或近等长。核果先端扁球形，直径 3 ~ 5（ ~ 6 ）cm，红色；果肉淡黄色，质地紧密，粘核，微涩；核小，扁球形，有纵沟。果期 6 ~ 7 月。

| 生境分布 | 生于阳光充足的坡地或村庄附近。新疆乌鲁木齐市及石河子市等有栽培。

| 采收加工 | 秋季采挖根，夏季采收叶。晒干。

| 功能主治 | 活血，调经，止血。用于吐血，闭经，跌打损伤。

蔷薇科 Rosaceae 李属 *Prunus*

毛樱桃
Prunus tomentosa Thunb.

| 药 材 名 | 櫻桃（药用部位：果实、种子）。

| 形态特征 | 毛樱桃是灌木。通常高 0.3 ~ 1 m，稀呈小乔木状，高可达 2 ~ 3 m。小枝紫褐色或灰褐色，嫩枝密被绒毛至无毛。冬芽卵形，疏被短柔毛或无毛。叶片卵状椭圆形或倒卵状椭圆形，长 2 ~ 7 cm，宽 1 ~ 3.5 cm，先端急尖或渐尖，基部楔形，边有急尖或具粗锐锯齿，上面暗绿色或深绿色，被疏柔毛，下面灰绿色，密被灰色绒毛或以后毛变为稀疏，侧脉 4 ~ 7 对；叶柄长 2 ~ 8 mm，被绒毛或毛脱落变稀疏；托叶线形，长 3 ~ 6 mm，被长柔毛。花单生或 2 簇生，花叶同开，近先叶开放或先叶开放；花梗长达 2.5 mm 或近无梗；萼筒管状或杯状，长 4 ~ 5 mm，外被短柔毛或无毛；萼片三角卵形，先

端圆钝或急尖，长 2 ～ 3 mm，内、外两面被短柔毛或无毛；花瓣白色或粉红色，倒卵形，先端圆钝；雄蕊 20 ～ 25，短于花瓣；花柱伸出，与雄蕊近等长或稍长；子房全部被毛或仅先端或基部被毛。核果近球形，红色，直径 0.5 ～ 1.2 cm；核表面除棱脊两侧有纵沟外，无棱纹。花期 4 ～ 5 月，果期 6 ～ 9 月。

| **生境分布** | 生于海拔 100 ～ 3 200 m 的山坡林中、林缘、灌丛中或草地。新疆乌鲁木齐市、塔城地区、喀什地区及石河子市等有栽培。

| **采收加工** | 6 ～ 8 月采摘。

| **功能主治** | 润燥滑肠，下气，利水。用于津枯肠燥，食积气滞，腹胀便秘，水肿，脚气，小便淋痛不利。

蔷薇科 Rosaceae 梨属 *Pyrus*

杜梨

Pyrus betulaefolia Bunge

| 药 材 名 | 杜梨（药用部位：根、叶、果实）。

| 形态特征 | 乔木。高达 10 m，树冠开展。枝常具刺；小枝嫩时密被灰白色绒毛，二年生枝条具稀疏绒毛或近无毛，紫褐色。冬芽卵形，先端渐尖，外被灰白色绒毛。叶片菱状卵形至长圆卵形，长 4 ~ 8 cm，宽 2.5 ~ 3.5 cm，先端渐尖，基部宽楔形，稀近圆形，边缘有粗锐锯齿，幼叶上、下两面均密被灰白色绒毛，成长后脱落，老叶上面无毛而有光泽，下面微被绒毛或近无毛；叶柄长 2 ~ 3 cm，被灰白色绒毛；托叶膜质，线状披针形，长约 2 mm，两面均被绒毛，早落。伞形总状花序，有花 10 ~ 15，总花梗和花梗均被灰白色绒毛，花梗长 2 ~ 2.5 cm；苞片膜质，线形，长 5 ~ 8 mm，两面均微被绒毛，早落；

花直径 1.5 ~ 2 cm；萼筒外密被灰白色绒毛；萼片三角卵形，长约 3 mm，先端急尖，全缘，内、外两面均密被绒毛；花瓣宽卵形，长 5 ~ 8 mm，宽 3 ~ 4 mm，先端圆钝，基部具短爪，白色；雄蕊 20，花药紫色，长约花瓣的一半；花柱 2 ~ 3，基部微具毛。果实近球形，直径 5 ~ 10 mm，2 ~ 3 室，褐色，有淡色斑点，萼片脱落，基部具带绒毛果柄。花期 4 月，果期 8 ~ 9 月。

| 生境分布 | 生于海拔 50 ~ 1 800 m 的平原或山坡向阳处。新疆多地均有栽培。

| 采收加工 | 8 ~ 9 月采摘。

| 功能主治 | 枝叶，用于霍乱，吐泻，转筋腹痛，反胃吐食。树皮，用于皮肤溃疡。果实，消食止痢。用于泄泻，痢疾。

薔薇科 Rosaceae 梨属 *Pyrus*

白梨
Pyrus bretschneideri Rehder

| 药 材 名 | 杜梨（药用部位：果实）。

| 形态特征 | 乔木。高达 5 ~ 8 m，树冠开展。小枝粗壮，圆柱形，微屈曲，嫩时密被柔毛，不久脱落，二年生枝紫褐色，具稀疏皮孔。冬芽卵形，先端圆钝或急尖，鳞片边缘及先端有柔毛，暗紫色。叶片卵形或椭圆卵形，长 5 ~ 11 cm，宽 3.5 ~ 6 cm，先端渐尖，稀急尖，基部宽楔形，稀近圆形，边缘有尖锐锯齿，齿尖有刺芒，微向内合拢，嫩时紫红绿色，两面均有绒毛，不久脱落，老叶无毛；叶柄长 2.5 ~ 7 cm，嫩时密被绒毛，不久脱落；托叶膜质，线形至线状披针形，先端渐尖，边缘具有腺齿，长 1 ~ 1.3 cm，外面有稀疏柔毛，内面较密，早落。伞形总状花序，有花 7 ~ 10，直径 4 ~ 7 cm，总花梗

和花梗嫩时有绒毛，不久脱落，花梗长 1.5 ～ 3 cm；苞片膜质，线形，长 1 ～ 1.5 cm，先端渐尖，全缘，内面密被褐色长绒毛；花直径 2 ～ 3.5 cm；萼片三角形，先端渐尖，边缘有腺齿，外面无毛，内面密被褐色绒毛；花瓣卵形，长 1.2 ～ 1.4 cm，宽 1 ～ 1.2 cm，先端常呈啮齿状，基部具短爪；雄蕊 20，长约等于花瓣的一半；花柱 4 或 5，与雄蕊近等长，无毛。果实卵形或近球形，长 2.5 ～ 3 cm，直径 2 ～ 2.5 cm，先端萼片脱落，基部具肥厚果柄，黄色，有细密斑点，4 ～ 5 室。种子倒卵形，微扁，长 6 ～ 7 mm，褐色。花期 4 月，果期 8 ～ 9 月。

| **生境分布** | 生于海拔 100 ～ 2 000 m 的干旱寒冷地区山坡向阳处。新疆多地均有栽培。

| **采收加工** | 8 ～ 9 月采摘。

| **功能主治** | 清火润肺。

蔷薇科 Rosaceae 蔷薇属 Rosa

刺蔷薇

Rosa acicularis Lindl.

| 药 材 名 |

蔷薇（药用部位：果实、花、根、叶）。

| 形态特征 |

灌木。高 1 ~ 3 m。小枝圆柱形，稍弯曲，红褐色或紫褐色，无毛，有细直皮刺，常密生针刺，有时无刺。小叶 3 ~ 7，连叶柄长 7 ~ 14 cm；小叶片宽椭圆形或长圆形，长 1.5 ~ 5 cm，宽 8 ~ 25 mm，先端急尖或圆钝，基部近圆形，稀宽楔形，边缘有单锯齿或不明显重锯齿，上面深绿色，无毛，中脉和侧脉稍微下陷，下面淡绿色，中脉和侧脉均凸起，有柔毛，沿中脉较密；叶柄和叶轴有柔毛、腺毛和稀疏皮刺；托叶大部分贴生于叶柄，离生部分宽卵形，边缘有腺齿，下面被柔毛。花单生或 2 ~ 3 集生；苞片卵形至卵状披针形，先端渐尖或尾尖，边缘有腺齿或缺刻；花梗长 2 ~ 3.5 cm，无毛，密被腺毛；花直径 3.5 ~ 5 cm；萼筒长椭圆形，光滑无毛或有腺毛；萼片披针形，先端常扩展成叶状，外面有腺毛或稀疏刺毛，内面密被柔毛；花瓣粉红色，芳香，倒卵形，先端微凹，基部宽楔形；花柱离生，被毛，比雄蕊短。果实梨形、长椭圆形或倒卵球形，直径 1 ~ 1.5 cm，有明显颈部，红色，有光泽，有腺或无腺。花期 6 ~ 7 月，果期 7 ~ 9 月。

| **生境分布** | 生于海拔 450 ~ 1 820 m 的山坡向阳处、灌丛中、桦木林下或砍伐后针叶林迹地以及路旁。分布于新疆布尔津县、和静县、裕民县、和布克赛尔蒙古自治县等。

| **功能主治** | 理气行血，解郁调经。

蔷薇科 Rosaceae 蔷薇属 Rosa

腺齿蔷薇 *Rosa albertii* Regel.

| 药 材 名 |

蔷薇（药用部位：根）。

| 形态特征 |

灌木。高1～2m。小枝灰褐色或紫褐色，无毛，有散生直细皮刺，通常密生针刺，针刺基部有圆盘。小叶5～7，连叶柄长3～8cm；小叶片卵形、椭圆形、倒卵形或近圆形，长8～30mm，宽5～18mm，先端圆钝或急尖，基部近圆形或宽楔形，边缘有重锯齿，有时齿尖有腺体，上面无毛，下面有短柔毛，沿脉较密；叶柄和叶轴被短柔毛、腺毛和稀疏针刺；托叶大部分贴生于叶柄，离生部分卵状披针形，先端渐尖，边缘有腺毛。花单生或2～3簇生；苞片卵形，先端渐尖，边缘有腺毛，两面无毛或有时背面有腺毛；花梗长1.5～3cm，无毛，有腺毛或无腺毛；花直径3～4cm；萼片卵状披针形，先端尾尖，有时扩展成叶状，外面无毛，有时有腺毛，内面密被柔毛；花瓣白色，宽倒卵形，先端微凹，基部宽楔形；花柱离生，被长柔毛，比雄蕊短很多。果实梨形或椭圆形，直径8～18mm，橙红色，成熟后萼片和萼筒顶部一起脱落。花期6～8月，果期8～10月。

| 生境分布 | 生于路旁、田边或丘陵地的灌丛中。新疆奇台县、昭苏县、阜康市、阿勒泰市、尼勒克县等有栽培。

| 采收加工 | 全年均可采挖，洗净，晒干。

| 功能主治 | 活血化瘀，祛风除湿，解毒收敛。

薔薇科 Rosaceae 薔薇属 *Rosa*

弯刺蔷薇 *Rosa beggeriana* Schrenk

| 药 材 名 | 蔷薇（药用部位：叶、根、果实）。

| 形态特征 | 灌木。高 1 ~ 3 m。小枝圆柱形，紫褐色，无毛，有成对或散生的皮刺，刺大，坚硬，基部扁宽，呈镰状弯曲，淡黄色，有时混生细刺。小叶 5 ~ 11，连叶柄长 3 ~ 12 cm；小叶卵圆形或椭圆形，长 1 ~ 2.5 cm，宽 0.5 ~ 1.2 cm，先端钝圆，基部近圆形或宽楔形，两面无毛或仅在下面有短柔毛，边缘有单锯齿，稀重锯齿；叶柄有稀疏的柔毛和小细刺；托叶与叶柄合生，离生部分卵形，边缘具腺齿。花数朵组成伞房状圆锥花序，稀单生；苞片 1 ~ 3，卵形，先端渐尖，边缘具腺齿；花梗长 1 ~ 2 cm，先端渐尖，边缘具腺齿；花梗长 1 ~ 2 cm，无毛或稀有腺毛；花直径 2 ~ 3 cm，花托近球形，无毛；

萼片披针形，先端具尾尖，稀扩展成叶状，外面被腺毛，内面密被短绒毛；花瓣白色，宽倒卵形，先端微凹，基部宽楔形；花柱离生，有长柔毛，比雄蕊短很多。果实近球形或卵圆形，红色或橘黄色，萼片脱落。花期5～7月，果期7～10月。

| 生境分布 | 生于海拔1 000～2 400 m的河谷、溪旁、林缘。分布于新疆奇台县、阜康市、乌鲁木齐县、石河子市、和布克赛尔蒙古自治县、博乐市、察布查尔锡伯自治县、伊吾县等。

| 功能主治 | 叶，解毒消肿。根，活血化瘀，祛风除湿，解毒收敛，杀虫。果实，用于神经衰弱，高血压，神经性头痛，脾虚泄泻，慢性肾小球肾炎。

蔷薇科 Rosaceae 蔷薇属 *Rosa*

月季花
Rosa chinensis Jacq.

| 药 材 名 | 月季（药用部位：花）。

| 形态特征 | 直立灌木。高 1 ~ 2 m。小枝粗壮，圆柱形，近无毛，有短粗的钩状皮刺。小叶 3 ~ 5，稀 7，连叶柄长 5 ~ 11 cm；小叶片宽卵形至卵状长圆形，长 2.5 ~ 6 cm，宽 1 ~ 3 cm，先端长渐尖或渐尖，基部近圆形或宽楔形，边缘有锐锯齿，两面近无毛，上面暗绿色，常带光泽，下面颜色较浅，顶生小叶片有柄，侧生小叶片近无柄，总叶柄较长，有散生皮刺和腺毛；托叶大部分贴生于叶柄，仅先端分离部分呈耳状，边缘常有腺毛。花数朵集生，稀单生，直径 4 ~ 5 cm；花梗长 2.5 ~ 6 cm，近无毛或有腺毛；萼片卵形，先端尾状渐尖，有时呈叶状，边缘常有羽状裂片，稀全缘，外面无毛，内面

密被长柔毛；花瓣重瓣至半重瓣，红色、粉红色至白色，倒卵形，先端有凹缺，基部楔形；花柱离生，伸出萼筒口外，约与雄蕊等长。果实卵球形或梨形，长1～2 cm，红色，萼片脱落。花期4～9月，果期6～11月。

| 生境分布 | 生于山坡、路旁或树林中。新疆裕民县、和田县、于田县等有栽培。

| 采收加工 | 全年均可采收，在晴天时采摘微开的花，阴干或低温干燥。

| 功能主治 | 活血调经，疏肝解郁。用于气滞血瘀，月经不调，痛经，闭经，胸胁胀痛。

蔷薇科 Rosaceae 蔷薇属 *Rosa*

腺毛蔷薇
Rosa fedtschenkoana Regel.

| 药 材 名 | 腺毛蔷薇（药用部位：果实、叶、根）。

| 形态特征 | 小灌木。高可达 4 m。分枝较多，小枝圆柱形，有大小不等的皮刺，
坚硬而直立，淡黄色。小叶通常 7，稀 5 或 9，连叶柄长 3 ~ 4.5 cm；
小叶片近圆形或卵形，长 8 ~ 15 mm，宽 6 ~ 10 mm，先端圆钝，
基部近圆形或宽楔形，边缘有单锯齿，近基部全缘，两面无毛，下
面叶脉凸起；小叶柄和叶轴无毛或有稀疏腺毛；托叶大部分贴生于
叶柄，离生部分披针形或卵形，先端急尖，边缘有腺毛。花单生，
有时 1 ~ 2 集生；苞片卵形或卵状披针形，先端尾尖或急尖，边缘
有腺毛；花梗长 1 ~ 2 cm，有腺毛；花直径 3 ~ 4 cm；萼筒卵球形，
外被腺毛，稀光滑；萼片披针形，先端渐尖，外面有腺毛，内面密

被柔毛；花瓣白色，稀粉红色，宽倒卵形，先端凹凸不平，基部宽楔形，比萼片长；花柱离生，被柔毛。果实长圆形或卵球形，直径 1.5 ~ 2 cm，深红色，密被腺毛。

| 生境分布 | 生于海拔 2 400 ~ 2 700 m 的灌丛中、山坡上或河谷水沟边。分布于新疆昭苏县、阿勒泰市、阜康市、新源县、玛纳斯县、尼勒克县等。

| 功能主治 | 强壮止泻，固精，缩尿。

蔷薇科 Rosaceae 蔷薇属 *Rosa*

疏花蔷薇 *Rosa laxa* Retz.

| 药 材 名 | 疏花蔷薇（药用部位：叶、根、果实）。

| 形态特征 | 灌木。高 1 ～ 2 m。小枝圆柱形，直立或稍弯曲，无毛，有成对或散生的镰状浅黄色皮刺。小叶 7 ～ 9，连叶柄长 4.5 ～ 10 cm；小叶片椭圆形、长圆形或卵形，稀倒卵形，长 1.5 ～ 4 cm，宽 8 ～ 20 mm，先端急尖或圆钝，基部近圆形或宽楔形，边缘有单锯齿，稀有重锯齿，两面无毛或下面有柔毛，中脉和侧脉均明显凸起；叶轴上面有散生皮刺、腺毛和短柔毛；托叶大部分贴生于叶柄，离生部分呈耳状，卵形，边缘有腺齿，无毛。花常 3 ～ 6，组成伞房状，有时单生；苞片卵形，先端渐尖，有柔毛和腺毛；花梗长 1 ～ 1.8（～ 3）cm；萼筒无毛或有腺毛；花直径约 3 cm；萼片卵状披针形，先端常延长

成叶状，全缘，外面有稀疏柔毛和腺毛，内面密被柔毛；花瓣白色或粉红色，倒卵形，先端凹凸不平；花柱离生，密被长柔毛，比雄蕊短很多。果实长圆形或卵球形，直径 1 ~ 1.8 cm，先端有短颈，红色，常有光泽，萼片直立宿存。花期 6 ~ 8 月，果期 8 ~ 9 月。

| 生境分布 | 生于海拔 500 ~ 1 150 m 的灌丛中、干沟边或河谷旁。分布于新疆克拉玛依市、吐鲁番市及新源县、玛纳斯县等。

| 功能主治 | 叶，解毒消肿。根，活血化瘀，祛风除湿，解毒收敛，杀虫。果实，用于神经衰弱，高血压，神经性头痛，脾虚泄泻，慢性肾小球肾炎。

蔷薇科 Rosaceae 蔷薇属 Rosa

喀什疏花蔷薇
Rosa laxa Retz. var. *kaschgarica* (Rupr.) Han

| 药 材 名 |　蔷薇（药用部位：花、果实）。

| 形态特征 |　本种与疏花蔷薇的区别在于本种小叶较小，近革质；刺宽大坚硬。

| 生境分布 | 生于海拔 580 ～ 1 100 m 的河漫滩阴湿草地或杨树林下。分布于新疆喀什地区、阿克苏地区。 |

| 功能主治 | 滋补强壮，止泻，利水。 |

蔷薇科 Rosaceae 蔷薇属 Rosa

香水月季 *Rosa odorata* (Andr.) Sweet

| 药 材 名 | 香水月季（药用部位：根、叶）。

| 形态特征 | 常绿或半常绿攀缘灌木。有长匍匐枝，枝粗壮，无毛，有散生粗短钩状皮刺。小叶 5 ~ 9，连叶柄长 5 ~ 10 cm；小叶片椭圆形、卵形或长圆卵形，长 2 ~ 7 cm，宽 1.5 ~ 3 cm，先端急尖或渐尖，稀尾状渐尖，基部楔形或近圆形，边缘有紧贴的锐锯齿，两面无毛，革质；托叶大部分贴生于叶柄，无毛，边缘或仅在基部有腺；先端小叶片有长柄，总叶柄和小叶柄有稀疏小皮刺和腺毛。花单生或 2 ~ 3 集生，直径 5 ~ 8 cm；花梗长 2 ~ 3 cm，无毛或有腺毛；萼片全缘，稀有羽状裂片，披针形，先端长渐尖，外面无毛，内面密被长柔毛；花瓣，白色或带粉红色，倒卵形；心皮多数，被毛；花柱离生，伸出花托口外，

约与雄蕊等长。果实呈压扁的球形，稀梨形，外面无毛，果柄短。花期 6 ~ 7 月。

| **生境分布** | 生于海拔 1 500 ~ 2 000 m 的向阳山坡次生林下。分布于新疆察布查尔锡伯自治县、昭苏县、鄯善县、石河子市等。

| **功能主治** | 调气和血，止痢，止咳，定喘，消炎，杀菌。用于痢疾，小儿疝气，哮喘，腹泻，带下；外用于疮，痈，疖。

蔷薇科 Rosaceae 蔷薇属 Rosa

尖刺蔷薇
Rosa oxyacantha M. Bieb.

| 药 材 名 | 尖刺蔷薇（药用部位：花、果实、根）。

| 形态特征 | 小灌木。高 1 ~ 2 m。分枝开展，小枝红褐色，无毛；皮刺极多，直立，长短粗细不等，淡黄色。小叶 7 ~ 9，连叶柄长 4 ~ 9 cm；小叶片长圆形或椭圆形，长 1.5 ~ 2.5 cm，宽 8 ~ 17 mm，先端急尖或圆钝，基部近圆形或宽楔形，边缘有重锯齿或不明显重锯齿，两面均无毛，下面叶脉凸起；小叶柄和叶轴无毛，有散生小皮刺和腺毛；托叶大部分贴生于叶柄，离生部分披针形，先端急尖，全缘，边缘有腺毛。花单生，稀 2 ~ 3 集生；苞片卵形，先端长尾尖，边缘有腺毛；花梗长 1.5 ~ 2 cm，光滑或有腺毛；花直径 2.5 ~ 3 cm；萼筒卵形或长圆形，光滑或有散生腺毛；萼片披针形，先端扩展成

叶状，全缘，外面密被腺毛，内面密被柔毛；花瓣粉红色，倒卵形，先端微凹，基部宽楔形，约与萼片等长或稍长；花柱被柔毛，短于雄蕊。果实长圆形或卵球形，直径 1 ~ 1.5 cm，亮红色，外面有腺毛，萼片直立宿存。

| **生境分布** | 生于海拔 1 100 ~ 1 400 m 的灌丛中。分布于新疆阿勒泰地区等。

| **功能主治** | 强壮止泻。

蔷薇科 Rosaceae 蔷薇属 Rosa

宽刺蔷薇 *Rosa platyacantha* Schrenk

| 药 材 名 | 宽刺蔷薇（药用部位：果实、根）。

| 形态特征 | 小灌木。高 1 ～ 2 m。枝条粗壮，开展，无毛，皮刺多，扁圆而基部膨大，黄色。小叶 5 ～ 7，连叶柄长 3 ～ 5 cm；小叶片革质，近圆形、倒卵形或长圆形，长 8 ～ 15 mm，宽 5 ～ 10 mm，先端圆钝，基部宽楔形或近圆形，边缘上半部有 4 ～ 6 锯齿，下半部或基部全缘，两面无毛或下面沿脉微有柔毛；叶轴、叶柄幼时有腺，以后脱落；托叶大部分贴生于叶柄，仅先端部分离生，披针形，有腺齿。花单生于叶腋或 2 ～ 3 集生；无苞片；花梗长 1 ～ 3.5 cm，通常无毛；花直径 3 ～ 5 cm；萼筒、萼片外面无毛，萼片披针形，先端渐尖，全缘，比萼筒长 1 倍，内面被柔毛；花瓣黄色，倒卵形，先端微凹，

基部楔形；花柱离生，稍伸出萼筒口外，被黄白色长柔毛，比雄蕊短。果实球形至卵球形，直径约 1 cm，暗红色至紫褐色，有光泽，萼片直立，宿存。花期 5 ~ 6 月，果期 7 ~ 8 月。

| **生境分布** | 生于海拔 1 100 ~ 1 800 m 的林边、林下、灌丛中、较干旱山坡、荒地或水旁润湿处。分布于新疆乌什县、乌鲁木齐县、巩留县、玛纳斯县、沙湾市等。

| **功能主治** | 强壮止泻。

蔷薇科 Rosaceae 蔷薇属 Rosa

玫瑰
Rosa rugosa Thunb.

| 药 材 名 | 玫瑰（药用部位：花）。

| 形态特征 | 落叶灌木。高达 2 m。茎粗壮，丛生。小枝密被绒毛，并有针刺和腺毛，有淡黄色皮刺，皮刺外被绒毛。羽状复叶互生；小叶 5 ~ 9；小叶片椭圆形或椭圆状倒卵形，长 1.5 ~ 4.5 cm，宽 1 ~ 2.5 cm，边缘有尖锐单锯齿，上面深绿色，叶脉下陷而有皱纹，下面灰绿色，密被绒毛和腺毛，叶柄和叶轴密被绒毛和腺毛；托叶大部分贴生于叶柄，边缘有带腺的锯齿。花单生或数朵簇生，直径 4 ~ 5.5 cm；苞片卵形；花梗长 5 ~ 25 mm，密被绒毛和腺毛；萼片 5，卵状披针形；花瓣 5 或重瓣，紫红色至白色，倒卵形；雄蕊和雌蕊多数，花柱离生，被毛，稍伸出于萼筒口外。果实扁球形，直径 2 ~ 2.5 cm，砖红色，

内有多数小瘦果，萼片宿存。花期 5 ～ 6 月，果期 8 ～ 9 月。

| 生境分布 | 栽培于庭院中。新疆和田市、和田县、墨玉县、洛浦县、于田县、策勒县等有栽培。

| 采收加工 | 5 ～ 6 月盛花期分批采收，晾干或烘干。

| 功能主治 | 理气解郁，和血止痛。用于肝气郁结所致胸膈满闷，脘胁胀痛，乳房胀痛，月经不调，痢疾，泄泻，带下，跌打损伤，痈肿。

蔷薇科 Rosaceae 蔷薇属 Rosa

多刺蔷薇 *Rosa spinosissima* L.

| 药 材 名 | 密刺蔷薇（药用部位：果实、花、根）。

| 形态特征 | 矮小灌木。高约1 m。枝开展或弯曲，无毛；当年小枝紫褐色或红褐色，有直立皮刺和密被针刺。小叶5～11，通常7～9，连叶柄长4～8 cm；小叶片长圆形、长圆状卵形或近圆形，长1～2.2 cm，宽6～12 mm，先端圆钝或急尖，基部近圆形或宽楔形，边缘有单锯齿或部分重锯齿，幼时齿尖带腺，上面深绿色，下面淡绿色，两面无毛；叶轴和叶柄有少数针刺和腺毛；托叶大部分贴生于叶柄，先端部分离生，卵形，全缘或有齿，齿尖常有腺。花单生于叶腋或2～3集生；无苞片；花梗长1.5～3.5 cm，幼时微有柔毛，以后脱落，有腺毛或无腺毛；花直径2～5 cm；萼片披针形，先端渐尖或尾状

渐尖，全缘，外面无毛，内面有白色柔毛，边缘较密；花瓣白色、粉色至淡黄色，宽倒卵形，先端微凹，基部宽楔形；花柱离生，被白色柔毛，比雄蕊短很多。果实近球形，直径 1 ～ 1.6 cm，黑色或暗褐色，无毛，有光泽；萼片宿存，果柄长可达 4 cm，常有腺。花期 5 ～ 6 月，果期 7 ～ 8 月。

| 生境分布 | 生于海拔 1 100 ～ 2 300 m 的山地、草坡或林间灌丛中及河滩岸边等处。分布于新疆和静县、阿勒泰市、塔城市、博乐市等。

| 功能主治 | 果实，活血舒筋，祛湿利尿。花，解毒消肿。根，活血化瘀，祛风除湿，解毒收敛，杀虫。用于神经衰弱，高血压，神经性头痛，脾虚泄泻，慢性肾小球肾炎。

蔷薇科 Rosaceae 悬钩子属 Rubus

欧洲木莓 *Rubus caesius* L.

| 药 材 名 |

覆盆子（药用部位：根、果实）。

| 形态特征 |

攀缘灌木。高达 1.5 m。小枝黄绿色至浅褐色，无毛或微具柔毛，常具白粉，被大小不等的皮刺。小叶 3，宽卵形或菱状卵形，长 4 ~ 7 cm，宽 3 ~ 7 cm，先端急尖，基部圆形至截形，两面微具柔毛，边缘具缺刻状粗锐重锯齿，通常 3 浅裂；叶柄长 4 ~ 7 cm，顶生小叶柄长 1 ~ 2.5 cm，均被细柔毛和皮刺，有时混生短腺毛；托叶宽披针形，具柔毛。花数朵或 10 余朵成伞房或短总状花序，腋生花序少花；总花梗、花梗和花萼均被柔毛和小刺，有时混生短腺毛；花梗长 1 ~ 1.5 cm；苞片宽披针形，有柔毛或短腺毛；花直径达 2 cm；萼片卵状披针形，先端尾尖，在果期常直立开展；花瓣宽椭圆形或宽长圆形，白色，基部具短爪；雄蕊花丝线形，几与花柱等长；花柱与子房均无毛。果实近球形，直径约 1 cm，黑色，无毛。花期 6 ~ 7 月，果期 8 月。

| 生境分布 |

生于山谷林下或河谷边。分布于新疆伊宁县、

尼勒克县、塔城市、额敏县、裕民县等。

| **功能主治** |　用于发热，咳嗽，腹泻，痢疾。

蔷薇科 Rosaceae 悬钩子属 Rubus

树莓

Rubus idaeus L.

| 药 材 名 | 覆盆子（药用部位：根、果实）。

| 形态特征 | 直立灌木。高 1 ~ 2 m。枝具皮刺，幼时为柔毛。顶生小叶常卵形。花期 5 ~ 6 月，果期 7 ~ 8 月。

| 生境分布 | 生于海拔 400 ~ 1 800 m 的谷地灌丛及林缘。分布于新疆乌鲁木齐县、阿勒泰市、塔城市、霍城县、新源县等。

| 功能主治 | 固精补肾，明目。用于肾虚，遗精，劳倦，泄泻，赤白浊。

蔷薇科 Rosaceae 悬钩子属 *Rubus*

库页岛悬钩子 *Rubus sachalinensis* Lévl.

| 药 材 名 | 悬钩子（药用部位：果实、枝、叶、根、茎）。

| 形态特征 | 灌木或矮小灌木。高 0.6 ~ 2 m。枝紫褐色，小枝色较浅，具柔毛，老时脱落，被蜜黄色、棕色或紫红色直立针刺，并混生腺毛。小叶常 3，不孕枝上有时具 5 小叶，卵形、卵状披针形或长圆状卵形，长 3 ~ 7 cm，宽 1.5 ~ 4（~ 5）cm，先端急尖，顶生小叶先端常渐尖，基部圆形，顶生小叶基部有时浅心形，上面无毛或稍有毛，下面密被灰白色绒毛，边缘有不规则粗锯齿或缺刻状锯齿；叶柄长 2 ~ 5 cm，顶生小叶柄长 1 ~ 2 cm，侧生小叶几无柄，均具柔毛、针刺或腺毛；托叶线形，有柔毛或疏腺毛。花 5 ~ 9 组成伞房状花序，顶生或腋生，稀单花腋生；总花梗和花梗具柔毛，密被针刺和

腺毛；花梗长 1 ~ 2 cm；苞片小，线形，有柔毛和腺毛；花直径约 1 cm；花萼外面密被短柔毛，具针刺和腺毛；萼片三角状披针形，长约 1 cm，先端长尾尖，外面边缘常具灰白色绒毛，在花果期时常直立开展；花瓣舌状或匙形，白色，短于萼片，基部具爪；花丝几与花柱等长；花柱基部和子房具绒毛。果实卵球形，较干燥，直径约 1 cm，红色，具绒毛；核有皱纹。花期 6 ~ 7 月，果期 8 ~ 9 月。

| **生境分布** | 生于海拔约 1 500 m 的谷地灌丛或林缘。分布于新疆青河县、福海县、奇台县、乌鲁木齐县、尼勒克县、新源县地区等。

| **采收加工** | 秋季采收，洗净，鲜用或晒干。

| **功能主治** | 解毒，止血，祛痰，消炎。用于吐血，鼻衄，痢疾。

石生悬钩子
Rubus saxatilis L.

| 药 材 名 | 覆盆子（药用部位：全草或果实）。

| 形态特征 | 草本。高 20 ~ 60 cm。根不发生萌蘖。茎细，圆柱形，不育茎有鞭状匍匐枝，具小针刺和稀疏柔毛，有时具腺毛。复叶常具 3 小叶，稀单叶分裂，小叶片卵状菱形至长圆状菱形，顶生小叶长 5 ~ 7 cm，稍长于侧生小叶，先端急尖，基部近楔形，侧生小叶基部偏斜，两面有柔毛，下面沿叶脉毛较多，边缘常具粗重锯齿，稀为缺刻状锯齿，侧生小叶有时 2 裂；叶柄长，具稀疏柔毛和小针刺，侧生小叶近无柄，顶生小叶柄长 1 ~ 2 cm；托叶离生，花枝上的托叶卵形或椭圆形，匍匐枝上的托叶较狭，披针形或线状长圆形，全缘。花常 2 ~ 10 成束或成伞房状花序；总花梗长短不齐，短者长仅 0.5 cm，

长者达 3 cm，总花梗和花梗均被小针刺和稀疏柔毛，常混生腺毛；花小，直径在 1 cm 以下；花萼陀螺形或在果期为盆形，外面有柔毛；萼片卵状披针形，几与花瓣等长；花瓣小，匙形或长圆形，白色，直立；雄蕊多数，花丝基部膨大，直立，先端钻状而内弯；雌蕊通常 5 ～ 6。果实球形，红色，直径 1 ～ 1.5 cm，小核果较大；核长圆形，具蜂巢状孔穴。花期 6 ～ 7 月，果期 7 ～ 8 月。

| **生境分布** | 生于石砾地、灌丛中或针阔叶混交林下。分布于新疆乌苏市、乌鲁木齐县、玛纳斯县、博乐市、霍城县、奇台县、和静县等。

| **功能主治** | 全草，用于急性肝炎，食欲不振，风湿性关节炎。果实，用于遗精。

蔷薇科 Rosaceae 地榆属 *Sanguisorba*

高山地榆
Sanguisorba alpina Bunge

| 药 材 名 | 地榆（药用部位：根）。

| 形态特征 | 多年生草本。高 30 ~ 80 cm。根粗壮，圆柱形。茎单生或上部分枝，基部稍有毛。奇数羽状复叶，有小叶 11 ~ 17，小叶椭圆形或长椭圆形，长 1.5 ~ 7 cm，宽 1 ~ 4 cm，基部截形或微心形，先端圆形，边缘有缺刻状尖锯齿，两面绿色，无毛；茎生叶与基生叶相似；基生叶托叶膜质，黄褐色，茎生叶托叶草质，绿色，卵形或半球形，边缘有缺刻状尖锯齿。穗状花序圆柱形，稀椭圆形，从基部向上开放，花后伸长下垂，长 1 ~ 5 cm，直径 0.6 ~ 1.2 cm；苞片淡黄色，卵状披针形或匙状披针形，边缘及外面被柔毛；萼片花瓣状，白色、黄绿色或微带粉红色，卵形；雄蕊 4，花丝下部扩大，比萼片长 2 ~ 3

倍。瘦果被柔毛，具棱，萼片宿存。花期 6 ~ 8 月，果期 9 月。

| 生境分布 | 生于海拔 1 700 ~ 2 800 m 的中山带草原及谷地灌丛。分布于新疆阿勒泰市、和布克赛尔蒙古自治县、塔城市、巩留县、昭苏县等。

| 采收加工 | 秋季采收。

| 功能主治 | 止血止泻，收敛消炎。

蔷薇科 Rosaceae 地榆属 Sanguisorba

地榆 *Sanguisorba officinalis* L.

| 药 材 名 |

地榆（药用部位：根茎）。

| 形态特征 |

多年生草本。根木质细长，多分枝。花茎矮小，丛生，高 1.5 ~ 12 cm，被绢状糙伏毛。基生叶为羽状复叶，有小叶 2 对，上面 1 对小叶基部下延与叶轴汇合，有时混生有 3 小叶，连叶柄长 1.5 ~ 7 cm，叶柄被绢状糙伏毛；顶生小叶片，倒披针形或倒卵状长圆形，先端截形，有 2 ~ 3 齿，极稀全缘，基部楔形，稀阔楔形，侧生小叶全缘，披针形或长圆状披针形，长 5 ~ 20 mm，宽 1.5 ~ 6 mm，先端急尖，基部楔形，上面暗绿色，伏生稀疏柔毛或脱落几无毛，下面绿色，被绢状糙伏毛；茎生叶 1 ~ 2，与基生叶相似；基生叶托叶膜质，暗褐色，外面几无毛，茎生叶托叶草质，绿色，披针形。聚伞花序数朵或单花顶生；花 5 基数，直径 0.6 ~ 1 cm；萼片三角状卵形，先端急尖，副萼片长椭圆形，先端圆钝或急尖，比萼片略长或稍短，外面被绢状糙伏毛；花瓣黄色或白色，倒卵状长圆形；雄蕊 10，与萼片等长或稍短；花柱近基生。瘦果表面有显著皱纹。花果期 6 ~ 9 月。

| **生境分布** | 生于海拔 1 800～2 600 m 的碎石坡地。分布于新疆额敏县、和布克赛尔蒙古自治县、青河县、博乐市、布尔津县等。 |

| **功能主治** | 凉血止血，清热解毒，消肿敛疮。用于吐血，咯血，尿血，便血，痔血，血痢，崩漏，赤白带，疮痈肿痛，湿疹，阴痒，烫火伤，蛇虫咬伤。 |

蔷薇科 Rosaceae 山莓草属 Sibbaldia

伏毛山莓草
Sibbaldia adpressa Bunge

| **药 材 名** | 山莓草（药用部位：根茎）。

| **形态特征** | 多年生草本。高 3 ～ 15 cm。根茎木质化。茎平卧或外倾，基生叶具细长叶柄，被绢状糙伏毛；三出复叶，顶生小叶片阔卵形，3 深裂几达中脉，中裂片倒披针形或倒卵状长圆形，先端平截，有 2 ～ 3 齿，稀全缘，侧裂片同侧生小叶片相似，全缘，披针形或长圆状披针形，灰绿色，两面被绢状糙伏毛，上面稀疏，下面密，特别是沿脉更密；茎生叶 1 ～ 2，与基生叶相似；托叶窄披针形，边缘有睫毛，具窄耳。聚伞花序，少花或单生；花 5 数，直径 0.6 ～ 1 cm；萼片三角状卵形，副萼片长椭圆形，比萼片略长或稍短，外面被绢状糙伏毛；花瓣黄色或白色，长圆状倒卵形或匙形，与萼片几等长；雄蕊常 10；雌蕊

9 ~ 15；花柱近基生，长于子房。瘦果表面有皱纹。花期 5 ~ 6 月。

| **生境分布** | 生于海拔 1 800 ~ 2 600 m 的碎石坡地。分布于新疆民丰县、策勒县等。

| **功能主治** | 止血收敛，消炎止泻。

山莓草 *Sibbaldia procumbens* L.

| 药 材 名 | 山莓草（药用部位：茎、叶）。

| 形态特征 | 多年生草本。高 5 ~ 10 cm。根茎呈匍匐状，木质。茎丛生，基部被有密集的枯叶残余物，褐色。基生叶为三出复叶，具长柄，被疏柔毛，小叶片倒卵形，长 1 ~ 3 cm，宽 0.6 ~ 1.5 cm，先端平截，有 3 ~ 5 齿，基部楔形，上面被散生疏柔毛，下面被紧贴的柔毛，基生叶托叶膜质，褐色，被毛；茎生叶 1，与基生叶相似，茎生叶托叶披针形或卵形，全缘，被毛。伞房花序有花数朵，具短梗；萼片尖卵形或三角状卵形，副萼片小，披针形，短于萼片一半以上；花瓣 5，淡黄色，倒卵形，短于萼片 1 倍；雄蕊 5；雌蕊常为 5，花柱侧生。瘦果光滑。花期 6 ~ 7 月，果期 8 月。

| 生境分布 | 生于海拔 1 400 ~ 2 000 m 的干旱草坡及碎石坡地。分布于新疆塔城市、玛纳斯县、阿勒泰市、阿合奇县、霍城县、察布查尔锡伯自治县等。

| 采收加工 | 夏、秋季采收，鲜用或晒干。

| 功能主治 | 活血，调经，止咳。用于月经不调，骨折，咳嗽。

蔷薇科 Rosaceae 珍珠梅属 Sorbaria

华北珍珠梅
Sorbaria kirilowii (Regel & Tiling) Maxim.

| 药 材 名 | 珍珠梅（药用部位：果实）。

| 形态特征 | 灌木。高 1 ~ 2.5 m。枝条开展，无毛，嫩枝绿色，老枝红褐色。羽状复叶，有小叶 6 ~ 8 对，披针形或长圆状披针形，先端渐尖，边缘有尖锐重锯齿；托叶线状披针形，先端全缘或有疏锯齿。顶生大型密集的圆锥花序；苞片线状披针形，渐尖，全缘；萼筒浅钟状，无毛；萼片长圆形，萼片与萼筒近等长；花瓣倒卵形或宽卵形，白色；雄蕊 20，与花瓣等长或稍短于花瓣；心皮 5。蓇葖果长圆柱形，无毛，花柱稍侧生，萼片反折，宿存。花期 6 ~ 7 月，果期 9 ~ 10 月。

| 生境分布 | 生于海拔 200 ~ 1 300 m 的山坡向阳处或杂木林中。分布于新疆呼图壁县、和田县等。

| 采收加工 | 9 ~ 10 月采摘，阴干，揉搓，除去种壳和杂质。

| 功能主治 | 清热解毒。

蔷薇科 Rosaceae 花楸属 Sorbus

西伯利亚花楸 *Sorbus sibirica* Hedl.

药材名

花楸（药用部位：果实）。

形态特征

小乔木。高 4 ~ 8 m。嫩枝被绒毛。奇数羽状复叶，有小叶 5 ~ 10 对，长圆状披针形，长 3.5 ~ 5 cm，宽 1 ~ 1.5 cm，上面绿色，下面灰绿色，沿中脉多少有绒毛，先端渐尖，基部圆形或宽楔形，边缘锐锯齿。复伞房花序，花稠密；花轴与小花梗无毛或有疏毛；花直径 7 ~ 9 mm；花瓣白色，圆形；萼筒钟状，萼片宽三角形，无毛；雄蕊短于花瓣；雌蕊 3 ~ 4，花柱基部具柔毛。果实球形，直径 5 ~ 7 mm，鲜红色，无蜡粉。花期 5 月，果期 8 ~ 9 月。

生境分布

生于海拔 1 900 ~ 2 400 m 的云杉与冷杉混交林下。分布于新疆布尔津县、哈巴河县等。

采收加工

9 月中旬采摘。

| **功能主治** | 清肺止咳，补脾生津。

蔷薇科 Rosaceae 花楸属 *Sorbus*

天山花楸 *Sorbus tianschanica* Rupr.

| 药 材 名 | 花楸（药用部位：果实）。

| 形态特征 | 小乔木。高 3 ~ 5 m。小枝粗壮，褐色或灰褐色，嫩枝红褐色，初时有绒毛，后脱落。芽长卵形，较大，外被白色柔毛。奇数羽状复叶，有小叶 6 ~ 8 对，卵状披针形，长 4 ~ 6 cm，宽 1 ~ 1.5 cm，先端渐尖，基部圆形或宽楔形，边缘有锯齿，近基部全缘，有时从中部以上有锯齿，两面无毛，下面色淡，叶轴微具窄翅，上面有沟，无毛；托叶线状披针形，早落。复伞房花序；花序轴和小花梗常带红色，无毛；萼片外面无毛；花瓣卵形或椭圆形，白色；雄蕊 15 ~ 20，短于花瓣；花柱常 5，基部被白色绒毛。果实球形，直径约 1 cm，暗红色，被蜡粉。花期 5 月，果期 8 ~ 9 月。

| 生境分布 | 生于海拔 1 800 ~ 2 800 m 的林缘或林中空地。分布于新疆博乐市、温泉县、精河县、裕民县、乌鲁木齐县、呼图壁县、沙湾市、昭苏县等。

| 采收加工 | 秋季果实成熟时采收，晒干。

| 功能主治 | 清肺止咳，补脾生津。用于肺痨，哮喘，咳嗽，胃痛，维生素缺乏症。

蔷薇科 Rosaceae 绣线菊属 Spiraea

大叶绣线菊 *Spiraea chamaedryfolia* L.

| 药 材 名 | 绣线菊（药用部位：花）。

| 形态特征 | 灌木。高 1 ~ 1.5 m。小枝有棱角，无毛，淡黄色或浅棕色。叶片阔卵形或长圆状卵圆形，长 1.5 ~ 5 cm，宽 1 ~ 3 cm，先端尖，基部圆形或阔楔形，边缘有不整齐的单锯齿或重锯齿；无性枝上的叶有缺刻状牙齿或全缘，有短柄，无毛或稍有柔毛。花序伞房状；花梗无毛，长 1 ~ 2 cm，苞片线形，早落；花白色，直径 8 ~ 12 mm；萼筒宽钟状，萼片卵状三角形；花瓣宽卵形或近圆形；雄蕊 30 ~ 50，长于花瓣；花盘为波状圆环形；子房腹面微具短毛。蓇葖果被伏生短柔毛，背部凸起，花柱从腹面伸出，萼片常反折。花期 5 ~ 6 月，果期 7 ~ 8 月。

| 生境分布 | 生于海拔 600 ～ 1 700 m 的溪旁灌丛及林缘。分布于新疆博乐市、裕民县、福海县、
布尔津县、巩留县等。

| 功能主治 | 止渴生津，利水。

蔷薇科 Rosaceae 绣线菊属 Spiraea

金丝桃叶绣线菊 *Spiraea hypericifolia* L.

| 药 材 名 | 绣线菊（药用部位：全草或花）。

| 形态特征 | 小灌木。高 1 ~ 1.5 m。枝条直展，小枝圆柱形，棕褐色。冬芽小，卵形，棕褐色。叶倒卵状披针形、长圆状倒卵形或匙形，长 1.5 ~ 3 cm，宽 0.5 ~ 0.7 cm，先端圆钝，基部楔形，全缘或在无性枝上叶片先端有少数小齿，两面通常无毛，灰绿色，无柄或几无柄。伞形花序，无总花梗，基部有少数鳞片状叶；花梗无毛或稍有细毛；花直径 5 ~ 7 mm；萼筒钟状；萼片三角形，先端尖；花瓣近圆形，白色；雄蕊 20，与花瓣等长或稍短；花盘 10 浅裂；子房有短柔毛或近无毛。蓇葖果直立张开，无毛，花柱顶生于背部，萼片直立。花期 4 ~ 5 月，果期 6 ~ 9 月。

| 生境分布 | 生于海拔 500 ～ 2 100 m 的干旱山坡或草原荒漠地区。分布于新疆青河县、富蕴县、福海县、木垒哈萨克自治县、阜康市、乌鲁木齐县、玛纳斯县、托里县、新源县、巩留县、特克斯县、巴里坤哈萨克自治县等。

| 功能主治 | 利水消肿，生津止渴，利尿。用于目赤肿痛，头痛，牙痛，肺热咳嗽；外用于疮伤出血。

蔷薇科 Rosaceae 绣线菊属 Spiraea

欧亚绣线菊 *Spiraea media* Schmidt

| 药 材 名 |　绣线菊（药用部位：花）。

| 形态特征 |　灌木。高 0.5 ~ 1 m。小枝细，圆柱形，灰褐色，无毛或有细毛。芽
卵形，棕褐色。叶片椭圆形、长卵形或披针形，长 1.5 ~ 2.5 cm，

宽 0.5 ~ 1.5 cm，先端尖，稀钝圆，基部楔形，全缘或先端有疏齿，两面无毛或下面脉腋间稍有毛，有短柄。花序伞房状，有总花梗，长 1 ~ 1.5 cm；苞片披针形；花直径 0.6 ~ 1 cm；萼筒宽钟状；萼片卵状三角形；花瓣近圆形，白色；雄蕊多数，长于花瓣；花盘波状圆环或不规则浅裂；子房具短柔毛，花柱短于雄蕊。蓇葖果直立张开，外被短柔毛，花柱从蓇葖果背面伸出平展，萼片反折。花期 5 ~ 6 月，果期 7 ~ 8 月。

| **生境分布** | 生于海拔 800 ~ 1 600 m 的山地草原及坡地灌丛。分布于新疆阿勒泰地区、塔城地区等。

| **功能主治** | 止渴生津，利水。用于吐泻，蛔虫病，风湿关节痛，带下。

薔薇科 Rosaceae 绣线菊属 Spiraea

三裂绣线菊 *Spiraea trilobata* L.

| 药 材 名 | 绣线菊（药用部位：花）。

| 形态特征 | 灌木。高 1 ~ 2 m。小枝纤细，稍弯曲，嫩时褐黄色，无毛。叶片近圆形，长、宽均为 1.5 ~ 3 cm，先端钝，常 3 裂，基部圆形，两面无毛，下面色淡，基部具 3 ~ 5 出脉。伞形花序具总花梗；花梗长 8 ~ 15 mm；苞片线形或披针形，上部深裂或细裂；萼筒钟状；萼片三角形，先端尖；花瓣宽倒卵形，先端微凹；雄蕊多数，短于花瓣；花盘 10 浅裂，裂片不等；子房被短柔毛。蓇葖果张开，仅沿腹缝线有毛或无毛，花柱从背部先端外倾，萼片直立。花期 5 ~ 6 月，果期 7 ~ 8 月。

| 生境分布 | 生于低山、丘陵的背阴山坡及高海拔的向阳山坡。分布于新疆喀什

地区、阿克苏地区等。

| **功能主治** | 生津止渴，利水。

豆科 Fabaceae 合欢属 *Albizia*

合欢 *Albizia julibrissin* Durazz.

| 药 材 名 | 合欢皮（药用部位：树皮）。

| 形态特征 | 落叶乔木。高可达 16 m，树冠开展。小枝有棱角，嫩枝、花序和叶轴被绒毛或短柔毛。托叶线状披针形，较小叶小，早落；二回羽状复叶；总叶柄近基部及最顶部一对羽片着生处各有 1 腺体；羽片 4 ~ 12 对，栽培种有时达 20 对；小叶 10 ~ 30 对，线形至长圆形，长 6 ~ 12 mm，宽 1 ~ 4 mm，向上偏斜，先端有小尖头，有缘毛，有时在下面或仅中脉上有短柔毛；中脉紧靠上边缘。头状花序于枝顶排成圆锥花序；花粉红色；花萼管状，长 3 mm；花冠长 8 mm，裂片三角形，长 1.5 mm，花萼、花冠外均被短柔毛；花丝长 2.5 cm。荚果带状，长 9 ~ 15 cm，宽 1.5 ~ 2.5 cm；嫩荚有柔毛，老荚无毛。

花期 6 ~ 7 月，果期 8 ~ 10 月。

| **生境分布** | 生于低山坡疏林、林缘、山脚溪边及郊野旷地。分布于新疆沙雅县、泽普县、英吉沙县、叶城县、乌恰县、阿克陶县、于田县等。

| **采收加工** | 夏、秋季采集，剥下树皮，晒干。

| **功能主治** | 安神镇静，和血止痛。用于心神不安，忧郁失眠，肺痈，痈肿，瘰疬，筋伤骨折。

豆科 Fabaceae 紫穗槐属 *Amorpha*

紫穗槐
Amorpha fruticosa L.

| 药 材 名 | 紫穗槐（药用部位：全草或叶、根、茎、种子）。

| 形态特征 | 落叶灌木。丛生，高 1 ～ 4 m。小枝灰褐色，被疏毛，后变无毛；嫩枝密被短柔毛。叶互生，奇数羽状复叶，长 10 ～ 15 cm，有小叶 11 ～ 25，基部有线形托叶；叶柄长 1 ～ 2 cm；小叶卵形或椭圆形，长 1 ～ 4 cm，宽 0.6 ～ 2 cm，先端圆形、锐尖或微凹，有一短而弯曲的尖刺，基部宽楔形或圆形，上面无毛或被疏毛，下面有白色短柔毛，具黑色腺点。穗状花序常 1 至数个顶生和于枝端腋生，长 7 ～ 15 cm，密被短柔毛；花有短梗；苞片长 3 ～ 4 mm；花萼长 2 ～ 3 mm，被疏毛或几无毛，萼齿三角形，较萼筒短；旗瓣心形，紫色，无翼瓣和龙骨瓣；雄蕊 10，下部合生成鞘，上部分裂，包于

旗瓣中，伸出花冠外。荚果下垂，长 6 ~ 10 mm，宽 2 ~ 3 mm，微弯曲，先端具小尖头，棕褐色，表面有凸起的疣状腺点。花果期 5 ~ 10 月。

| 生境分布 |　生于荒坡、道路旁、河岸、盐碱地。分布于新疆霍城县、巩留县、尉犁县、库尔勒市、若羌县、且末县等。

| 采收加工 |　叶，每年可采收 2 ~ 3 次，第一次 5 月中旬采收，第二次 7 ~ 8 月采收，不宜采尽，第三次秋季采收。种子，翌年秋季采收，晒干。

| 功能主治 |　祛风湿，止疼痛。

豆科 Fabaceae 落花生属 Arachis

落花生 *Arachis hypogaea* L.

| 药 材 名 | 花生（药用部位：全草或种子）。

| 形态特征 | 一年生草本。根部有丰富的根瘤。茎直立或匍匐，长 30 ~ 80 cm，茎和分枝均有棱，被黄色长柔毛，后变无毛。叶通常具小叶 2 对；托叶长 2 ~ 4 cm，具纵脉纹，被毛；叶柄基部抱茎，长 5 ~ 10 cm，被毛；小叶纸质，卵状长圆形至倒卵形，长 2 ~ 4 cm，宽 0.5 ~ 2 cm，先端钝圆形，有时微凹，具小刺尖头，基部近圆形，全缘，两面被毛，边缘具睫毛；侧脉每边约 10，叶脉边缘互相联结成网状；小叶柄长 2 ~ 5 mm，被黄棕色长毛。花长约 8 mm；苞片 2，披针形，小苞片披针形，长约 5 mm，具纵脉纹，被柔毛；萼管细，长 4 ~ 6 cm；花冠黄色或金黄色；旗瓣直径 1.7 cm，开展，先端凹入；

翼瓣与龙骨瓣分离，翼瓣长圆形或斜卵形，细长；龙骨瓣长卵圆形，内弯，先端渐狭成喙状，较翼瓣短；花柱延伸于萼管咽部之外，柱头顶生，小，疏被柔毛。荚果长 2 ~ 5 cm，宽 1 ~ 1.3 cm，膨胀，荚厚。种子横径 0.5 ~ 1 cm。花果期 6 ~ 8 月。

| 生境分布 |　栽培种。新疆叶城县、伊宁县及哈密地区等有栽培。

| 功能主治 |　全草，安神镇静。种子，和胃补血。

豆科 Fabaceae 黄芪属 Astragalus

阿克苏黄芪 *Astragalus aksuensis* Bunge

| **药 材 名** | 黄芪（药用部位：根）。

| **形态特征** | 多年生草本。高可达 1 m。茎直立，中空，具条棱，几无毛或微被短柔毛。羽状复叶长 8 ～ 12 cm，有小叶 7 ～ 9；叶柄长 0.5 ～ 3 cm；托叶草质，离生，三角状披针形或披针形，长 10 ～ 20 mm；小叶长卵形或长卵状披针形，长 3 ～ 7 cm，宽 1 ～ 2.5 cm，先端钝，具短尖头，基部圆形，两面无毛或仅下面疏被柔毛，具短梗。总状花序疏生，花下垂，多数；总花梗较叶长；苞片长圆形，叶状，长 12 ～ 15 mm，宽 4 ～ 7 mm；花梗长 2 ～ 5 mm，无毛；花萼钟状，长约 7 mm，外面无毛或疏生黑色短柔毛，萼齿短，钻形，长不及 1 mm；花冠黄色；旗瓣长 19 ～ 20 mm，瓣片近圆形，先端微凹，

基部渐狭成 4 ~ 5 mm 的瓣柄；翼瓣稍短于旗瓣，瓣片长圆形，长约 6 mm，基部具短耳，瓣柄长约 13 mm；龙骨瓣较翼瓣短，瓣片半卵形，具短耳，瓣柄长约 10 mm；子房 1 室，无毛，具细长的子房柄。荚果膜质，梭形，稍膨胀，长 25 ~ 35 mm，宽 10 ~ 12 mm，无毛，果颈伸出萼筒之外，长达 1 cm。种子 8 ~ 12，肾形，长 3 ~ 4 mm，暗褐色。花期 6 ~ 7 月，果期 7 ~ 8 月。

| 生境分布 | 生于海拔 1 600 ~ 3 000 m 的针叶林的林缘、林间空地和亚高山草甸。分布于新疆奇台县、乌鲁木齐县、阿克苏市、乌恰县、喀什市等。

| 采收加工 | 10 月上旬采收，阴干。

| 功能主治 | 强心补气，利水，降血压，补血安胎。

豆科 Fabaceae 黄芪属 Astragalus

狐尾黄芪
Astragalus alopecurus Pall.

| 药 材 名 | 黄芪（药用部位：根）。

| 形态特征 | 多年生草本。植株密被开展金黄色长柔毛。茎直立，高 50 ~ 80 cm，有细棱，中空。羽状复叶有小叶 31 ~ 45，长 20 ~ 35 cm；托叶三角状披针形，长 10 ~ 15 mm，先端长渐尖，膜质；叶柄很短；小叶近对生，长圆状披针形、披针形或卵状披针形，长 20 ~ 45 mm，宽 5 ~ 25 mm，先端钝，基部近圆形或宽楔形，上面无毛，下面疏被金黄色柔毛；小叶柄很短。总状花序紧密，呈圆柱形或卵形，生多数花，长 5 ~ 10 cm，宽 3.5 ~ 4 cm，较叶短；总花梗长 1 cm 或无；苞片狭线形，长 10 ~ 20 mm，膜质；近无花梗；花萼钟状，微膨胀，长 12 ~ 18 mm，被白色柔毛；萼筒长 7 ~ 9 mm，萼齿狭线形

或钻形，较筒部短；花冠淡黄色；旗瓣狭倒卵状匙形，长 17 ~ 20 mm，瓣片长圆形，长 10 ~ 12 mm，宽 6 ~ 7 mm，先端微缺，下部渐狭，瓣柄长约 6 mm；翼瓣长 16 ~ 19 mm，瓣片近长圆形，长 7 ~ 8 mm，宽 2.5 ~ 3 mm，先端钝圆，瓣柄长 10 ~ 12 mm；龙骨瓣长 15 ~ 16 mm，瓣片近半圆形，长 6 ~ 7 mm，宽 2.5 ~ 3.5 mm，先端钝，瓣柄长 9 ~ 11 mm；子房无柄，连同花柱下部被白色柔毛。荚果卵形或卵圆形，长 7 ~ 8 mm，仅为宿存萼长的 1/2，被白色长柔毛，2 室。种子数粒，淡黄色，近肾形，长约 1.5 mm，横宽约 1.8 mm，近平滑。花期 6 ~ 8 月，果期 8 ~ 9 月。

| 生境分布 | 生于海拔 1 200 ~ 1 750 m 的河岸或沟坡上。分布于新疆奇台县、乌鲁木齐县、玛纳斯县、沙湾市等。

| 采收加工 | 10 月上旬采收，晾干。

| 功能主治 | 强心补气，利水，降血压，补血安胎。

豆科 Fabaceae 黄芪属 *Astragalus*

高山黄芪 *Astragalus alpinus* L.

| 药 材 名 | 黄芪（药用部位：全草）。

| 形态特征 | 多年生草本。茎直立或上升，基部分枝，高（12 ~ ）20 ~ 50 cm，具条棱，被白色柔毛，上部混有黑色柔毛。奇数羽状复叶，具小叶 15 ~ 23，长 5 ~ 15 cm；叶柄长 1 ~ 3 cm，向上逐渐变短；托叶草质，离生，三角状披针形，长 3 ~ 5 mm，先端钝，具短尖头，基部圆形，上面疏被白色柔毛或近无毛，下面毛较密，具短柄。总状花序具花 7 ~ 15，密集；总花梗腋生，较叶长或近等长；苞片膜质，线状披针形，长 2 ~ 3 mm，下面被黑色柔毛；花梗长 1 ~ 1.5 mm，连同花序轴密被黑色柔毛；花萼钟状，长 5 ~ 6 mm，被黑色伏贴柔毛，萼齿线形，较萼筒稍长；花冠白色；旗瓣长 10 ~ 13 mm，瓣片

长圆状倒卵形，先端微凹，基部具短瓣柄；翼瓣长 7 ~ 9 mm，瓣片长圆形，宽 1.5 ~ 2 mm，基部具短耳，瓣柄长约 2 mm；龙骨瓣与旗瓣近等长，瓣片宽斧形，先端带紫色，基部具短耳，瓣柄长约 3 mm；子房狭卵形，密生黑色柔毛，具柄。荚果狭卵形，微弯曲，长 8 ~ 10 mm，宽 3 ~ 4 mm，被黑色伏贴柔毛，先端具短喙，近 2 室，果颈较宿存萼稍长。种子 8 ~ 10，肾形，长约 2 mm。花期 6 ~ 7 月，果期 7 ~ 8 月。

| 生境分布 | 生于海拔 1 000 ~ 3 200 m 的林下、林间空地、山坡草地或河漫滩。分布于新疆奎屯市、温泉县、昭苏县、温宿县、阿克陶县等。

| 功能主治 | 健脾益气，利水消肿，益卫固表，托疮生肌。用于脾气虚所致的神疲乏力、肢体倦怠，食后腹胀，大便溏薄，脾气虚所致的中气下陷、脏器下垂，肺气虚，肺卫不固所致的自汗、疮疡久不敛口。

豆科 Fabaceae 黄芪属 Astragalus

喜沙黄芪 *Astragalus ammodytes* Pall.

| **药 材 名** | 黄芪（药用部位：种子）。

| **形态特征** | 多年生丛生草本。高 3 ～ 6 cm。根粗壮，颈部多头，形成垫状。茎平卧，密被白色绒毛。羽状复叶有小叶 5 ～ 9，集生于先端，呈折扇状，长 1.5 ～ 3 cm；叶柄较叶轴长 1 ～ 2 倍，密被白色短绒毛；托叶合生，鞘状，先端 2 齿，密被白色绒毛；小叶倒卵状长圆形，长 4 ～ 6 mm，宽 1.5 ～ 2 mm，先端钝圆，基部楔形。花单生于叶腋或 2 ～ 3 花组成极短的总状花序；苞片披针形或线状披针形，长 2 ～ 2.5 mm，密被白色毛；花萼管状，长 8 ～ 15 mm，密被白色短柔毛，萼齿钻状，长 1 ～ 2 mm；花冠粉红色或白色，干后淡黄色；旗瓣长 18 ～ 24 mm，狭倒卵状长圆形，先端微凹，中部缢缩，基

部渐狭成短瓣柄；翼瓣长 12 ~ 15 mm，瓣片线状长圆形，较瓣柄稍短，先端微凹；龙骨瓣与翼瓣等长或稍短，瓣片较瓣柄短；子房无柄，密被白色毛。荚果长 4 ~ 5 mm，直径 2.5 ~ 3 mm，密被短柔毛。花期 5 月，果期 6 ~ 7 月。

| 生境分布 | 生于海拔 450 ~ 700 m 的沙丘或砂壤土上。分布于新疆福海县、布尔津县、吉木乃县等。

| 采收加工 | 栽种 3 年后采收成熟荚果，晒干，脱粒。

| 功能主治 | 强心补气，利水，降血压，补血安胎。

木黄芪
Astragalus arbuscula Pall.

| **药 材 名** | 黄芪（药用部位：根）。

| **形态特征** | 灌木。高 50 ～ 120 cm。老枝直立，直径达 1.5 cm，树皮黄褐色，
纵裂；当年生枝粗壮，被黄灰色伏贴毛。羽状复叶有小叶 5 ～ 13，
长 3 ～ 5 cm，有短柄；叶轴被白色伏贴毛；托叶下部与叶柄贴生，
上部三角状卵圆形或卵状披针形，被黑白色混生毛；小叶线形，稀
线状披针形，近无柄，长 8 ～ 20 mm，宽 1.5 ～ 3（～ 5）mm，两
面被伏贴毛，黄绿色。总状花序因花序轴短缩而呈头状，具花 8 ～ 20，
排列紧密；总花梗比叶长 2 ～ 3 倍，被伏贴毛；苞片卵圆形或披针
形，长 1 ～ 3 mm，被黑白色混生毛；花萼短管状，长 5 ～ 7 mm，
密被黑白色混生的茸毛，有时黑色毛仅见于萼齿上，萼齿丝状钻形，

长为萼筒的 1/4 或 1/3；花冠淡红紫色；旗瓣菱形，先端微凹，下部急狭成瓣柄，
长 15 ～ 19 mm；翼瓣长 14 ～ 17 mm，瓣片线状长圆形，先端圆钝，与瓣柄等长；
龙骨瓣较翼瓣短，瓣柄较瓣片长。荚果平展或下垂，线状，劲直，长 1.7 ～ 3 cm，
宽 1.5 ～ 2 mm，横断面三棱形，稀四棱形，革质，被白色、黑色茸毛，稀仅有
白毛，2 室。花期 5 ～ 6 月，果期 6 ～ 7 月。

| 生境分布 | 生于海拔 650 ～ 1 600 m 的山坡、干河床。分布于新疆富蕴县、哈巴河县、塔城市、
裕民县、托里县、乌鲁木齐县等。

| 采收加工 | 栽种 3 年后采收，晒干。

| 功能主治 | 强心补气，利水，降血压，补血安胎。

豆科 Fabaceae 黄芪属 Astragalus

浅黄芪
Astragalus dilutus Bunge

| 药 材 名 | 黄芪（药用部位：根）。

| 形态特征 | 多年生低矮草本。高 3 ~ 10 cm。茎地下部分短缩，数个丛生；地上部分不明显，被白色伏贴毛。羽状复叶有小叶 9 ~ 13，长 2 ~ 7 cm；叶柄较叶轴稍短；托叶下部合生，卵状披针形，长 3 ~ 4 mm，被白色粗毛；小叶椭圆形或卵圆形，长 5 ~ 12 mm，先端尖，两面被白色伏贴毛。总状花序卵形或近球形，花序轴长 2.5 ~ 3.5 cm；总花梗与叶等长或稍短，被白色伏贴毛；苞片卵状披针形，长 3 ~ 3.5 cm，带紫色，边缘有白色毛；花萼初期管状，果期卵状长圆形，长 10 ~ 11 mm，被伏贴黑色、白色毛，萼齿钻形，长为萼筒的 1/3，被较多的黑色毛；花冠淡紫色或淡黄色（龙骨瓣带紫色）；

旗瓣倒卵状长圆形，13 ～ 16 mm，瓣片较瓣柄短；子房长圆形，被白色毛。荚果不外露，卵形或披针形，长 8 ～ 9 mm，宽 3 ～ 3.5 mm，渐尖，腹缝线龙骨状凸起，背面微扁，革质，2 室，被白色开展毛。花期 6 ～ 7 月，果期 7 ～ 8 月。

| 生境分布 | 生于海拔 700 m 的砾石质山坡或干河床。分布于新疆青河县、富蕴县、和布克赛尔蒙古自治县等。

| 采收加工 | 栽种 2 ～ 3 年后 9 月中下旬采收，去净泥土，趁鲜切去芦头，修去须根，晒至半干，堆放 1 ～ 2 天，使其回潮，再摊开晾晒至全干，将根理顺直，扎成小捆。

| 功能主治 | 强心补气，利水，降血压，补血安胎。

豆科 Fabaceae 黄芪属 Astragalus

胀萼黄芪
Astragalus ellipsoideus Ledeb.

| 药 材 名 | 黄芪（药用部位：根）。

| 形态特征 | 多年生丛生草本。高 13 ～ 20 cm，被银白色绢状毛。根多数，纤维状，木质化。茎极短缩，不明显。羽状复叶有小叶 9 ～ 21，长 7 ～ 15 cm；叶柄与叶轴等长或短 1/2；托叶下部与叶柄贴生，上部披针形，被白色伏贴毛；小叶椭圆形或倒卵形，长 5 ～ 10 mm，先端急尖或钝圆，两面被银白色伏贴毛。总状花序卵圆形，具花 8 ～ 30；总花梗较叶短，稀与叶等长，被白色伏贴毛，有条纹；花梗极短；苞片线状披针形，被白色或混生黑色的缘毛；花萼管状，长约 10 mm，果期卵状膨大，长达 16 mm，萼齿钻状，长为筒部的 1/3 ～ 1/2，被黑白色混生、半开展短柔毛；花冠黄色；旗瓣长 20 ～ 24 mm，瓣片

倒卵状长圆形，先端微凹，中部微缢缩，瓣柄不明显；翼瓣较旗瓣短，瓣片长圆形，先端微凹，较瓣柄短；龙骨瓣长 15 ~ 18 mm，较翼瓣短，瓣片较瓣柄短。荚果卵状长圆形，长 12 ~ 15 mm，宽约 4 mm，革质，2 室，密被白色开展毛。花果期 5 ~ 6 月。

| 生境分布 | 生于山地草原。分布于新疆吉木乃县、布尔津县等。

| 采收加工 | 10 月中下旬至 11 月中旬地上茎秆枯萎、地表结冻前采挖。

| 功能主治 | 强心补气，利水，降血压，补血安胎。

弯花黄芪 *Astragalus flexus* Fisch.

| **药 材 名** | 黄芪（药用部位：根）。

| **形态特征** | 多年生草本。茎短缩，高 20 ~ 30 cm，被开展的白色柔毛或近无毛。奇数羽状复叶，具小叶 15 ~ 25，长 12 ~ 30 cm；叶柄长 4 ~ 7 cm，连同叶轴散生白色长柔毛，脱落；托叶白色，膜质，基部与叶柄贴生，卵形或长圆状卵形，长 8 ~ 12 mm，无毛或具缘毛；小叶近圆形或倒卵形，长 5 ~ 20 mm，先端钝圆或微凹，基部近圆形，上面无毛，下面被白色柔毛，边缘被长缘毛，具短柄。总状花序具花 10 ~ 15，稍稀疏；总花梗长 5 ~ 15 cm，通常较叶短，散生白色长柔毛；苞片披针形至线状披针形，白色，膜质，长 5 ~ 9 mm，无毛或具长缘毛；花梗长 2 ~ 3 mm，无毛或散生白色柔毛；花萼

管状，长 14 ～ 18 mm，萼齿线状披针形，长 2 ～ 4 mm；花冠黄色；旗瓣长圆状倒卵形，长 30 ～ 35 mm，先端微凹，下面 1/3 处稍膨大；翼瓣较龙骨瓣短，长 20 ～ 22 mm，瓣片线状长圆形，瓣柄较瓣片长 1.5 ～ 2 倍；龙骨瓣长 24 ～ 27 mm，瓣片半卵形，瓣柄长为瓣片的 1.5 ～ 2 倍；子房狭卵形，无毛或稍被长柔毛，具长 6 ～ 7 mm 的柄。荚果卵状长圆形，长 20 ～ 25 mm，先端尖，无毛或疏生长柔毛，果颈长 6 ～ 8 mm，近 2 室。种子肾形，长 3 ～ 4 mm。花果期 5 ～ 6 月。

| 生境分布 | 生于海拔 310 ～ 900 m 的沙地。分布于新疆吉木萨尔县、阜康市、五家渠市、玛纳斯县等。

| 采收加工 | 10 月中下旬至 11 月中旬地上茎秆枯萎、地表冻结前采挖。

| 功能主治 | 强心补气，利水，降血压，补血安胎。

豆科 Fabaceae 黄芪属 Astragalus

伊犁黄芪 Astragalus iliensis Bunge

| **药 材 名** | 黄芪（药用部位：根）。

| **形态特征** | 半灌木。高 60 ~ 80 cm。枝干粗；树皮灰褐色，常半掩埋在沙内；老枝木质化，圆柱状，密被淡黄色或灰白色伏贴短茸毛；当年生枝被苍灰色或灰白色伏贴毛。羽状复叶有 3 ~ 5 小叶，长 3 ~ 15 cm，被白色伏贴毛；托叶下部呈鞘状合生，上部三角状 2 齿长约 3 mm；小叶线形或长圆状线形，长 2 ~ 3 cm，宽 2 ~ 3 mm，先端钝。总状花序生多花，排列稀疏；总花梗与叶等长或较叶短，连同花序轴为叶长的 1.5 ~ 2 倍，密被白色伏贴毛；苞片披针形，较花梗长 1.5 倍，微被白毛；花萼钟状，长约 4 mm，密被伏贴的细毛，萼齿披针形，长为筒部的 1/4 ~ 1/3；花冠紫红色；旗瓣长 8 ~ 9 mm，瓣片倒卵形，

先端微凹，下部稍狭成瓣柄；翼瓣长 7 ~ 8 mm，瓣片长圆形，先端钝圆，瓣柄
与瓣片等长；龙骨瓣长 6 ~ 7 mm，瓣片较瓣柄稍短，近半圆形。荚果长圆状卵
圆形，长 4 ~ 5 mm，两侧稍扁，无沟槽，先端渐尖成长约 1 mm 的短喙，硬膜质，
被绢状柔软的白色长毛，近假 2 室，通常每室具 1 种子。种子暗棕红色，耳状，
平滑，长约 2 mm，宽约 1.5 mm。花期 4 ~ 5 月，果期 6 ~ 7 月。

| 生境分布 | 生于沙地。分布于新疆霍城县、奇台县等。

| 采收加工 | 10 月上旬采收，晾干。

| 功能主治 | 强心补气，利水，降血压，补血安胎。

豆科 Fabaceae 黄芪属 Astragalus

天山黄芪
Astragalus lepsensis Bunge

| 药 材 名 | 黄芪（药用部位：根）。

| 形态特征 | 多年生草本。高 20 ~ 45 cm。茎直立，具条棱，散生白色柔毛。羽状复叶有小叶 11 ~ 15，长 6 ~ 15 cm；叶柄长 1.5 ~ 2.5 cm；托叶膜质，离生，长卵形或长卵状披针形，长 10 ~ 15 mm，先端急尖，无毛或下面和边缘被白色柔毛；小叶长圆形或长圆状卵形，长 15 ~ 40 mm，宽 5 ~ 14 mm，先端钝，基部宽楔形或近圆形，上面绿色，无毛，下面灰绿色，疏被白色长柔毛。总状花序稍疏，有花 10 ~ 15；总花梗通常较叶短；苞片膜质，线状披针形，长 7 ~ 11 mm，具缘毛；花梗细弱，长 3 ~ 4 mm，被稍密的黑色柔毛或混生白色柔毛；花萼管状钟形，长 8 ~ 10 mm，外面疏被黑色柔毛或近无毛，

萼齿很短，狭三角形，长约 1 mm，毛稍密，腹面 2 小齿间深裂；花冠黄色；旗瓣倒卵形，长 18～20 mm，宽约 8 mm，先端微凹，基部渐狭成瓣柄；翼瓣长约 18 mm，瓣片长圆形，长约 6 mm，具内弯的短耳，瓣柄为瓣片长的 2 倍；龙骨瓣与翼瓣近等长，瓣片半卵形，宽约 3 mm，瓣柄较瓣片长近 2 倍；子房狭卵形，密被白色柔毛，具长柄。荚果椭圆形，长 1.5～2.5 cm，宽 5～7 mm，成熟时膜质，膨胀，散生黑色短毛，先端尖，果颈超出萼筒之外。种子数粒，肾形，长约 1.5 mm。花期 6～7 月。

| 生境分布 | 生于海拔 1 700～2 760 m 的针叶林林缘、林间空地或山地草甸。分布于新疆霍城县、察布查尔锡伯自治县、巩留县、巴里坤哈萨克自治县、和静县等。

| 功能主治 | 强心补气，利水，降血压，补血安胎。

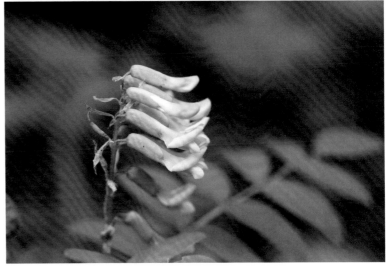

豆科 Fabaceae 黄芪属 Astragalus

蒙古黄芪 *Astragalus membranaceus* (Fisch) Bunge var. *mongholicus* (Bunge) P. K. Hsiao

药材名

黄芪（药用部位：根）。

形态特征

多年生草本。高 50 ~ 80 cm。主根深长而粗壮，棒状，稍木质。茎直立，上部多分枝，被长柔毛。奇数羽状复叶互生；小叶 12 ~ 18 对，小叶片阔椭圆形，长 5 ~ 10 mm，宽 3 ~ 5 mm，先端钝尖，具短尖头，基部全缘，两面密生白色长柔毛；托叶披针形。总状花序腋生，具花 10 ~ 25，排列疏松；苞片线状披针形；小花梗被黑色硬毛；花萼钟形，萼齿 5，甚短，被黑色短毛或仅在萼齿边缘被黑色柔毛；花冠淡黄色，蝶形，长约 16 mm；旗瓣长圆状倒卵形，先端微凹；翼瓣和龙骨瓣均有长爪，基部长柄状；雄蕊 10，二体；子房柄长，光滑无毛，花柱无毛。荚果膜质，膨胀，卵状长圆形，长 1.1 ~ 1.5 cm，无毛，先端有喙，有显著的网纹。种子 5 ~ 6，黑色，肾形。花期 6 ~ 7 月，果期 8 ~ 9 月。

生境分布

生于向阳草地及山坡上。新疆有分布。

| 采收加工 | 10 月上旬进行采收，晾干。

| 功能主治 | 强心补气，利水，降血压，补血安胎。

豆科 Fabaceae 黄芪属 Astragalus

毛叶黄芪 *Astragalus pallasii* Spreng.

| 药 材 名 | 黄芪（药用部位：根）。

| 形态特征 | 多年生草本。高 5 ~ 18 cm，被灰白色毛。茎短缩，地下部分近木质化，地上部分高不超过 5 cm，密被白色伏贴或半开展的绵毛。羽状复叶有小叶 9 ~ 15，叶柄较叶轴短；托叶下部与叶柄贴生，上部叶卵状披针形，被开展或伏贴毛；小叶线状长圆形或倒卵状长圆形，长 3 ~ 8 mm，上面无毛或近叶缘处被稀疏毛，下面被较密半开展的白色毛。总状花序，花序轴短缩，具花 1 ~ 3 (~ 5)；总花梗与叶等长或为叶长的 1/2，密被开展的毛；苞片卵状披针形或卵圆形，长 1.5 mm，较花梗短；花萼管状，长 13 ~ 16 mm，被白色和黑色半开展的毛，萼齿披针形，长为筒部的 1/6 ~ 1/5；花冠淡紫色；旗瓣长

23 ～ 28 mm，瓣片倒卵状长圆形，先端稍狭，微凹，下部渐狭成瓣柄；翼瓣长 22 ～ 27 mm，瓣片长圆形，先端具偏斜的微缺，长为瓣柄的 1/2；龙骨瓣较翼瓣短，瓣片微弯，瓣柄长为瓣片的 2 ～ 3 倍；子房具短柄，被短茸毛。荚果呈膀胱状膨大，宽卵形，长 15 ～ 24 mm，被稀疏开展的白色毛，硬膜质，具短喙。花期 4 ～ 5 月，果期 5 ～ 6 月。

| 生境分布 |　生于海拔 650 ～ 1 350 m 的山地草原冲沟或河滩沙地。分布于新疆福海县、吉木乃县、温泉县等。

| 功能主治 |　强心补气，利水，降血压，补血安胎。

豆科 Fabaceae 黄芪属 Astragalus

宽叶黄芪 Astragalus platyphyllus Fisch. ex Bunge

药材名

黄芪（药用部位：根）。

形态特征

多年生草本。高 10 ~ 40 cm。茎短缩，不明显，疏被微毛。羽状复叶有小叶 9 ~ 19，长 10 ~ 25 cm，叶柄较叶轴短；托叶与叶柄贴生，长 10 ~ 14 mm，上部长线形，渐尖，近膜质；小叶宽椭圆形或近圆形，先端钝圆，稀有芒尖，近无柄，长 5 ~ 17 mm，宽 4 ~ 11 mm，嫩时两面被毛，近灰绿色，后毛渐疏，绿色。总状花序具紧密排列的花，花序轴长 2 ~ 8 cm；总花梗与叶等长或长为叶的 1.5 倍，有条棱，被白色短毛，接近花序轴处混生黑色毛；苞片与萼筒等长或稍短，披针形或钻形，渐尖，边缘白色，膜质，疏被黑色毛；小苞片通常不发育；花萼管状钟形，长 8 ~ 13 mm，散生黑色伏贴毛，萼齿不等长，长 3 ~ 5 mm，长约为萼筒的 1/2；花冠淡紫色；旗瓣长 20 ~ 27 mm，狭菱形，先端圆钝或微凹；翼瓣长 15 ~ 20 mm，瓣片线状长圆形，先端微凹，与瓣柄等长；龙骨瓣长 10 ~ 17 mm，瓣片较瓣柄稍短；子房无柄，密被短柔毛。荚果宽卵形，长 9 ~ 13 mm，宽约 4 mm，直立，伸展，被伏贴的毛，2室。花期 5 ～ 6 月，果期 7 ～ 8 月。

| 生境分布 | 生于海拔 1 200 ～ 1 950 m 的山坡草地。分布于新疆察布查尔锡伯自治县、尼勒克县、巩留县、昭苏县、乌恰县等。

| 功能主治 | 强心补气，利水，降血压，补血安胎。

豆科 Fabaceae 黄芪属 Astragalus

卡通黄芪

Astragalus schanginianus Pall.

| 药 材 名 | 黄芪（药用部位：根）。

| 形态特征 | 多年生草本。茎短缩，高 20 ～ 40 cm，被开展的白色长柔毛。奇数羽状复叶，具小叶 25 ～ 35，长 20 ～ 40 cm；叶柄较叶轴短，叶柄、叶轴均被开展的白色柔毛；托叶白色，膜质，基部与叶柄贴生，卵状披针形，下面散生白色长柔毛；小叶卵形或长圆状卵形，长 15 ～ 25 mm，宽 7 ～ 10 mm，先端钝，基部近圆形，上面无毛，下面及叶缘散生开展的白色长柔毛，具短柄。总状花序具花 8 ～ 12，稍稀疏；总花梗长 2 ～ 5 cm；苞片白色，膜质，披针形，长 4 ～ 12 mm，下面疏被白色长柔毛；花梗长 2 ～ 4 mm；花萼管状，长 10 ～ 14 mm，被白色长柔毛，萼齿线状披针形，长为萼筒的

1/2；花冠黄色；旗瓣长圆状倒卵形，长 20 ~ 27 mm，先端微凹，基部渐狭成瓣柄；翼瓣长 18 ~ 24 mm，瓣片长圆形，先端钝圆，基部具短耳，瓣柄与瓣片近等长；龙骨瓣长 16 ~ 20 mm，瓣片半卵形，瓣柄较瓣片稍长；子房被白色柔毛，具短柄或近无柄。荚果长圆形或长圆状卵形，长 15 ~ 22 mm，宽 6 ~ 8 mm，膨胀，先端具短喙，基部具短果颈，散生白色长柔毛，2 室，果爿革质。种子圆肾形，长约 3 mm。花期 5 ~ 6 月，果期 6 ~ 7 月。

| 生境分布 | 生于海拔 1 100 ~ 2 500 m 的山坡草地、林下或河滩。分布于新疆布尔津县、额敏县、温泉县、巩留县、昭苏县等。

| 采收加工 | 11 月中旬采收，用剪刀剪去残茎，晒至八九成干，捆成小把，晒干。

| 功能主治 | 强心补气，利水，降血压，补血安胎。

豆科 Fabaceae 黄芪属 Astragalus

狭荚黄芪
Astragalus stenoceras C. A. Mey.

药材名

黄芪（药用部位：根）。

形态特征

半灌木或多年生草本。高 20 ~ 35 cm。根粗壮，直伸。茎地下部分褐色，多数，直立，木质化；地上部分细弱，被灰白色毛，有时混生有星散黑色的伏贴毛。羽状复叶有小叶 11 ~ 15，长 2 ~ 5 cm，叶柄较叶轴短；托叶卵状披针形，长 1.5 ~ 2 mm，被黑白色伏贴毛；小叶长椭圆形、近披针形或线形，长 3 ~ 10 mm，宽 1 ~ 2 mm，先端钝或锐尖，两面被白色伏贴毛，灰绿色。总状花序，花序轴短缩，具花 4 ~ 8；总花梗较叶长或与叶近等长，被黑白色伏贴毛；苞片宽卵圆形，长 1 ~ 1.5 mm，被黑色茸毛；花萼管状，长 9 ~ 10 mm，密被黑白色伏贴毛，萼齿钻状，长 1.5 ~ 2 mm；花冠淡紫色或紫红色；旗瓣长 18 ~ 24 mm，瓣片倒卵状长圆形，先端微凹，下部渐狭成瓣柄；翼瓣长 15 ~ 18 mm，瓣片长圆形，先端微凹，与瓣柄等长；龙骨瓣较翼瓣短，瓣片中部微弯，先端钝，较瓣柄短；子房近无柄，线形，被茸毛。荚果斜立，长 2 ~ 3.5 cm，宽 2 ~ 2.5 mm，有时微弯，革质，密被白色和少量黑色毛，近 2 室。花期 4 ～ 5 月，果期 5 ～ 6 月。

| **生境分布** | 生于海拔 1 900 ～ 2 500 m 的干旱洪积扇或多石山坡。分布于新疆哈密市及昭苏县、库车市、阿克苏市等。

| **功能主治** | 强心补气，利水，降血压，补血安胎。

豆科 Fabaceae 黄芪属 Astragalus

纹茎黄芪 *Astragalus sulcatus* L.

| 药 材 名 | 黄芪（药用部位：根）。

| 形态特征 | 多年生草本。高 30 ~ 80 cm。茎直立，丛生，有条纹和短分枝，无毛或疏生伏贴毛。羽状复叶有小叶（9 ~）15 ~ 23，长 4 ~ 8 cm，叶柄较叶轴短，无毛或近无毛；托叶基部合生，上部宽卵形或披针形，被细小白色缘毛；小叶线状长圆形，茎下部的叶有时长圆状椭圆形，长 7 ~ 15 mm，宽 1.5 ~ 5 mm，先端钝，上面无毛或近边缘处被疏伏贴毛，下面较密，主脉凸起，明显。总状花序具排列稀疏的花；总花梗被稀疏白色伏贴毛；苞片宽三角形，长 1 ~ 1.5 mm，较花梗短或等长；花萼钟状，长 2 ~ 4 mm，被白色或黑色伏贴细毛，萼齿钻状，长为萼筒的 1/2 或稍长；花冠淡紫色；旗瓣宽倒卵形，

长 6 ~ 9 mm，瓣片狭长圆形，有时微凹，瓣柄长为瓣片的 1/3；龙骨瓣长 4.5 ~ 5 mm，瓣片半圆形，瓣柄较瓣片短；子房具短柄。荚果斜立，线状长圆形，长 9 ~ 11 mm，宽约 2 mm，腹缝线龙骨状凸起，背缝线有沟槽，先端锐尖，膜质，疏生白色或黑白色混生伏贴毛，半假 2 室或近 1 室。花期 5 ~ 6 月，果期 6 ~ 7 月。

| 生境分布 | 生于海拔 550 ~ 1 600 m 的干旱向阳山坡、河谷湿地或撂荒地。分布于新疆阿勒泰市、布尔津县、哈巴河县等。

| 功能主治 | 强心补气，利水，降血压，补血安胎。

豆科 Fabaceae 黄芪属 Astragalus

路边黄芪

Astragalus transecticola Podlech et L. R. Xu

| 药 材 名 | 黄芪（药用部位：根）。

| 形态特征 | 多年生草本。密被半开展或开展中着生毛，无茎。叶有小叶 13 ~ 15，长 2 ~ 4.5 cm，叶柄长 0.6 ~ 1.5 cm，与叶轴密被开展的不对称中着生毛；托叶白色膜质，长 10 ~ 15 mm，线状卵形，与叶柄贴生，被开展的单毛；小叶椭圆形或宽椭圆形，先端圆，长 3 ~ 4 mm，宽 2 ~ 2.5 mm，两面密被开展的不对称中着生毛。总状花序近无梗，花约 2；苞片白色膜质，线形，急尖，长 10 ~ 12 mm，被单毛；花无梗；花萼白色膜质，长 12 ~ 13 mm，密被开展的不对称中着生毛，萼齿钻形，长 3 ~ 4 mm；花冠白色或黄色；旗瓣长约 21 mm，瓣片椭圆形，先端微凹，下部渐狭成爪；翼瓣长 19 ~ 20 mm，瓣片狭

长圆形，先端微凹，稍短于爪；龙骨瓣长约 17 mm，瓣片狭椭圆形，长约为爪的 2/3；子房无柄，密被白色毛。果实未见。花期 5 月。

| **生境分布** | 生于海拔 2 100 m 的山地草原。分布于新疆博乐市等。

| **功能主治** | 强心补气，利水，降血压，补血安胎。

变异黄芪 Astragalus variabilis Bge. et Maxim

| 药 材 名 | 黄芪（药用部位：根）。

| 形态特征 | 多年生草本。高 10 ～ 20 cm，全株被灰白色伏贴毛。根粗壮，直伸，黄褐色，木质化。茎丛生，直立或斜升，有分枝。羽状复叶有小叶 11 ～ 19，叶柄短；托叶小，离生，三角形或卵状三角形；小叶狭长圆形、倒卵状长圆形或线状长圆形，长 3 ～ 10 mm，宽 1 ～ 3 mm，先端钝或微凹，基部宽楔形或近圆形，上面绿色，疏被白色伏贴毛，下面灰绿色，毛较密。总状花序具花 7 ～ 9；总花梗较叶柄稍粗；苞片披针形，较花梗短或稍长，疏被黑色毛；花萼管状钟形，长 5 ～ 6 mm，被黑白色混生的伏贴毛，萼齿线状钻形，长 1 ～ 2 mm；花冠淡紫红色或淡蓝紫色；旗瓣倒卵状椭圆形，长约 10 mm，先端

微钝缺，基部渐狭成不明显的瓣柄；翼瓣与旗瓣等长，瓣片先端微缺，瓣柄较瓣片短；龙骨瓣较翼瓣短，瓣片与瓣柄等长；子房有毛。荚果线状长圆形，稍弯，两侧扁平，长 10 ～ 20 mm，被白色伏贴毛，2 室。花期 5 ～ 6 月，果期 6 ～ 8 月。

| **生境分布** | 生于海拔 1 400 ～ 1 600 m 的荒漠地区的干涸河床砂质冲积土上。分布于新疆巴里坤哈萨克自治县、奇台县、鄯善县、和静县、若羌县等。

| **功能主治** | 强心补气，利水，降血压，补血安胎。

豆科 Fabaceae 黄芪属 Astragalus

拟狐尾黄芪

Astragalus vulpinus Willd.

| 药 材 名 | 黄芪（药用部位：根）。

| 形态特征 | 多年生草本。根圆锥形，少分枝。茎直立，单生，高 25 ~ 50 cm，直径 4 ~ 5 mm，有细棱，不分枝，疏被开展白色柔毛。羽状复叶有小叶 25 ~ 31，长 10 ~ 25 cm，叶柄长 2 ~ 3 cm，连同叶轴散生白色长柔毛或近无毛；托叶卵状披针形或披针形，长 10 ~ 20 mm，宽 4 ~ 7 mm，先端长渐尖，基部与叶柄合生，疏被白色长柔毛；小叶近对生，宽卵形至狭卵形，长 10 ~ 25 mm，宽 5 ~ 15 mm，先端钝尖，基部宽楔形或钝形，两面无毛或下面主脉上和叶缘疏被白色毛，小叶柄长 1.5 ~ 2 mm。总状花序具多花，密集成头状或卵状，长 4 ~ 6 cm，直径 3.5 ~ 5.5 cm；总花梗长 4 ~ 6 cm，

疏被白色长柔毛；苞片线状披针形，长 10～20 mm，疏被白色长缘毛；花梗长 1～2 mm；花萼钟状，长 23～26 mm，密被淡褐色长柔毛，微膨胀，萼筒长 11～12 mm，萼齿线形，与萼筒近等长；花冠黄色；旗瓣长 24～30 mm，背面无毛或多少被毛，瓣片长圆形，长 17～18 mm，宽 10～11 mm，先端微缺，基部渐狭，瓣柄长 8～10 mm；翼瓣长 26～28 mm，瓣片狭长圆形，长 15～17 mm，宽 4～4.5 mm，先端钝，基部耳向内弯，瓣柄长 13～14 mm；龙骨瓣长 24～28 mm，瓣片近半圆形，长 15～16 mm，宽 7～8 mm，先端钝，瓣柄长 14～15 mm；子房无柄，被淡褐色长柔毛，花柱丝形，长 22～24 mm。荚果卵形，长约 12 mm，密被白色长柔毛，2 室，无果颈。花期 5～6 月，果期 6～7 月。

| 生境分布 | 生于海拔 450～1 300 m 的低山冲沟旁、山前洪积扇、沙地。新疆有分布。

| 功能主治 | 补气补血，强心利水，安胎，降血压。

豆科 Fabaceae 黄芪属 *Astragalus*

长喙黄芪

Astragalus yanerwoensis Podlech et L. R. Xu

| 药 材 名 |

黄芪（药用部位：根）。

| 形态特征 |

多年生草本或半灌木。高 9 ~ 20 cm。地下茎纤细，半木质化，黄褐色；茎高 5 ~ 15 cm，细弱，除节上常混生黑色长毛外，密被白色伏贴毛或半开展绒毛。羽状复叶有 11 ~ 17 小叶，长 2 ~ 5 cm，叶柄较叶轴短；托叶基部与叶柄近贴生，长三角形，近水平状反折，密被黑色毛、白色毛，长 2 ~ 2.5 mm；小叶狭椭圆形或线状长圆形，长 4 ~ 17 mm，宽 1.5 ~ 4 mm，有短尖头，两面密被灰白色半开展的毛。总状花序因花序轴短缩成头状，具 5 ~ 20；总花梗较叶柄粗壮，较叶稍长或稍短，被白色或混生少量黑色半开展的毛；苞片狭披针形，长 4 ~ 8 mm，被开展的白色和黑色长毛；花萼管状，长 10 ~ 16 mm，宽 2.5 ~ 3 mm，果时长达 4 mm；花冠淡紫色；旗瓣长达 26 mm，瓣片倒卵状长圆形，先端微凹，先端稍狭，下部渐狭成瓣柄；翼瓣较旗瓣稍短，瓣片长圆形，先端微缺，长为瓣柄的 1/2；龙骨瓣长达 20 mm，瓣片半圆形，长 6 ~ 7 mm。荚果线状长圆形，长约 3.5 cm，厚 2 ~ 3 mm，微呈弧形弯曲，有长达 10 mm 的长喙，被白色长柔毛，2 室。花期 4 ~ 5 月，果期 5 ~ 6 月。

| **生境分布** | 生于海拔 1 100 m 左右的干旱砾石山坡和砂质土的河滩。分布于新疆乌鲁木齐县、玛纳斯县、石河子市、奎屯市等。

| **功能主治** | 泻热通便，破积行瘀，强心利水，凉血止血。

刺叶锦鸡儿
Caragana acanthophylla Kom.

| 药 材 名 |　锦鸡儿根（药用部位：全草或根）。

| 形态特征 |　灌木。高 0.7 ~ 1.5 cm，自基部多分枝。老枝深灰色；一年生枝浅褐色，嫩枝有条棱，被伏贴短柔毛。羽状复叶有（2 ~）3 ~ 4（~ 5）对小叶；托叶在长枝者硬化成针刺，长 2 ~ 5 mm，宿存，短枝者脱落；叶轴在长枝者硬化成针刺，长 1.5 ~ 4 cm，宿存，粗壮，短枝者纤细，脱落；小叶倒卵形、狭倒卵形或长圆形，长 4 ~ 12 mm，宽 3 ~ 5 mm，先端钝，有刺尖，基部稍狭，两面近无毛或疏被短伏贴柔毛。花梗单生，长 1 ~ 2.5 cm，中上部具关节，苞片早落；花萼钟状管形，长 6 ~ 10 mm，近无毛；花冠黄色，长 26 ~ 30 mm；旗瓣宽卵形；翼瓣长圆形，瓣柄长约为瓣片的 1/3 ~ 1/2，耳齿状；

龙骨瓣的瓣柄长约为瓣片的 3/4，耳短小；子房近无毛。荚果长 2 ～ 3 cm，宽约 4 mm。花期 4 ～ 5 月，果期 7 月。

| **生境分布** | 生于海拔 500 ～ 2 200 m 的山前冲积扇低洼地、盐碱地、干旱砾石山坡、山坡灌丛、山谷、河岸、山前平原、沙地、荒山、冲积扇荒漠及干坡草地。分布于新疆奇台县、吉木萨尔县、阜康市、米东区、乌鲁木齐县、昌吉市、玛纳斯县、石河子市、沙湾市、巩留县、特克斯县、昭苏县等。

| **功能主治** | 活血镇痛，利水消肿，清热祛风，破血通经。用于风湿痹痛，腰膝酸痛，食积停滞，疳积，肝肾不足所致的月经不调，带下，虚损。

豆科 Fabaceae 锦鸡儿属 Caragana

树锦鸡儿 *Caragana arborescens* Lam.

药 材 名

锦鸡儿根（药用部位：根）。

形态特征

小乔木或大灌木。高 2 ~ 6 m。老枝深灰色，平滑，稍有光泽；小枝有棱，幼时被柔毛，绿色或黄褐色。羽状复叶有 4 ~ 8 对小叶；托叶针刺状，长 5 ~ 10 mm，长枝者脱落，极少宿存；叶轴细瘦，长 3 ~ 7 cm，幼时被柔毛；小叶长圆状倒卵形、狭倒卵形或椭圆形，长 1 ~ 2（~ 2.5）cm，宽 5 ~ 10（~ 13）mm，先端圆钝，具刺尖，基部宽楔形，幼时被柔毛或仅下面被柔毛。花梗 2 ~ 5 簇生，每梗 1 花，长 2 ~ 5 cm，关节在上部，苞片小，刚毛状；花萼钟状，长 6 ~ 8 mm，宽 7 ~ 8 mm，萼齿短宽；花冠黄色，长 16 ~ 20 mm；旗瓣菱状宽卵形，宽与长近相等，先端圆钝，具短瓣柄；翼瓣长圆形，较旗瓣稍长，瓣柄长为瓣片的 3/4，耳矩状，长不及瓣柄的 1/3；龙骨瓣较旗瓣稍短，瓣柄较瓣片略短，耳钝或略呈三角形；子房无毛或被短柔毛。荚果圆筒形，长 3.5 ~ 6 cm，直径 3 ~ 6.5 mm，先端渐尖，无毛。花期 5 ~ 6 月，果期 8 ~ 9 月。

| 生境分布 | 生于海拔 1 500 ～ 1 900 m 的河湖岸边盐碱地、山地、林间或林缘、河滩、河谷山坡灌丛及丘陵。分布于新疆乌鲁木齐县、石河子市等。

| 采收加工 | 8 月初果实变为深黄色时采摘，晒干。

| 功能主治 | 活血祛风，平肝止咳，散寒通经。用于肾虚耳鸣，眼花头晕，食少羸瘦，脚气浮肿，男子淋浊，带下，血崩，乳汁不畅，风湿关节疼痛。

豆科 Fabaceae 锦鸡儿属 Caragana

镰叶锦鸡儿
Caragana aurantiaca Koehne

| 药 材 名 | 锦鸡儿根（药用部位：根）。

| 形态特征 | 灌木。高约 1 m。树皮绿褐色或深灰色，有光泽。小枝粗壮，伸长，有明显条棱，无毛。假掌状复叶有小叶 4；托叶的针刺长 1 ~ 2 mm，脱落或宿存；叶柄在长枝者长 3 ~ 5 mm，硬化，宿存，短枝上叶无柄，簇生；小叶线形或披针状线形，长 4 ~ 16 mm，宽 1 ~ 2 mm，无毛，常呈镰状弯曲。花梗单生，长 6 ~ 9 mm，中下部具关节；花萼钟状，长 6 ~ 7 mm，宽约 5 mm，无毛，萼齿短宽；花冠橘黄色，长 18 ~ 20 mm；旗瓣近圆形，下部渐尖成短瓣柄，先端稍圆或稍凹，瓣片的长、宽近相等，瓣柄长约为瓣片的 1/2；翼瓣线形，瓣柄较瓣片短 1/2，耳与瓣柄等长或为瓣柄的 3/4；龙骨瓣的瓣柄较瓣片短，

耳短；子房无毛。荚果筒状，稍扁，长 2.5 ~ 4 cm，宽 3 ~ 4 mm，无毛。花期 6 月，果期 8 月。

| 生境分布 | 生于海拔 1 000 ~ 2 600 m 的石质山坡、河滩、林隙、草原、中山带灌丛、山谷、沼泽及河阶地。分布于新疆乌鲁木齐市及昌吉市、精河县、特克斯县、昭苏县、和静县、库车市、阿克苏市等。

| 功能主治 | 活血，祛风，利水。

豆科 Fabaceae 锦鸡儿属 Caragana

粗毛锦鸡儿 Caragana dasyphylla Pojark.

| 药 材 名 | 锦鸡儿根（药用部位：根）。

| 形态特征 | 矮灌木。高 20 ~ 30 cm。树皮灰褐色或淡褐色，有不规则条棱。长枝粗壮，具灰白色条棱。托叶在长枝者针刺状宿存，长 2 ~ 3 mm；叶轴在长枝者硬化成针刺，长 8 ~ 25 mm，短枝上叶无轴，密集，长枝上叶羽状；小叶 2 对，排列紧密或稀疏，倒披针形或倒卵形，长 3 ~ 12 mm，宽 2 ~ 3 mm，先端圆形或截形，基部楔形，两面被伏贴柔毛，略呈灰白色。花梗单生，长 2 ~ 4 mm，密被柔毛，关节在基部；花萼管状钟形，长 6 ~ 7 mm，宽 2.5 ~ 4 mm，萼齿短小，约为萼筒长的 1/4，密被柔毛；花冠黄色，长 16 ~ 18 mm；旗瓣近圆形或宽卵形，瓣柄长 2 ~ 3 mm；翼瓣上部较宽，瓣柄长为瓣片的

1/3，耳与瓣柄近等长；龙骨瓣上部有短喙，瓣柄长为瓣片的 1/2，耳短小；子房无毛。荚果圆筒状，长 2 ~ 3.5 cm，宽 2.5 ~ 2.8 mm，无毛，先端尖。花期 4 ~ 5 月，果期 6 ~ 7 月。

| 生境分布 | 生于海拔 1 200 ~ 2 500 m 的山坡、河边、沟谷或荒漠。分布于新疆塔城市、阜康市、尉犁县、轮台县、库车市、拜城县、温宿县、阿克苏市、柯坪县、阿合奇县、阿克陶县、阿图什市、乌恰县、喀什市、叶城县、皮山县等。

| 功能主治 | 祛风，平肝，止咳。

豆科 Fabaceae | 锦鸡儿属 Caragana

黄刺条 Caragana frutex (L.) C. Koch

| **药 材 名** | 锦鸡儿（药用部位：花）。

| **形态特征** | 灌木。高 0.5 ~ 2 m。枝条细长，褐色、黄灰色或暗灰绿色，有条棱，无毛。假掌状复叶有 4 小叶；托叶三角形，先端钻形，脱落或硬化成针刺，长 1 ~ 3 mm；叶柄长 2 ~ 10 mm，短枝者脱落，长枝者硬化成针刺，宿存；小叶倒卵状倒披针形，长 6 ~ 10 mm，宽 3 ~ 5 mm，先端圆形或微凹，具刺尖，基部楔形，两面绿色，无毛或稀被毛。花梗单生或并生，长 9 ~ 21 mm，上部有关节，无毛；花萼管状钟形，长 6 ~ 8 mm，基部偏斜，萼齿很短，具刺尖；花冠黄色，长 20 ~ 22 mm；旗瓣近圆形，宽约 16 mm，瓣柄长约 5 mm；翼瓣长圆形，先端稍凹入，柄长为瓣片的 1/2，耳长为瓣柄

的 1/4 ～ 1/3，龙骨瓣长约 22 mm，瓣柄较瓣片稍短，耳不明显；子房无毛。荚
果筒状，长 2 ～ 3 cm，宽 3 ～ 4 mm。花期 5 ～ 6 月，果期 7 月。

| 生境分布 | 生于海拔 1 020 ～ 2 200 m 的干旱山坡、草地、山地灌丛、山谷、河岸、林间及
山地草甸。分布于新疆阿勒泰市、富蕴县、哈巴河县、额敏县、塔城市、霍城县、
尼勒克县、巩留县等。

| 功能主治 | 祛风，平肝，止咳。用于跌打损伤，劳伤，疱疹透发不畅。

豆科 Fabaceae 锦鸡儿属 Caragana

鬼箭锦鸡儿 *Caragana jubata* (Pall.) Poir.

| 药 材 名 | 锦鸡儿根（药用部位：根）。

| 形态特征 | 灌木。直立或伏地，高 0.3 ~ 2 m，基部多分枝。树皮深褐色、绿灰色或灰褐色。羽状复叶有 4 ~ 6 对小叶；托叶先端刚毛状，不硬化成针刺；叶轴长 5 ~ 7 cm，宿存，被疏柔毛；小叶长圆形，长 11 ~ 15 mm，宽 4 ~ 6 mm，先端圆或尖，具刺尖头，基部圆形，绿色，被长柔毛。花梗单生，长约 0.5 mm，基部具关节，苞片线形；花萼钟状管形，长 14 ~ 17 mm，被长柔毛，萼齿披针形，长为萼筒的 1/2；花冠玫瑰色、淡紫色、粉红色或近白色，长 27 ~ 32 mm；旗瓣宽卵形，基部渐狭成长瓣柄；翼瓣近长圆形，瓣柄长为瓣片的 2/3 ~ 3/4，耳狭线形，长为瓣柄的 3/4；龙骨瓣先端斜平截而稍凹，

瓣柄与瓣片近等长，耳短，三角形；子房被长柔毛。荚果长约3 cm，宽6～7 mm，密被丝状长柔毛。花期6～7月，果期8～9月。

| 生境分布 | 生于海拔1 200～4 600 m的干旱山坡、灌丛、云杉林缘与林下、亚高山草甸、高山山谷草原或河滩。分布于新疆阿克苏市、阿合奇县、乌恰县、塔什库尔干塔吉克自治县、阿克陶县、特克斯县等。

| 采收加工 | 秋季采挖，洗净，切片，晒干。

| 功能主治 | 活血祛风，利水消肿。用于乳痈，疮疖肿痛，高血压。

豆科 Fabaceae 锦鸡儿属 Caragana

柠条锦鸡儿
Caragana korshinskii Kom.

| 药 材 名 | 锦鸡儿（药用部位：花）。

| 形态特征 | 灌木，有时小乔木状。高 1 ~ 4 m。老枝金黄色，有光泽；嫩枝被白色柔毛。羽状复叶有 6 ~ 8 对小叶；托叶在长枝者硬化成针刺，长 3 ~ 7 mm，宿存；叶轴长 3 ~ 5 cm，脱落；小叶披针形或狭长圆形，长 7 ~ 8 mm，宽 2 ~ 7 mm，先端锐尖或稍钝，有刺尖，基部宽楔形，灰绿色，两面密被白色伏贴柔毛。花梗长 6 ~ 15 mm，密被柔毛，关节在中上部；花萼管状钟形，长 8 ~ 9 mm，宽 4 ~ 6 mm，密被伏贴短柔毛，萼齿三角形或披针状三角形；花冠长 20 ~ 23 mm；旗瓣宽卵形或近圆形，先端平截而稍凹，宽约 16 mm，具短瓣柄；翼瓣瓣柄细窄，稍短于瓣片，耳短小，齿状；龙骨瓣具长瓣柄，耳极短；

子房披针形，无毛。荚果扁，披针形，长 2 ~ 2.5 cm，宽 6 ~ 7 mm，有时被疏柔毛。花期 5 月，果期 6 月。

| 生境分布 |　生于半固定和固定沙地。分布于新疆吐鲁番市。

| 功能主治 |　祛风，平肝，止咳。

豆科 Fabaceae 锦鸡儿属 Caragana

白皮锦鸡儿 *Caragana leucophloea* Pojark.

| 药 材 名 | 锦鸡儿（药用部位：花）。

| 形态特征 | 灌木。高 1 ~ 1.5 m。树皮黄白色或黄色，有光泽。小枝有条棱，嫩时被短柔毛，常带紫红色。假掌状复叶有 4 小叶；托叶在长枝者硬化成针刺，长 2 ~ 5 mm，宿存，在短枝者脱落；叶柄在长枝者硬化成针刺，长 5 ~ 8 mm，宿存，短枝上的叶无柄，簇生；小叶狭倒披针形，长 4 ~ 12 mm，宽 1 ~ 3 mm，先端锐尖或钝，有短刺尖，两面绿色，稍呈苍白色或稍带红色，无毛或被短伏贴柔毛。花梗单生或并生，长 3 ~ 15 mm，无毛，关节在中部以上或以下；花萼钟状，长 5 ~ 6 mm，宽 3 ~ 5 mm，萼齿三角形，锐尖或渐尖；花冠黄色；旗瓣宽倒卵形，长 13 ~ 18 mm，瓣柄短；翼瓣向上渐宽，瓣柄长为

瓣片的 1/3，耳长 2 ~ 3 mm；龙骨瓣的瓣柄长为瓣片的 1/3，耳短；子房无毛。荚果圆筒形，内外无毛，长 3 ~ 3.5 cm，宽 5 ~ 6 mm。花期 5 ~ 6 月，果期 7 ~ 8 月。

| 生境分布 | 生于海拔 700 ~ 2 250 m 的干旱山坡、山前平原、山前荒漠至山地草原灌丛、山前冲积扇、冲积扇荒漠、山谷、戈壁滩。分布于新疆阿勒泰市、青河县、富蕴县、布尔津县、哈巴河县、奇台县、阜康市、乌鲁木齐县、昌吉市、玛纳斯县、石河子市、额敏县、塔城市、托里县、沙湾市、乌苏市、精河县、博乐市、温泉县、昭苏县、伊吾县、巴里坤哈萨克自治县、和硕县、和静县等。

| 采收加工 | 秋季采收，鲜用或晒干。

| 功能主治 | 祛风平肝，止咳。

豆科 Fabaceae 锦鸡儿属 *Caragana*

白刺锦鸡儿 *Caragana leucospina* Kom.

| 药 材 名 | 锦鸡儿（药用部位：根）。

| 形态特征 | 直立灌木。高 70 ~ 100 cm。枝条直立，密被白色短柔毛。树皮黄灰色。羽状复叶长达 2 cm，有 4 对小叶；托叶三角形，被柔毛，先端具刺尖或无刺尖；叶轴硬化成针刺，宿存，针刺多密，粗壮，被白粉或白色短柔毛，水平开展，长约 3 cm；小叶长圆状披针形或楔状倒卵形，长 5 ~ 10 mm，宽约 3 mm，先端圆形，密被短柔毛。花梗极短；花萼宽圆管状，长约 13 mm，密被柔毛，萼齿宽三角形，锐尖，长为萼筒的 1/3；花冠黄色，长约 25 mm；旗瓣倒卵形，具狭瓣柄；翼瓣长圆形，先端钝，耳线形，短；龙骨瓣先端锐尖，基部近截形；子房长圆形，密被柔毛。花期 6 月。

| 生境分布 | 生于海拔 1 000 ~ 3 000 m 的河流上游山地、干旱石质坡地及高山向阳山坡。分布于新疆吐鲁番市及鄯善县、特克斯县、玛纳斯县等。

| 功能主治 | 活血利水，止痛强壮。

豆科 Fabaceae 锦鸡儿属 Caragana

多叶锦鸡儿

Caragana pleiophylla (Regel) Pojark.

| 药 材 名 | 锦鸡儿（药用部位：花）。

| 形态特征 | 灌木。高 0.8 ~ 1 m。老枝黄褐色，剥裂；嫩枝被柔毛。羽状复叶有 4 ~ 7 对小叶；托叶宽卵形，膜质，红褐色，脱落，被柔毛；叶轴灰白色，硬化成针刺，长 1.5 ~ 4（~ 5.5）cm，宿存；小叶长圆形，倒卵状长圆形，长 6 ~ 12 mm，宽 3 ~ 4 mm，先端锐尖，基部宽楔形，两面被伏贴柔毛，老时近无毛，灰绿色。花单生，花梗长 5 ~ 7 mm，被长柔毛，关节在基部；花萼长管状，基部不为囊状凸起，长 14 ~ 16 mm，宽 5 ~ 6 mm，密被长柔毛，萼齿三角形或披针状三角形；花冠黄色，长 30 ~ 36 mm；旗瓣椭圆状卵形，先端微凹，瓣柄长为瓣片的 1/3 ~ 1/2；翼瓣先端圆形，瓣柄长为瓣片的 2/3，

耳长约为瓣柄的 1/5 ~ 1/3，线形，常有上耳，长 1 ~ 2 mm；龙骨瓣稍短于翼瓣，瓣柄较瓣片长；子房密被灰白色柔毛。荚果圆筒状，长 3 ~ 3.5 cm，先端渐尖，外面有短柔毛，里面密被褐色绒毛。花期 6 ~ 7 月，果期 9 月。

| 生境分布 | 生于海拔 1 500 ~ 3 000 m 的前山干旱山坡、山地灌丛、山谷阶地、河边林下及砾石阴坡、平原、干旱荒漠的石质冲积扇。分布于新疆拜城县、温宿县、乌恰县、乌什县、轮台县等。

| 功能主治 | 祛风，平肝，止咳。

豆科 Fabaceae 锦鸡儿属 *Caragana*

昆仑锦鸡儿 *Caragana polourensis* Franch.

| 药 材 名 | 锦鸡儿（药用部位：花、果实）。

| 形态特征 | 小灌木。高 30 ~ 50 cm，多分枝。树皮褐色或淡褐色，无光泽，具不规则灰白色或褐色条棱。嫩枝密被短柔毛。假掌状复叶有 4 小叶；托叶宿存，长 5 ~ 7 mm；叶柄硬化成针刺，长 8 ~ 10 mm；小叶倒卵形，长 6 ~ 10 mm，宽 2 ~ 4 mm，先端锐尖或圆钝，有时凹入，有刺尖，基部楔形，两面被伏贴短柔毛。花梗单生，长 2 ~ 6 mm，被柔毛，关节在中上部；花萼管状，长 8 ~ 10 mm，宽 4 ~ 5 mm，萼齿三角形，基部不为囊状凸起，密被柔毛；花冠黄色，长约 20 mm；旗瓣近圆形或倒卵形，有时有橙色斑；翼瓣长圆形，瓣柄短于瓣片，耳短，稍圆钝；龙骨瓣的瓣柄较瓣片短，耳短；子

房无毛。荚果圆筒状，长 2.5 ~ 3.5 cm，直径 3 ~ 4 mm，先端短渐尖。花期 4 ~ 5 月，果期 6 ~ 7 月。

| **生境分布** | 生于海拔 1 300 ~ 3 200 m 的低山、河谷、山前平原、干旱山坡、山坡灌丛、山前冲积扇平原带、冲积扇缘干沟、低山山麓路边石质盐渍化荒漠带及亚高山坡地。分布于新疆库车市、拜城县、阿克苏市、阿图什市、乌恰县、喀什市、且末县、于田县、策勒县、墨玉县、皮山县、叶城县等。

| **采收加工** | 8 ~ 9 月果实由绿色变为褐色时采收。

| **功能主治** | 祛风，平肝，止咳，清肺热止咳，补脾生津。用于风湿痹痛，月经失调，口腔疾病，高血压，咳嗽，带下，虚弱，疳积。

豆科 Fabaceae 锦鸡儿属 Caragana

粉刺锦鸡儿 *Caragana pruinosa* Kom.

| 药 材 名 |

锦鸡儿根（药用部位：根或根皮）。

| 形态特征 |

灌木。高 0.4 ~ 1 m。老枝绿褐色或黄褐色，有条纹；一年生枝褐色，嫩枝密被短柔毛。托叶卵状三角形，褐色，被短柔毛，先端有刺尖，宿存或脱落；在长枝上的叶轴长 1 ~ 2 cm，硬化成粗壮针刺，宿存，被柔毛，短枝上叶轴长 3 ~ 7 mm，脱落；长枝上的小叶 2 ~ 3 对，羽状，短枝上的小叶 2 对，假掌状，倒披针形或倒卵状披针形，长 5 ~ 10 mm，宽 1 ~ 3 mm，先端锐尖或钝，有刺尖，两面绿色，幼时被短柔毛。花梗单生，长 2 ~ 3 mm，被短柔毛；花萼管状，长 10 ~ 13 mm，被短柔毛，萼齿三角形；花冠黄色；旗瓣近圆形，长 22 ~ 27 mm，宽 11 ~ 15 mm，具狭瓣柄；翼瓣线形，钝头，瓣柄与瓣片近等长，耳长约 1 mm，钝；龙骨瓣先端尖或圆，瓣柄稍长于瓣片，耳不明显，基部截形；子房被疏柔毛或无毛。荚果线形，扁，长约 2 cm，宽约 3 mm，被疏柔毛或无毛。花期 5 月，果期 7 月。

| 生境分布 | 生于海拔 1 800 ～ 3 100 m 的干旱河谷、砾石低山山麓、向阳山坡、山地荒漠带或湿地。分布于新疆哈巴河县、和布克赛尔蒙古自治县、昭苏县、巴里坤哈萨克自治县、库车市、拜城县、柯坪县、阿合奇县、乌恰县、喀什市等。

| 功能主治 | 活血祛风，利水消肿。

豆科 Fabaceae 锦鸡儿属 *Caragana*

荒漠锦鸡儿 *Caragana roborovskyi* Kom.

| 药 材 名 | 锦鸡儿根（药用部位：根或根皮）。

| 形态特征 | 灌木。高 0.3 ~ 1 m，直立或外倾，基部具较多分枝。老枝黄褐色，被深灰色剥裂皮；嫩枝密被白色柔毛。羽状复叶有 3 ~ 6 对小叶；托叶膜质，被柔毛，先端具刺尖；叶轴宿存，全部硬化成针刺，长 1 ~ 2.5 cm，密被柔毛；小叶宽倒卵形或长圆形，长 4 ~ 10 mm，宽 3 ~ 5 mm，先端圆或锐尖，具刺尖，基部楔形，密被白色丝质柔毛。花梗单生，长约 4 mm，关节在中部至基部，密被柔毛；花萼管状，长 11 ~ 12 mm，宽 4 ~ 5 mm，密被白色长柔毛，萼齿披针形，长约 4 mm；花冠黄色；子房被密毛。荚果圆筒状，长 2.5 ~ 3 cm，被白色长柔毛，先端具尖头，花萼常宿存。花期 5 月，果期 6 ~ 7 月。

| 生境分布 | 生于海拔 800～2 600 m 的干旱山坡、山谷、山沟、黄土丘陵、荒漠、草原、沙地。分布于新疆托克逊县、木垒哈萨克自治县、玛纳斯县、尼勒克县、特克斯县、昭苏县、巴里坤哈萨克自治县、鄯善县等。

| 资源情况 | 野生资源较丰富。药材来源于野生。

| 采收加工 | 8～9 月采挖，洗净泥沙，剪成单枝，除去细根和尾须，刮去表面黑褐色粗皮，用木棒轻轻把根皮敲破，抽去木心，晒干。

| 功能主治 | 苦，凉。活血祛风，利水消肿。用于高血压，头晕，耳鸣眼花，体弱乏力，月经不调，带下，乳汁不足，风湿关节痛，跌打损伤。

| 用法用量 | 内服煎汤，15 g。

准噶尔锦鸡儿 *Caragana soongorica* Grubov

| 药 材 名 |

锦鸡儿根（药用部位：根或根皮）。

| 形态特征 |

灌木。高 1.5 ～ 2 m。老枝深灰色或紫黑色；嫩枝细，绿褐色，有棱，无毛。羽状复叶有 2 ～ 4 对小叶，叶轴长 1.5 ～ 4.5 cm，脱落；长枝上的托叶宿存，长 3 ～ 6 mm，具刺尖；小叶倒卵形，长 7 ～ 15 mm，宽 5 ～ 9 mm，先端微凹或截平，具刺尖，无毛或背面疏被伏贴柔毛，网脉明显。花梗单生，长 1 ～ 3.5 cm，关节在中上部，每梗 2 花，很少 1 花；苞片钻形，长 1 ～ 2 mm；花萼钟状杯形，长 7 ～ 9 mm，宽与长近相等，萼齿短小，长约 1 mm，无毛或近无毛；花冠黄色，长 30 ～ 35 mm；子房被绢毛。荚果线形，长 4 ～ 5 cm，宽 5 ～ 6 mm。花期 5 月，果期 7 ～ 8 月。

| 生境分布 |

生于海拔 1 200 ～ 1 800 m 的河流阶地、山坡灌丛。生于荒漠平原、低山麓石质山坡、河谷灌丛、亚高山草原地带。分布于新疆阿勒泰市、吉木乃县、玛纳斯县、沙湾市、伊宁市、尼勒克县、新源县、巩留县、伊吾县、喀什市等。

| **资源情况** | 野生资源较丰富。药材来源于野生。

| **采收加工** | 8～9 月采挖，洗净泥沙，剪成单枝，除去细根和尾须，刮去表面黑褐色粗皮，用木棒轻轻把根皮敲破，抽去木心，晒干。

| **功能主治** | 甘、辛、微苦，平。滋补强壮，活血调经，祛风利湿。用于高血压，头晕，耳鸣眼花，体弱乏力，月经不调，带下，乳汁不足，风湿关节痛，跌打损伤，脚气等。

| **用法用量** | 内服煎汤，50 g；或研末。

豆科 Fabaceae 锦鸡儿属 Caragana

多刺锦鸡儿 *Caragana spinosa* (L.) DC.

| 药 材 名 | 锦鸡儿根（药用部位：根）、锦鸡儿（药用部位：花）。

| 形态特征 | 矮灌木。高 20 ~ 50 cm。枝条伸展，多刺。老枝黄褐色，有棱条；小枝红褐色，粗壮，嫩时有毛。托叶三角状卵形，无针刺或有极短针刺，边缘有毛；长枝上叶的叶轴长 1 ~ 5 cm，红褐色或黄褐色，粗壮，嫩时有毛，硬化宿存，短枝上的叶无柄；长枝上的小叶常 3 对，羽状，短枝上的小叶 2 对，簇生或具长 2 ~ 3 mm 的叶柄，狭倒披针形或线形，长 1.5 ~ 2（~ 3）cm，宽 2 ~ 3（~ 5）mm，被伏贴柔毛，灰绿色。花梗单生或 2 花梗并生，长 2 ~ 3 mm，关节在中下部；花萼管状，长 7 ~ 10 mm，宽约 4 mm，萼齿三角状，边缘有毛；花冠黄色，长 20 ~ 22 mm；子房近无毛。荚果长 2 ~ 2.5 cm，

宽 3 ～ 4 mm。花期 6 ～ 7 月，果期 9 月。

| 生境分布 | 生于海拔 1 400 ～ 2 000 m 的山坡河边、河漫滩、干河道、盐碱荒滩、砾石戈壁、湿润山坡及灌丛湿地、沟谷中。分布于新疆青河县、富蕴县、布尔津县、和布克赛尔蒙古自治县、巴里坤哈萨克自治县、和静县、轮台县、拜城县、阿图什市、塔城市等。

| 资源情况 | 野生资源较丰富。药材来源于野生。

| 采收加工 | **锦鸡儿根**：8 ～ 9 月采挖，洗净泥沙，剪成单枝，除去细根和尾须，刮去表面黑褐色粗皮，用木棒轻轻把根皮敲破，抽去木心，晒干。
锦鸡儿：4 ～ 5 月花盛开时采摘，晒干或炕干。

| 功能主治 | **锦鸡儿根**：甘、辛、微苦，平。滋补强壮，活血调经，祛风利湿。用于高血压，头晕，耳鸣眼花，体弱乏力，月经不调，带下，乳汁不足，风湿关节痛，跌打损伤，脚气等。
锦鸡儿：甘，微温。祛风，平肝，止咳。用于高血压，头晕，耳鸣眼花，体弱乏力，咳嗽，风湿关节痛等。

| 用法用量 | **锦鸡儿根**：内服煎汤，15 ～ 30 g。
锦鸡儿：内服煎汤，10 ～ 20 g。

豆科 Fabaceae 锦鸡儿属 Caragana

狭叶锦鸡儿 *Caragana stenophylla* pojark.

| 药 材 名 |

锦鸡儿根（药用部位：根）。

| 形态特征 |

矮灌木。高 30 ～ 80 cm。树皮灰绿色、黄褐色或深褐色。小枝细长，具条棱，嫩时被短柔毛。假掌状复叶有小叶 4；长枝上的托叶硬化成针刺，刺长 2 ～ 3 mm；长枝上的叶柄硬化成针刺，宿存，长 4 ～ 7 mm，直伸或向下弯，短枝上的叶无柄，簇生；小叶线状披针形或线形，长 4 ～ 11 mm，宽 1 ～ 2 mm，两面绿色或灰绿色，常由中脉向上折叠。花梗单生，长 5 ～ 10 mm，关节在中部稍下；花萼钟状管形，长 4 ～ 6 mm，宽约 3 mm，无毛或疏被毛，萼齿三角形，长约 1 mm，具短尖头；花冠黄色；子房无毛。荚果圆筒形，长 2 ～ 2.5 cm，宽 23 mm。花期 4 ～ 6 月，果期 7 ～ 8 月。

| 生境分布 |

生于海拔 800 ～ 1 800 m 的黄土丘陵、低山阳坡、荒漠沙地、干旱山坡灌丛、中山草原。分布于新疆奇台县、石河子市、伊吾县、和硕县、和静县、库尔勒市等。

| 资源情况 | 野生资源较丰富。药材来源于野生。

| 采收加工 | 8 ~ 9 月采挖，洗净泥沙，剪成单枝，除去细根和尾须，刮去表面黑褐色粗皮，用木棒轻轻把根皮敲破，抽去木心，晒干。

| 功能主治 | 甘，平。祛风，平肝，止咳。用于高血压，头晕，耳鸣眼花，体弱乏力，咳嗽，风湿关节痛等。

| 用法用量 | 内服煎汤，20 ~ 30 g。

豆科 Fabaceae 锦鸡儿属 Caragana

吐鲁番锦鸡儿 *Caragana turfanensis* (Krasn.) Kom.

| 药 材 名 | 锦鸡儿根（药用部位：根）。

| 形态特征 | 灌木。高 80 ~ 100 mm，多分枝。老枝黄褐色，有光泽；小枝多针刺，淡褐色，无毛，具白色木栓质条棱。长枝上叶的叶轴及托叶硬化成针刺，宿存，叶轴的针刺长 7 ~ 13 mm，托叶的针刺长 4 ~ 7 mm，假掌状复叶有 4 小叶，有时小枝先端无小叶，仅密生针刺，短枝上叶的叶轴脱落或宿存；小叶革质，倒卵状楔形，长 4 ~ 6 mm，宽 2 ~ 3 mm，先端圆形或微凹，具刺尖，无毛或疏生柔毛，两面绿色。花梗单生，长 2 ~ 5 mm，具 1 花，关节在下部；花萼管状，无毛或稍被短柔毛，长 6 ~ 8 mm，基部非囊状凸起或稍扩大，萼齿短，三角状，具刺尖；花冠黄色，旗瓣倒卵形，长 17 ~ 22 mm，宽

12 ~ 13 mm；子房无毛。荚果长 3 ~ 4.5 mm，宽 4 ~ 6 mm。花期 5 月，果期 7 月。

| **生境分布** | 生于海拔 1 280 ~ 3 040 m 的山坡、河流阶地、荒漠、峭壁、河谷、砾石冲积扇、河滩、湿地。分布于新疆库车市、拜城县、温宿县、阿克苏市、乌什县、柯坪县、阿图什市、乌恰县、喀什市、叶城县等。

| **资源情况** | 野生资源较丰富。药材来源于野生。

| **采收加工** | 8 ~ 9 月采挖，洗净泥沙，剪成单枝，除去细根和尾须，刮去表面黑褐色粗皮，用木棒轻轻把根皮敲破，抽去木心，晒干。

| **功能主治** | 甘、微辛，平。活血，利水，止痛，强壮。用于高血压，头晕，耳鸣眼花，体弱乏力，月经不调，带下，乳汁不足，风湿关节痛，跌打损伤，脚气等。

| **用法用量** | 内服煎汤，15 ~ 30 g；或研末。

鹰嘴豆
 Cicer arietinum L.

| 药 材 名 | 鹰嘴豆（药用部位：种子）。

| 形态特征 | 一年生或多年生攀缘草本。高 1 ~ 2 m。茎直立，多分枝，被白色腺毛。托叶呈叶状，具 3 ~ 5 不整齐的锯齿或下缘有疏锯齿；叶具小叶 7 ~ 17，对生或互生，狭椭圆形，长 7 ~ 17 mm，宽 3 ~ 10 mm，边缘具密锯齿，两面被白色腺毛。花于叶腋单生或双生；花梗长 0.5 ~ 2.5 cm；花冠白色、淡蓝色或紫红色，长 8 ~ 10 mm，有腺毛；萼浅钟状，5 裂，裂片披针形，长 6 ~ 9 mm，被白色腺毛。荚果卵圆形，膨胀，下垂，长约 2 cm，宽约 1 cm，幼时绿色，成熟后呈淡黄色，被白色短柔毛和腺毛，有种子 1 ~ 4；种子被白色短柔毛，黑色或褐色，具皱纹，一端具细尖头。花期 6 ~ 7 月，果期 8 ~ 9 月。

| 生境分布 | 生于海拔 2 000 ～ 2 700 m 的山坡、河流阶地、荒漠、峭壁、河谷、砾石冲积扇、河滩、湿地。新疆各地均有栽培。

| 资源情况 | 野生资源一般，栽培资源丰富。药材主要来源于栽培。

| 采收加工 | 当 70% 的荚呈黄白色且籽粒与荚壳已经分离时采收，用手连根拔起或用镰刀收割，运至晒场晒干，压场脱粒，人工扬场清选，有条件的地方可用扬场机和清粮机进行清选，及时摊开晾晒至含水量为 12% 以下，用磷化铝熏蒸后入库贮藏。

| 功能主治 | 甘，平。强壮止泻，养肝利胆，降血糖。用于糖尿病，疲劳等。

| 用法用量 | 内服煎汤，10 ～ 30 g；或入丸、散剂。

豆科 Fabaceae 鹰嘴豆属 Cicer

小叶鹰嘴豆 *Cicer microphyllum* Benth.

| **药 材 名** | 鹰嘴豆（药用部位：种子）。

| **形态特征** | 一年生草本。茎直立，高 15 ~ 40 cm，多分枝，被白色腺毛。托叶 5 ~ 7 裂，被白色腺毛；叶轴先端具螺旋状卷须；叶具小叶 6 ~ 15 对，对生或互生，革质，倒卵形，先端圆形或截形，裂片上半部边缘具深锯齿，先端具细尖头，长 4 ~ 12 mm，宽 3 ~ 7 mm；小叶两面被白色腺毛。花单生于叶腋；花梗长 2.5 ~ 5 cm，被腺毛；萼绿色，5 深裂，裂片披针形，长 1.2 cm，密被白色腺毛；花冠大，长约 2.4 cm，蓝紫色或淡蓝色。荚果椭圆形，长 2.5 ~ 3.5 cm，宽 1.3 cm，密被白色短柔毛，成熟后呈金黄色或灰绿色；种子椭圆形，成熟后呈黑色，表面具小突起，一端具细尖头，长约 2.5 mm，宽约

1 mm。

| 生境分布 | 生于海拔 600 ~ 3 600 m 的阳坡草地、草原、河谷山地石坡、碎石堆。分布于新疆阿勒泰地区及塔什库尔干塔吉克自治县等。

| 资源情况 | 野生资源一般，栽培资源丰富。药材来源于野生和栽培。

| 采收加工 | 当 70% 荚果呈黄色且籽粒与荚壳已经分离时采收，用镰刀采收，用拖拉机碾压脱粒或谷物脱粒机脱粒，扬净，晒至籽粒含水量为 13% 以下时装袋入库。

| 功能主治 | 甘，平。温肾壮阳，利尿止痛，祛风止痒，生发乌发。用于体虚阳痿，尿闭尿痛，淋证，皮肤瘙痒，毛发脱落，毛发早白等。

豆科 Fabaceae 大豆属 Glycine

大豆 *Glycine max* (L.) Merr.

| 药 材 名 | 大豆黄卷（药材来源：种子经发芽的加工品）。

| 形态特征 | 一年生草本。高 30 ~ 90 cm。茎粗壮，直立或上部近缠绕状，上部
多少具棱，密被褐色长硬毛。叶通常具小叶 3；托叶宽卵形，渐尖，
长 3 ~ 7 mm，具脉纹，被黄色柔毛；叶柄长 2 ~ 20 cm，幼嫩时散
生疏柔毛或被长硬毛；小叶纸质，宽卵形、近圆形或椭圆状披针形，
顶生小叶较大，侧生小叶较小，斜卵形，通常两面散生糙毛或下面
无毛，侧脉每边 5；小托叶披针形，长 1 ~ 2 mm。总状花序；苞片
披针形，长 2 ~ 3 mm，被糙伏毛；小苞片披针形，长 2 ~ 3 mm，
被伏贴刚毛；花萼长 4 ~ 6 mm，密被长硬毛或糙伏毛，常深裂成二
唇形，裂片 5，披针形，均密被白色长柔毛；花紫色、淡紫色或白色，

长 4.5 ~ 8（ ~ 10 ）mm。荚果长圆形，长 4 ~ 7.5 cm，宽 8 ~ 15 mm，密被褐黄色长毛；种子 2 ~ 5。花期 6 ~ 7 月，果期 7 ~ 9 月。

| 生境分布 | 栽培种。新疆各地均有栽培。

| 资源情况 | 野生资源较少，栽培资源较丰富。药材来源于栽培。

| 功能主治 | 甘，平。清解表邪，清热燥湿。用于湿温初起，湿热不化，汗少，胸痞，水肿胀满，小便不利，湿痹，筋挛，骨节烦疼。

豆科 Fabaceae 甘草属 Glycyrrhiza

粗毛甘草 *Glycyrrhiza aspera* Pall.

| 药 材 名 | 甘草（药用部位：根及根茎）。

| 形态特征 | 多年生草本。高 40 ~ 90 cm。茎直立，多分枝，具稀疏的白色短柄腺毛、三角形皮刺和棱。奇数羽状复叶长 9 ~ 25 cm；小叶卵形或椭圆形，长 1.4 ~ 5.5 cm，宽 0.5 ~ 3.5 cm。小花长 1 ~ 1.5 cm；花萼被稀疏的白色柔毛，裂齿边缘具长睫毛；花冠紫色或鲜红色；旗瓣开展，长 8 ~ 15 mm，宽 3 ~ 6 mm。荚果光滑，念珠状，镰状弯曲，长 1.5 ~ 3 cm，宽 4 ~ 5 mm；种子 2 ~ 9。

| 生境分布 | 生于绿洲、林下及林缘草地。分布于新疆石河子市、玛纳斯县、沙湾市等。

| **资源情况** | 野生资源一般，栽培资源较少。药材来源于野生。 |

| **采收加工** | 秋季于地上茎叶枯黄后采挖，除去泥土，去掉芦头、须根、侧根，捋直后自然干燥。 |

| **功能主治** | 甘，平。祛痰止咳，清热解毒，调和诸药。用于气管炎，肺气肿引起的咳嗽痰多，气喘，黏痰不易排出，咽喉肿痛等。 |

| **用法用量** | 内服煎汤，2 ~ 10 g。 |

豆科 Fabaceae 甘草属 Glycyrrhiza

无腺毛甘草
Glycyrrhiza eglandulosa X. Y. Li

| 药 材 名 | 甘草（药用部位：根及根茎）。

| 形态特征 | 多年生草本。高 50 ~ 90 cm。茎直立，多分枝，基部木质化，被稀疏褐色腺体及白色短茸毛。奇数羽状复叶长 15 ~ 22 cm；小叶 11 ~ 15，椭圆形或卵圆形，长 2 ~ 5 cm，宽 0.6 ~ 1.5 cm；小叶柄密被白色柔毛，先端钝尖；叶基圆形，背面密被褐色腺体，叶缘稍具皱褶。腋生总状花序长 11 ~ 19 cm；小苞片披针状三角形，长 2 ~ 5 mm，宽 1 ~ 1.2 mm，密被白色柔毛；小花长 1 ~ 2 cm；花萼钟状，长 10 mm，密被褐色腺体和稀疏白柔毛；子房直，密被短茸毛，胚珠 4 ~ 9。荚果光滑或被疏散的白色茸毛，"之"字形折叠，三向弯曲；种子 3 ~ 9。肾形。

| **生境分布** | 生于海拔 170 ～ 500 m 的盐渍化草甸、盐碱化弃耕荒地、排碱渠埂。分布于新疆石河子市、焉耆回族自治县等。

| **资源情况** | 野生资源一般，栽培资源较少。药材来源于野生。

| **采收加工** | 秋季于地上茎叶枯黄后采挖，除去泥土，去掉芦头、须根、侧根，捋直后自然干燥。

| **功能主治** | 甘，平。祛痰止咳，清热解毒，调和诸药。用于气管炎，肺气肿引起的咳嗽痰多，气喘，黏痰不易排出，咽喉肿痛等。

| **用法用量** | 内服煎汤，2 ～ 10 g。

洋甘草
Glycyrrhiza glabra L.

| 药 材 名 | 甘草（药用部位：根及根茎）。

| 形态特征 | 多年生草本。高 60 ～ 200 cm。表皮灰褐色，切面黄色，味甜。根与根茎粗壮。茎直立，上部多分枝，基部木质化，密被鳞片状腺体、三角皮刺及短柄腺体，表皮常为红色。奇数羽状复叶长 8 ～ 20 cm；托叶钻形或线状披针形，早落；小叶 11 ～ 23，披针形、长卵圆形或长圆形至长椭圆形，长 1.5 ～ 5 cm，宽 1 ～ 2.5 cm，被短绒毛及具柄腺体，背面沿脉短绒毛及腺体尤多，先端钝圆，微凹，具芒尖，基部近圆形。总状花序腋生，短于或长于叶，花多且排列较稠密，长 7 ～ 21 cm，花序轴密被短茸毛和腺毛；小苞片卵圆形，外被腺毛；花长 0.8 ～ 1.4 cm；花冠紫色或白紫色；花萼钟状，长 5 ～ 7 mm，

具 5 裂齿，上 2 齿短于其他齿，狭披针形，与萼筒等长，被短茸毛及短腺毛；子房光滑或被无柄腺体，胚珠 4 ~ 9。荚果长圆形，长 2 ~ 3.7 cm，宽 4 ~ 7 mm，直或微弯，光滑或被腺体；种子 1 ~ 8，肾形或圆形，绿色或暗绿色。

| 生境分布 | 生于海拔 350 ~ 1 100 m 的河滩阶地、河岸胡杨林林缘、芦苇滩、绿洲垦区农田地头、路边、荒地。分布于新疆博乐市、伊吾县、玛纳斯县、石河子市、沙湾市、精河县、霍城县、伊宁市、察布查尔锡伯自治县、巩留县、焉耆回族自治县、阿克苏市、阿拉尔市、阿瓦提县、巴楚县、喀什市、疏勒县、莎车县等。

| 资源情况 | 野生资源一般，栽培资源较少。药材来源于野生。

| 采收加工 | 秋季于地上茎叶枯黄后采挖，除去泥土，去掉芦头、须根、侧根，捋直后自然干燥。

| 功能主治 | 甘，平。补脾益气，清热解毒，祛痰止咳，缓急止痛，调和诸药。用于脾胃虚弱，倦怠乏力，心悸气短，咳嗽痰多，脘腹、四肢挛急疼痛，痈肿疮毒，缓解药物毒性、烈性。

| 用法用量 | 内服煎汤，2 ~ 10 g。

豆科 Fabaceae 甘草属 *Glycyrrhiza*

胀果甘草 *Glycyrrhiza inflata* Batalin

| **药材名** | 甘草（药用部位：根及根茎）。

| **形态特征** | 多年生草本。高 60 ~ 180 cm。外皮灰褐色，切面橙黄色，味甜。根、根茎与根颈粗壮。茎直立，多分枝，被无柄腺体和三角形皮刺。奇数羽状复叶长 10 ~ 20 cm；托叶 2，披针形或三角形，早脱落；小叶（3 ~ ）5 ~ 7（~ 9），长圆形至卵圆形，先端钝或锐尖，基部圆形，长 3 ~ 4 cm，宽 1 ~ 3 cm，全缘，具波状皱褶，两面密被黏性鳞片腺体或短柄腺体，背面腺体尤多。总状花序腋生，花排列疏散，长于或等长于叶；小苞片披针形，被腺毛，幼时红色；花萼长 5 ~ 8 mm，具 5 裂齿，上 2 齿基部连合，短于其他齿，被腺毛；花冠紫色，基部白色；子房被腺体，胚珠 4 ~ 9。荚果成熟后膨胀为

椭圆形，直或微弯，长 1.5 ~ 3 cm，长、宽比为 2.5 : 1，宽、厚比为 1 : 1；种子（1 ~）2 ~ 9，肾形，长 2 ~ 3 mm，绿色或浅褐色。

| 生境分布 | 生于海拔 150 ~ 1 600 m 的荒漠沙丘底部、干旱古河道胡杨林下、河岸林缘、盐渍化河滩湿地、淤积平原、垦区盐碱化弃耕地、农田、渠边等。分布于新疆青河县、伊吾县、鄯善县、托克逊县、和硕县、和静县、焉耆回族自治县、博湖县、库尔勒市、尉犁县、阿图什市、阿克陶县、库车市、新和县、沙雅县、阿克苏市、阿拉尔市、阿瓦提县、巴楚县、喀什市、英吉沙县、莎车县、若羌县、且末县、民丰县、于田县、策勒县、和田市、墨玉县。新疆阿克苏地区、和田地区、石河子市、巴音郭楞蒙古自治州、喀什地区等有栽培。

| 资源情况 | 野生资源较丰富，栽培资源较丰富。药材来源于野生和栽培。

| 采收加工 | 秋季于地上茎叶枯黄后采挖，除去泥土，去掉芦头、须根、侧根，捋直后自然干燥。

| 功能主治 | 甘，平。补脾益气，清热解毒，祛痰止咳，缓急止痛，调和诸药。用于脾胃虚弱，倦怠乏力，心悸气短，咳嗽痰多，脘腹、四肢挛急疼痛，痈肿疮毒，缓解药物毒性、烈性。

| 用法用量 | 内服煎汤，2 ~ 10 g。

| 附   注 | 本种与同属其他植物的区别在于：本种荚果膨胀，种子间不下凹，被褐色腺点，或荚果两侧生扁，种子间下凹或呈"之"字形弯曲。

豆科 Fabaceae 甘草属 *Glycyrrhiza*

刺果甘草
Glycyrrhiza pallidiflora Maxim.

药材名

甘草（药用部位：根及根茎）。

形态特征

多年生草本。高 20 ~ 80 cm。根与根颈粗壮，多分枝。茎枝具棱，被黄褐色腺点、鳞片状褐斑或光滑。奇数羽状复叶 9 ~ 15，长 10 ~ 20 cm；小叶披针形、卵状披针形或长椭圆形，长 3 ~ 3.6 cm，宽 1 ~ 2 cm，先端渐尖、锐尖或短尖，基部楔形，两面被芳香腺体（鲜叶腺体凸起，干叶腺体凹陷），叶缘稍背卷，具钩状细齿和疏缘毛；托叶披针形或钻形，早脱落。总状花序腋生，花排列紧密，长圆形和椭圆形；花序轴具沟棱，被褐色鳞片状腺体；苞片披针形，有白色缘毛；花萼长 4 ~ 7 mm，被腺体或柔毛，具 5 裂齿，裂齿披针形；花冠淡紫色或白色；子房被腺毛，胚珠 1 ~ 2。荚果椭圆形或卵圆形，向一侧缢缩，长 1 ~ 1.7 cm，宽 0.5 ~ 1 cm，具带钩的硬刺，刺成熟后开裂；种子 2。

生境分布

生于盐渍化草甸、碱性沙地、台田边缘、排碱沟旁、盐渍化撂荒地等。新疆石河子市等有栽培。

| 资源情况 | 野生资源一般，栽培资源较一般。药材来源于栽培。

| 采收加工 | 春、秋季采挖，除去杂质，洗净，润透，切厚片，干燥。

| 功能主治 | 甘，平。祛痰止咳，清热解毒，调和诸药。用于气管炎，肺气肿引起的咳嗽痰多，气喘，黏痰不易排出，咽喉肿痛等。

| 用法用量 | 根，外用适量，煎汤熏洗。

甘草

Glycyrrhiza uralensis Fisch.

| 药 材 名 | 甘草（药用部位：根及根茎）。

| 形态特征 | 多年生草本。高40～120 cm。根和根茎粗壮，外皮褐色，里面淡黄色，味甜。茎直立，多分枝，密被鳞片状腺点。奇数羽状复叶，小叶5～17，卵形、长卵形或近圆形，长1.5～5.5 cm，宽0.8～3 cm，先端钝，具芒尖，基部圆形，两面被短柔毛及黄褐色腺点；叶全缘，稍背卷；托叶三角状披针形。总状花序腋生，具排列紧密的小花，呈头状，长为叶的1/3～1/2，密被腺点及短茸毛；苞片长圆状披针形，外面被黄色腺点和短柔毛，膜质；小花大，长1～2.5 cm；花萼钟状，具5裂齿，上2齿短于其他齿，萼筒稍膨胀；花冠紫色、白色或黄色；子房密被刺毛状腺体，胚珠8～11。果穗球状；荚果弯曲，呈镰状

或环状；种子间凹凸折叠，表面被褐色腺体或硬刺，有的疏被纤毛；种子 3 ~ 11，圆形或肾形，暗绿色。

| 生境分布 | 生于海拔 400 ~ 2 300 m 的山坡灌丛、山谷溪边、河滩草地、绿洲林下、垦区农田、荒地、渠道边。新疆各地均有分布。新疆各地均有栽培。

| 资源情况 | 野生资源一般，栽培资源较一般。药材来源于野生和栽培。

| 采收加工 | 春季或秋季采挖，抖去泥土，去掉芦头、须根、侧根，捋直后自然干燥。

| 功能主治 | 甘，平。祛痰止咳，清热解毒，调和诸药。用于气管炎，肺气肿引起的咳嗽痰多，气喘，黏痰不易排出，咽喉肿痛等。

| 用法用量 | 内服煎汤，2 ~ 6 g。外用适量，煎汤洗；或研末敷。

豆科 Fabaceae 岩黄芪属 Hedysarum

费尔干岩黄芪 *Hedysarum ferganense* Korsh.

| **药 材 名** | 红芪（药用部位：根）。

| **形态特征** | 多年生草本。高 8 ~ 15 cm。根粗壮，强烈木质化。茎缩短，不明显，被灰白色短柔毛，基部通常围以残存叶柄。叶簇生，长 5 ~ 10 cm；托叶三角状披针形，棕褐色，干膜质，长 4 ~ 6 mm，外被灰白色短柔毛；叶片与叶柄近等长，卵状长圆形或长椭圆形，长 6 ~ 8 mm，宽 2 ~ 4 mm，先端圆形，基部圆楔形，上面被疏柔毛，下面密被伏贴柔毛；叶轴被短柔毛。总状花序腋生，长卵形或近头状，具 8 ~ 20花，花序轴和总花梗被短柔毛；苞片披针形，棕褐色，长为花梗的 2 ~ 3 倍，外被短柔毛；花萼短钟状，长 7 ~ 8 mm，萼筒被疏柔毛，萼齿披针状钻形，长为萼筒的 2 ~ 2.5 倍，内、外皆被短柔毛；花冠

玫瑰紫色；子房线形，初花时无毛，花后期逐渐被短柔毛。荚果 2 ~ 3 节，节荚近圆形，直径约 3 mm，两侧膨胀，被短柔毛，无刺或被乳突状的刺。花期 6 ~ 7 月，果期 8 ~ 9 月。

| 生境分布 | 生于沿河或古河道沙地、向阳草地及山坡。分布于新疆察布查尔锡伯自治县等。

| 资源情况 | 野生资源一般，栽培资源较少。药材来源于野生。

| 采收加工 | 春、秋季采挖，除去须根和根头，晒干。

| 功能主治 | 甘，微温。补气固表，利尿，托毒排脓，生肌。用于心悸气短，乏力，虚脱，自汗盗汗，体虚水肿，慢性肾小球肾炎，久泻，脱肛，子宫脱垂，痈疽难溃，疮口不愈合。

| 用法用量 | 内服煎汤，6 ~ 15 g，大剂量可用至 30 g。

豆科 Fabaceae 岩黄芪属 *Hedysarum*

乌恰岩黄芪

Hedysarum flavescens Regel & Schmalh. ex B. Fedtsch.

| 药 材 名 | 红芪（药用部位：根）。

| 形态特征 | 多年生草本。高 30 ~ 40 cm。根直径 10 ~ 15 mm；根颈向上分枝而形成多数地上茎。茎直立，具细条纹和向上贴伏的柔毛，通常有 1 ~ 2 分枝。叶长 10 ~ 15 cm；托叶披针形，棕褐色，干膜质，长 10 ~ 12 mm，下部合生，半抱茎，被伏贴的柔毛或几无毛；小叶 9 ~ 13，卵状椭圆形或卵圆形，长 10 ~ 18 mm，宽 8 ~ 13 mm，先端圆，具长约 1 mm 的硬尖头，基部钝圆，上面无毛，下面被贴伏柔毛。总状花序腋生，长 10 ~ 20 cm，明显长于叶，花序轴被短柔毛；花多数，外展，疏散排列，长 16 ~ 18 mm，具长 3 ~ 5 mm 的花梗；苞片披针形，长 3 ~ 4 mm，稍短于花梗，宽 0.7 ~ 1 mm，易脱落，

几无毛；花萼短钟状，长 3.5 ~ 5 mm，萼筒长 2 ~ 2.5 mm，外被短柔毛，萼齿钻形，长 1 ~ 2 mm，基部宽三角状，稍短于萼筒；花冠淡黄色；子房线形，被贴伏短柔毛。花期 6 ~ 7 月，果期 7 ~ 8 月。

| 生境分布 |　生于沙砾质河滩。分布于新疆乌恰县、和静县等。新疆乌恰县有栽培。

| 资源情况 |　野生资源一般，栽培资源一般。药材来源于野生。

| 采收加工 |　秋季采挖，洗净，切去根头部及支根，晒干。

| 功能主治 |　甘，微温。补气固表，利尿，托毒排脓，生肌。用于心悸气短，乏力，虚脱，自汗盗汗，体虚水肿，慢性肾小球肾炎，久泻，脱肛，子宫脱垂，痈疽难溃，疮口不愈合。

| 用法用量 |　内服煎汤，6 ~ 15 g，大剂量可用至 30 g。

豆科 Fabaceae 岩黄芪属 Hedysarum

华北岩黄芪 *Hedysarum gemelinii* Ldb.

| 药 材 名 | 红芪（药用部位：根）。

| 形态特征 | 多年生草本。高 20 ~ 30 cm。根木质化，直径达 1 cm；根颈向上多分枝。茎 2 ~ 3 节，基部仰卧，具棱状细条纹，被贴伏或开展的短柔毛。总状花序腋生，明显长于叶，总花梗和花序轴被短柔毛；花 10 ~ 25，长 18 ~ 20 mm，具短花梗；苞片披针形，棕褐色，长 2 ~ 3 mm，外被短柔毛；萼钟状，长 7 ~ 10 mm，被贴伏或开展的柔毛，萼齿钻状披针形，长为萼筒的 1.5 ~ 2.5 倍；花冠玫瑰紫色，旗瓣倒卵形，长 15 ~ 17 mm，先端钝圆或微凹，翼瓣线形，长为旗瓣的 2/3 或 3/4，龙骨瓣等于或稍短于旗瓣；子房线形，被短柔毛，缝线被毛较密。

| 生境分布 | 生于干旱草原。分布于新疆沙湾市、吉木乃县等。

| 资源情况 | 野生资源一般，栽培资源稀少。药材来源于野生。

| 采收加工 | 秋季采挖，洗净，切去根头部及支根，晒干。

| 功能主治 | 甘，微温。补气固表，利尿，托毒排脓，生肌。用于心悸气短，乏力，虚脱，自汗盗汗，体虚水肿，慢性肾小球肾炎，久泻，脱肛，子宫脱垂，痈疽难溃，疮口不愈合。

| 用法用量 | 内服煎汤，6 ~ 15 g，大剂量可用至 30 g。

豆科 Fabaceae 岩黄芪属 *Hedysarum*

克氏岩黄芪 *Hedysarum krylovii* Sumn.

| 药 材 名 | 红芪（药用部位：根）。

| 形态特征 | 多年生草本。高 15 ~ 25（~ 40）cm。根木质化，直径 5 ~ 10 mm；根颈向上分枝。茎不明显，仰卧，长 1 ~ 2 cm，被贴伏的短柔毛。叶簇生，长 10 ~ 20 cm；托叶长卵形，淡棕色或近白色，长 6 ~ 10 mm，具棕色脉纹，合生至中部以上，半抱茎，外被贴伏的短柔毛；总叶柄与叶轴近等长；小叶 11 ~ 15；小叶柄长约 1 mm；小叶片狭长卵形或披针状椭圆形，长 10 ~ 18 mm，宽 3 ~ 7 mm，先端钝圆或尖，基部楔形，两面被贴伏短柔毛。总状花序腋生；总花梗和花序轴被贴伏的短柔毛；苞片狭披针形，长 3 ~ 5 mm，宽 1 ~ 1.2 mm，比花梗长近 1 倍，外被柔毛；花萼钟状，长 7 ~ 10 mm，

被长柔毛，萼筒长 2 ~ 2.5 mm，萼齿狭披针形，近等长，比萼筒长 3 ~ 4 倍，先端延伸成芒状；花冠玫瑰紫色；子房线形，扁平无毛。幼果 2 ~ 3 节，密被鳞片状长椭圆形毛。花期 6 ~ 7 月，果期 7 ~ 8 月。

| 生境分布 | 生于海拔 1 200 ~ 1 900 m 的山地森林阳坡或森林草原的砾石质山坡。分布于新疆阿勒泰市、哈巴河县、塔城市、精河县、博乐市、温泉县等。

| 资源情况 | 野生资源一般，栽培资源一般。药材来源于野生。

| 采收加工 | 秋季采挖。

| 功能主治 | 甘，微温。补气固表，利尿，托毒排脓，生肌。用于心悸气短，乏力，虚脱，自汗盗汗，体虚水肿，慢性肾小球肾炎，久泻，脱肛，子宫脱垂，痈疽难溃，疮口不愈合。

| 用法用量 | 内服煎汤，6 ~ 15 g，大剂量可用至 30 g。

豆科 Fabaceae 岩黄芪属 *Hedysarum*

红花羊柴 *Hedysarum multijugum* Maxim.

| 药材名 | 红芪（药用部位：根）。

| 形态特征 | 半灌木或仅基部木质化而呈草本状。高 40 ~ 80 cm。茎直立，多分枝，具细条纹，密被灰白色短柔毛。叶长 6 ~ 18 cm；托叶卵状披针形，棕褐色，干膜质，长 4 ~ 6 mm，基部合生，外被短柔毛；叶轴被灰白色短柔毛；小叶通常 15 ~ 29，具长约 1 mm 的短柄；小叶片阔卵形或卵圆形，长 5 ~ 8（~ 15）mm，宽 3 ~ 5（~ 8）mm，先端钝圆或微凹，基部圆形或圆楔形，上面无毛，下面被贴伏短柔毛。总状花序腋生，花序轴长 2 ~ 8 cm，被短柔毛；花 9 ~ 25，长 16 ~ 21 mm，果期下垂；苞片钻状，长 1 ~ 2 mm；花萼斜钟状，长 5 ~ 6 mm，萼齿钻状或锐尖，长 1 ~ 1.5 mm，萼齿长为萼筒的

1/5 ~ 1/4；花冠紫红色或玫瑰红色；子房线形，被短柔毛。荚果 2 ~ 3 节。花期 6 ~ 8 月，果期 8 ~ 9 月。

| 生境分布 | 生于海拔 1 000 ~ 2 800 m 的荒漠地区的砾石质洪积扇、河滩、河谷和砾石质山坡。分布于新疆民丰县、若羌县等。

| 资源情况 | 野生资源一般，栽培资源稀少。药材来源于野生。

| 采收加工 | 秋末采挖，除去根头部及支根，晒干。

| 功能主治 | 甘，微温。补气固表，利尿，托毒排脓，生肌敛疮。用于心悸气短，倦怠乏力，自汗盗汗，久泻，脱肛，子宫脱垂，体虚水肿，慢性肾小球肾炎，痈疽难溃或溃久不敛。

| 用法用量 | 内服煎汤，6 ~ 15 g，大剂量可用至 30 g。

豆科 Fabaceae 岩黄芪属 Hedysarum

细枝岩黄芪

Hedysarum scoparium Fisch. et Mey.

| 药 材 名 | 红芪（药用部位：根）。

| 形态特征 | 半灌木。高 80 ~ 300 cm。茎直立，多分枝，茎皮亮黄色，呈纤维状剥落；幼枝绿色或淡黄绿色，被疏长柔毛。托叶卵状披针形，褐色，干膜质，长 5 ~ 6 mm，下部合生，易脱落；茎下部的叶具小叶 7 ~ 11，茎上部的叶通常具小叶 3 ~ 5，最上部叶的叶轴完全无小叶或仅具 1 顶生小叶；小叶片灰绿色，线状长圆形或狭披针形，长 15 ~ 30 mm，宽 3 ~ 6 mm，无柄或近无柄，先端锐尖，具短尖头，基部楔形，表面被短柔毛或无毛，背面被较密的长柔毛。总状花序腋生，具少数花，长 15 ~ 20 mm，外展或平展，疏散排列；苞片卵形，长 1 ~ 1.5 mm；花梗长 2 ~ 3 mm；花萼钟状，长 5 ~ 6 mm，

被短柔毛，萼齿长为萼筒的 2/3，上萼齿宽三角形，稍短于下萼齿；花冠紫红色；子房线形，被短柔毛。荚果 2 ～ 4 节。花期 6 ～ 9 月，果期 8 ～ 10 月。

| **生境分布** | 生于海拔 450 ～ 1 000 m 的半荒漠的沙丘、沙地或沙漠前山冲沟中的沙地。分布于新疆青河县、哈巴河县、吉木乃县、伊吾县等。

| **资源情况** | 野生资源一般，栽培资源稀少。药材来源于野生。

| **采收加工** | 秋季采挖，洗净，切去根头部及支根，晒干。

| **功能主治** | 甘，微温。补气固表，利尿，托毒排脓，生肌。用于心悸气短，乏力，虚脱，自汗盗汗，体虚水肿，慢性肾小球肾炎，久泻，脱肛，子宫脱垂，痈疽难溃，疮口不愈合。

| **用法用量** | 内服煎汤，6 ～ 15 g，大剂量可用至 30 g。

豆科 Fabaceae 岩黄芪属 Hedysarum

天山岩黄芪

Hedysarum semenovii Regel & Herder

| **药 材 名** | 红芪（药用部位：根）。

| **形态特征** | 多年生草本。高 40 ~ 60 cm。根为直根，稍木质化，直径 5 ~ 12 mm。茎直立，多数，中空，具细条纹，无毛或被星散柔毛，具开展的分枝。叶长 10 ~ 15 cm；托叶披针形，长 10 ~ 15 mm，褐色，干膜质；叶轴被柔毛；小叶 9 ~ 15，具短柄；小叶片卵形至椭圆形，长 25 ~ 35 mm，宽 15 ~ 22 mm，先端钝圆，具短尖头，基部圆形或圆楔形，上面无毛，下面被贴伏短柔毛。总状花序腋生，长 12 ~ 20 cm，花序轴和总花梗被短柔毛；花 10 ~ 30，长 16 ~ 18 mm；苞片狭披针形，稍短于花梗，边缘白色且透明；花萼钟状，长约 5 mm，萼筒几无毛或仅基部被柔毛，萼齿钻形，内、外

皆被柔毛，下萼齿比上萼齿长约 1 倍，齿间具宽凹陷；花冠淡黄色；子房线形，初花时无毛，后逐渐被贴伏柔毛。荚果 3 ~ 4 节。花期 7 ~ 8 月，果期 8 ~ 9 月。

| 生境分布 | 生于海拔 1 200 ~ 3 400 m 的山地林缘、石质陡坡、灌丛、草原、沙砾地、河滩、河谷。分布于新疆伊犁哈萨克自治州及阿勒泰市、哈巴河县、塔城市、精河县、博乐市等。新疆阿勒泰地区有栽培。

| 资源情况 | 野生资源一般，栽培资源稀少。药材来源于野生。

| 采收加工 | 秋季采挖，洗净，切去根头部及支根，晒干。

| 功能主治 | 甘，微温。补气固表，利尿，托毒排脓，生肌。用于心悸气短，乏力，虚脱，自汗盗汗，体虚水肿，慢性肾小球肾炎，久泻，脱肛，子宫脱垂，痈疽难溃，疮口不愈合。

| 用法用量 | 内服煎汤，6 ~ 15 g，大剂量可用至 30 g。

豆科 Fabaceae 岩黄芪属 Hedysarum

刚毛岩黄芪
Hedysarum setosum Ved.

| 药 材 名 | 红芪（药用部位：根）。

| 形态特征 | 多年生草本。高约20 cm。根粗壮，强烈木质化；根颈向上分枝，形成多数地上茎。茎长1～2 cm。叶簇生状，仰卧或上升，长6～10 cm；叶柄等长于或稍短于叶片，被灰白色长柔毛；托叶三角状，棕褐色，干膜质，长8～10 mm，合生至中部以上；小叶9～13，具不明显小叶柄；小叶片卵形或卵状椭圆形，长6～9 mm，宽3～15 mm，先端急尖，基部楔形，上面被疏柔毛，下面被密集的灰白色贴伏柔毛。总状花序腋生，其长度超出叶近1倍，总花梗长为花序的2～4倍，被灰白色向上贴伏的柔毛，花序阔卵形，长3～4 cm；花长16～19 mm；苞片棕褐色，披针形，与花萼近等长，

外被长柔毛；花萼针状，长 8 ~ 10 mm，外被绢毛，萼齿狭披针状钻形，长为萼筒的 2 ~ 2.5 倍；花冠玫瑰紫色。花期 7 ~ 8 月，果期 8 ~ 9 月。

| **生境分布** | 生于亚高山或高山草原、高山阳坡和高寒草甸。分布于新疆和静县、乌恰县等。

| **资源情况** | 野生资源一般。药材来源于野生。

| **采收加工** | 秋季采挖，洗净，切去根头部及支根，晒干。

| **功能主治** | 甘，微温。补气固表，利尿，托毒排脓，生肌。用于心悸气短，乏力，虚脱，自汗盗汗，体虚水肿，慢性肾小球肾炎，久泻，脱肛，子宫脱垂，痈疽难溃，疮口不愈合。

| **用法用量** | 内服煎汤，6 ~ 15 g，大剂量可用至 30 g。

豆科 Fabaceae 岩黄芪属 Hedysarum

准噶尔岩黄芪
Hedysarum songaricum Bong.

| 药 材 名 | 红芪（药用部位：根）。

| 形态特征 | 多年生草本。高 30 ~ 60 cm。根木质化，根颈多分枝。茎基部仰卧，被稀疏的贴伏短柔毛。托叶三角状披针形，棕褐色，干膜质，基部合生；叶轴被短柔毛；小叶 9 ~ 17，狭椭圆形或披针形，长 10 ~ 25 mm，宽 3 ~ 5 mm，先端急尖，有时具短尖头，基部圆楔形，上面无毛，下面被疏柔毛。总状花序腋生，明显高于叶，斜上升，初花时紧密排列成穗状或长圆形，花后期花序明显延伸；花疏散排列，多数，长 11 ~ 13 mm，具长约 2 mm 的花梗；苞片披针形，长为花梗的 1 ~ 2 倍；花萼钟状，被短柔毛，萼筒长 2 ~ 2.5 mm，萼齿披针状钻形，长为萼筒的 2 ~ 3 倍，下面 3 萼齿披针形；花冠玫瑰紫色，

旗瓣倒卵形；子房线形，被短柔毛。荚果 2 ~ 3 节。花期 6 ~ 7 月，果期 7 ~ 8 月。

| 生境分布 | 生于前山和中山带草原、灌丛、旱坡和沙质干河滩。分布于新疆阿勒泰地区、塔城地区、伊犁哈萨克自治州等。

| 资源情况 | 野生资源一般。药材来源于野生。

| 采收加工 | 秋季采挖，除净泥土，切去根头部及支根，晒干，打捆，或晒至六七成干时捆成小捆，再晒干。

| 功能主治 | 甘，微温。补气固表，利尿，托毒排脓，生肌。用于心悸气短，乏力，虚脱，自汗盗汗，体虚水肿，慢性肾小球肾炎，久泻，脱肛，子宫脱垂，痈疽难溃，疮口不愈合。

| 用法用量 | 内服煎汤，6 ~ 15 g，大剂量可用至 30 g。

豆科 Fabaceae 扁豆属 Lablab

扁豆
Lablab purpureus (L.) Sweet

| 药 材 名 | 扁豆（药用部位：种子）。

| 形态特征 | 多年生缠绕藤本。全株几无毛。茎长可达 6 m，常呈淡紫色。羽状复叶具小叶 3；托叶基着，披针形；小托叶线形，长 3 ~ 4 mm；小叶宽三角状卵形，长 6 ~ 10 cm，宽与长约相等，侧生小叶两边不等大，偏斜，先端急尖或渐尖，基部近截平。总状花序直立，长 15 ~ 25 cm，花序轴粗壮，总花梗长 8 ~ 14 cm；小苞片 2，近圆形，长 3 mm，脱落；花 2 至多朵簇生于每一节上；花萼钟形，长约 6 mm，上方 2 裂齿几完全合生，下方 3 裂齿近相等；花冠白色或紫色；子房线形，无毛。荚果长圆状镰形，长 5 ~ 7 cm，近先端最阔，宽 1.4 ~ 1.8 cm，扁平；种子 3 ~ 5。花果期 5 ~ 9 月。

| **生境分布** | 生于路边、房前屋后、沟边等。新疆各地均有分布。新疆新源县有栽培。

| **资源情况** | 野生资源较丰富，栽培资源一般。药材来源于野生和栽培。

| **采收加工** | 秋、冬季采收成熟果实，晒干，取出种子，再晒干。

| **功能主治** | 甘，微温。健脾化湿，和中消暑。用于脾胃虚弱，食欲不振，大便溏泻，白带过多，暑湿吐泻，胸闷腹胀。

| **用法用量** | 内服煎汤，10 ~ 30 g。

豆科 Fabaceae 山黧豆属 *Lathyrus*

新疆山黧豆 *Lathyrus gmelinii* (Fisch.) Fritsch

| 药 材 名 |

香豌豆（药用部位：种子）。

| 形态特征 |

多年生草本。具块根，高 60 ~ 150 cm。茎直立，圆柱状，具纵沟，无毛。托叶半箭形，长 1.5 ~ 3 cm，宽 4 ~ 10 cm，下部裂片具齿，上部裂片较狭；叶轴末端具针刺；小叶 3 ~ 4 对，卵形、长卵形、椭圆形、长椭圆形或披针形，长 3 ~ 6 (~ 9) cm，宽 1 ~ 5 cm，先端急尖至渐尖，基部宽楔形，上面绿色，下面苍白色，两面无毛，具羽状脉。腋生总状花序长于叶，有花 7 ~ 12，无毛；花梗长 3 ~ 5 mm；花萼钟状，无毛，长 1 cm，萼齿长度不等，最下面 1 萼齿长 2 mm；花杏黄色，长 2.5 ~ 3 cm；子房线形，长 1.8 cm，宽 1.5 mm，无毛。荚果线形，棕褐色，长 6 ~ 8 cm，宽 6 ~ 10 mm；种子平滑，淡棕色，直径 2 ~ 3 mm，种脐长约为种子周长的 1/4。花期 5 ~ 7 月，果期 7 ~ 8 月。

| 生境分布 |

生于海拔 1 200 ~ 2 350 m 的林下、山地、溪边阴湿处。分布于新疆阿勒泰市、富蕴县、哈巴河县、额敏县、塔城市、裕民县、托里县、尼勒克县、新源县、巩留县、特克斯县、昭苏县、和静县等。

| 资源情况 | 野生资源较丰富。药材来源于野生。

| 采收加工 | 秋季果实成熟后采收，晒干。

| 功能主治 | 辛，温。活血破瘀，疏肝理气，调经止痛。用于风寒湿痹，外伤，妇科疾病等。

| 用法用量 | 内服煎汤，6 ~ 15 g。

豆科 Fabaceae 山黧豆属 Lathyrus

矮山黧豆 *Lathyrus humilis* (Ser.) Spreng.

| 药 材 名 |

香豌豆（药用部位：种子）。

| 形态特征 |

多年生草本。高 20 ～ 30 cm。根茎纤细，通常直径 1 ～ 1.5 mm，横走。茎直立，稍分枝，被微柔毛。托叶半箭形，通常长 10 ～ 16 mm，下缘常具齿；叶轴末端具单一或稍分枝的卷须；小叶 3 ～ 4 对，卵形或椭圆形，长 1.5 ～ 3.5 cm，宽 0.7 ～ 2.5 cm，先端通常钝，具细尖头，基部圆形或楔形，全缘，上面绿色，无毛，下面苍白色，被微柔毛或无毛，具羽状脉。总状花序腋生，具 2 ～ 4 花；花萼钟状；花紫红色，长 1.5 ～ 1.9 mm；子房线形，无毛。荚果线形。花期 5 ～ 7 月，果期 8 ～ 9 月。

| 生境分布 |

生于海拔 1 200 ～ 2 500 m 的山地草甸、林缘、灌丛、草原、河谷等。分布于新疆阿勒泰市、富蕴县、福海县、布尔津县、哈巴河县、额敏县、裕民县等。

| 资源情况 |

野生资源一般，栽培资源稀少。药材来源于

野生。

| **采收加工** | 秋季采收。

| **功能主治** | 辛，温。祛风除湿，活血止痛，温中散寒，解表散寒。用于风寒湿痹，关节游走性疼痛，腰膝疼痛，牙痛，胃寒呕吐，跌打损伤等。

| **用法用量** | 内服煎汤，3 ~ 10 g。

豆科 Fabaceae 山黧豆属 *Lathyrus*

大托叶山黧豆 *Lathyrus pisiformis* L.

| 药 材 名 | 香豌豆（药用部位：种子）。

| 形态特征 | 多年生草本。高可达 2 m，具块根。茎直立，具翅及明显的纵沟，无毛。托叶很大，卵形或椭圆形，长 3.5 ~ 6.5 cm，宽 2.2 ~ 2.7 cm，无毛，下部有时具圆齿；叶轴末端具分枝的卷须；小叶 3 对，狭卵形、狭椭圆形、卵状披针形或椭圆状披针形，长 5.5 ~ 9 cm，宽 2 ~ 3.2 cm，先端圆形或微下凹，具细尖，基部圆形或宽楔形，上面绿色，下面灰色，两面无毛，具近平行脉。总状花序腋生，有花 8 ~ 14；花梗长约 1.5 mm；花萼长 12 mm，萼筒长 5 mm，最下面 1 萼齿椭圆状线形，长 7 mm，上面 2 萼齿三角形，长约 1.5 mm；花红紫色；子房线形，无毛。荚果深棕色；种子扁圆形。花期 5 ~ 6 月。

| 生境分布 | 生于海拔 1 100 ～ 1 500 m 的林下、灌丛、山地草甸、河谷及阴湿山沟。分布于新疆阿勒泰市、哈巴河县、塔城市、额敏县、裕民县、霍城县等。

| 资源情况 | 野生资源较丰富。药材来源于野生。

| 采收加工 | 秋季采收。

| 功能主治 | 辛，温。祛风除湿，活血止痛，温中散寒，解表散寒。用于风寒湿痹，关节游走性疼痛，腰膝疼痛，牙痛，外伤疼痛等。

| 用法用量 | 内服煎汤，15 ～ 30 g。

豆科 Fabaceae 山黧豆属 Lathyrus

牧地山黧豆 *Lathyrus pratensis* L.

| 药 材 名 |

香豌豆（药用部位：种子）。

| 形态特征 |

全体被白色粗毛。茎攀缘，有翅。羽状复叶互生；叶轴有翅；基部 1 对小叶正常，卵圆形，叶背微被白粉，而顶部小叶变为三叉状卷须；托叶披针形。总状花序腋生；花梗长 15 ~ 20 cm；花 2 ~ 5，高于叶，芳香；花冠蝶形，旗瓣宽大；花萼基部连合成钟状，先端 5 裂，各裂均为披针形；雄蕊 9 合 1 离。荚果椭圆形，被粗毛；种子圆形，褐色。

| 生境分布 |

生于冬暖夏凉、阳光充足、空气潮湿处。分布于新疆阿勒泰市、奇台县、伊宁市、塔城市、哈巴河县等。

| 资源情况 |

野生资源一般，栽培资源稀少。药材来源于野生。

| 采收加工 |

秋季采收。

| **功能主治** | 辛，温。祛风除湿，活血止痛，温中散寒，解表散寒。用于风寒湿痹，关节游走性疼痛，腰膝疼痛，牙痛，外伤疼痛等。 |

| **用法用量** | 内服煎汤，15 ～ 30 g。 |

豆科 Fabaceae 百脉根属 Lotus

百脉根 *Lotus corniculatus* L.

| 药 材 名 | 百脉根（药用部位：根）。

| 形态特征 | 多年生草本。高 15 ~ 50 cm，全株散生稀疏白色柔毛或秃净。具主根。茎丛生，平卧或上升，实心，近四棱形。羽状复叶具小叶 5；叶轴长 4 ~ 8 mm，疏被柔毛，先端 3 小叶，基部 2 小叶，基部小叶呈托叶状，纸质，斜卵形至倒披针状卵形，长 5 ~ 15 mm，宽 4 ~ 8 mm，密被黄色长柔毛。伞形花序，总花梗长 3 ~ 10 cm；3 ~ 7 花集生于总花梗先端，花长 7 ~ 15 mm；花梗短，基部有苞片 3；苞片叶状；花萼钟形，长 5 ~ 7 mm，宽 2 ~ 3 mm，无毛或稀被柔毛；花冠黄色或金黄色；子房线形，无毛，胚珠 35 ~ 40。荚果线状圆柱形。花期 5 ~ 9 月，果期 7 ~ 10 月。

| 生境分布 | 生于潮湿的沼泽地边缘或湖边草地。新疆各地均有分布。 |

| 资源情况 | 野生资源一般,栽培资源稀少。药材来源于野生。 |

| 采收加工 | 秋季采收。 |

| 功能主治 | 甘,苦,微寒。补虚,清热,止渴。用于虚劳,阴虚发热,口渴。 |

| 用法用量 | 内服煎汤,9 ~ 18 g;或浸酒;或入丸、散剂。 |

豆科 Fabaceae 百脉根属 Lotus

细叶百脉根 *Lotus tenuis* Waldst. & Kit. ex Willd.

药材名

百脉根（药用部位：根）。

形态特征

多年生草本。高 20 ~ 100 cm，无毛或微被疏柔毛。茎细柔而直立，节间较长，中空。羽状复叶具小叶 5；叶轴长 23 mm；小叶线形至长圆状线形，长 12 ~ 25 mm，宽 2 ~ 4 mm。伞形花序，总花梗纤细，长 3 ~ 8 cm；花 1 ~ 5，顶生，长 8 ~ 13 mm；苞片 1 ~ 3，叶状，比花萼长 1.5 ~ 2 倍；花梗短；花萼钟形，长 5 ~ 6 mm，宽 3 mm，几无毛，萼齿狭三角形；花冠黄色，具红脉纹，旗瓣圆形；雄蕊二体，上方离生 1 较短雄蕊，其余 9 雄蕊 5 长 4 短；花柱直，无毛，直角上指；子房线形，胚珠多数。荚果直，圆柱形；种子球形。花期 5 ~ 8 月，果期 7 ~ 9 月。

生境分布

生于潮湿的沼泽地边缘或湖边草地。新疆各地均有分布。

| **资源情况** | 野生资源一般，栽培资源稀少。药材来源于野生。

| **采收加工** | 秋季采收。

| **功能主治** | 甘、苦，微寒。补虚，清热，止渴。用于虚劳，阴虚发热，口渴。

| **用法用量** | 内服煎汤，9～18 g；或浸酒；或入丸、散剂。

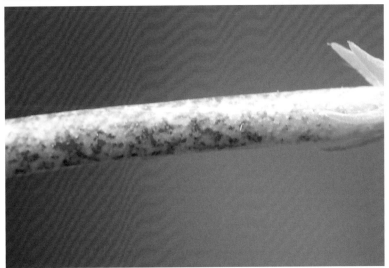

豆科 Fabaceae 苜蓿属 Medicago

镰荚苜蓿 *Medicago falcata* L.

| 药 材 名 | 苜蓿（药用部位：地上部分）。

| 形 态 特 征 | 多年生草本。高（20～）40～100（～120）cm。主根粗壮，木质，须根发达。茎平卧或上升，圆柱形，多分枝。羽状三出复叶；托叶披针形至线状披针形，先端长渐尖，基部戟形，全缘或稍具锯齿，脉纹明显；叶柄细，比小叶短；小叶倒卵形至线状倒披针形，长（5～）8～15（～20）mm，宽（1～）2～5（～10）mm，先端近圆形，具刺尖，基部楔形，无毛，下面被贴伏毛，侧脉12～15对，不分叉，顶生小叶稍大。花序短总状，长1～2(～4)cm，具花6～20(～25)；总花梗腋生，挺直；苞片针刺状，长约1 mm；花长6～9(～11)mm；花梗长2～3 mm，被毛；花萼钟形，被贴伏毛，萼齿线状锥形；花

冠黄色；子房线形，被柔毛。荚果镰形；种子 2 ~ 4。花期 6 ~ 8 月，果期 7 ~ 9 月。

| 生境分布 | 生于牧区较干燥的山坡及草坝。分布于新疆伊犁哈萨克自治州及阿勒泰市等。

| 资源情况 | 野生资源一般，栽培资源稀少。药材来源于野生。

| 采收加工 | 夏、秋季采收，鲜用或晒干。

| 功能主治 | 微苦，微寒。清热消炎，强心利尿。用于肺炎咳嗽，胃热烦闷，不欲饮食，湿热所致的小便不利，石淋，湿热发黄；外用于擦伤。

| 用法用量 | 内服捣汁，鲜品 150 ~ 250 g；或干品研末；或煎汤，10 ~ 15 g。外用适量，捣敷。

豆科 Fabaceae | 苜蓿属 Medicago

天蓝苜蓿

Medicago lupulina L.

| 药 材 名 | 苜蓿（药用部位：全草）。

| 形态特征 | 一年生草本。高 20 ～ 50 cm。茎多分枝，细弱，直立或斜升，无毛或被柔毛、腺毛。羽状三出复叶；小叶片倒卵形、圆形或椭圆形，长 5 ～ 15 mm，宽 5 ～ 10 mm，先端多截平或微凹，基部楔形，上部边缘具齿，两面均被白色柔毛；叶柄长 3 ～ 6 mm，被毛；托叶卵形至披针形，长 5 ～ 8 mm，宽 2 ～ 5 mm，先端锐尖，被柔毛，基部具 1 ～ 2 三角形宽齿。总状花序腋生，10 ～ 25 花聚集成紧密的头状，花序梗长 1 ～ 3 cm；花萼钟状，长约 2 mm，被柔毛；子房无毛，花柱针形。荚果弯曲，呈肾形；种子 1，肾形。花果期 6 ～ 8 月。

| 生境分布 | 生于草甸草原、平原绿洲、河谷草甸、农田边缘、撂荒地、弃耕地、

盐碱地和低湿地。分布于新疆乌鲁木齐县，以及阿勒泰地区、伊犁哈萨克自治州和昌吉回族自治州等。

| 资源情况 | 野生资源一般，栽培资源一般。药材来源于野生和栽培。

| 采收加工 | 夏、秋季采收，鲜用或晒干。

| 功能主治 | 微苦，微寒。清热消炎，强心利尿。用于肺炎咳嗽，胃热烦闷，不欲饮食，湿热所致的小便不利，石淋，湿热发黄；外用于擦伤。

| 用法用量 | 内服捣汁，鲜品150～250 g；或干品研末；或煎汤，10～15 g。外用适量，捣敷。

豆科 Fabaceae 苜蓿属 Medicago

弯果葫芦巴

Medicago medicaginoides (Retz.) E. Small

| 药 材 名 | 芦巴子（药用部位：种子）。

| 形态特征 | 一年生草本。高 10 ~ 30 cm。茎外倾或铺散，疏被伏生柔毛。羽状三出复叶；小叶片倒三角状卵形，长 5 ~ 8 mm，宽 4 ~ 6 mm，中间小叶较大，先端截平或钝圆，基部宽楔形，边缘有锯齿，上面无毛，下面被伏生柔毛；托叶披针形，被柔毛。花序伞状，腋生，花 4 ~ 7，无梗或具很短的梗；花萼钟形，长 3 ~ 4 mm，萼齿锥形，等长或稍长于萼筒；花冠黄色，长 4 ~ 5 mm，旗瓣长倒卵形，长于翼瓣和龙骨瓣，翼瓣具齿。荚果圆柱状线形，镰形弯曲，长 10 ~ 25 mm，宽 1 ~ 1.5 mm，被柔毛，具网状皱纹；种子多数，矩圆状卵形。花果期 5 ~ 6 月。

| **生境分布** | 生于低山、山前荒漠或荒漠草原。分布于新疆乌鲁木齐市、阿勒泰地区、塔城地区、伊犁哈萨克自治州等。新疆乌鲁木齐县，以及阿勒泰地区、伊犁哈萨克自治州等有少量栽培。

| **资源情况** | 野生资源一般，栽培资源一般。药材来源于野生和栽培。

| **采收加工** | 秋季种子成熟后采收全草，打下种子，除净杂质，晒干。

| **功能主治** | 苦，温。强心，降血压，祛痰除湿。用于肾脏虚冷，小腹冷痛，小肠疝气，寒湿脚气。

| **用法用量** | 内服煎汤，3～10 g；或入丸、散剂。

豆科 Fabaceae 苜蓿属 Medicago

直果苜蓿 Medicago orthoceras (Kar. & Kir.) Trautv.

| 药 材 名 | 芦巴子（药用部位：种子）。

| 形态特征 | 一年生草本。高 15 ~ 40 cm。茎平卧或上升，基部分枝，近四棱形，被稀疏散柔毛。羽状三出复叶；托叶半戟形，基部具齿，先端渐尖，全缘，长 5 ~ 6 mm，被毛；叶柄比小叶短；小叶长倒卵形至倒卵状三角形，近等大，长 6 ~ 15 mm，宽 3 ~ 8 mm，先端钝圆至截平，基部楔形，边缘 2/3 以上具尖齿，上面无毛，下面沿中脉被柔毛，侧脉 6 ~ 9 对，在两面均隆起，各侧脉平行且直达齿尖，顶生小叶具较长小叶柄。花序伞形，具花 2 ~ 5，总花梗腋生，被柔毛，挺直；苞片刺毛状，长 1 ~ 1.5 mm；花长 4 ~ 5 mm；花萼筒形，长约 3.5 mm，被毛，萼齿披针形，锥尖，与萼筒近等长；子房线形，被毛。

荚果线状长圆柱形；种子长圆状椭圆形。花期 4 ~ 6 月，果期 5 ~ 7 月。

| **生境分布** | 生于低山、山前荒漠或荒漠草原。分布于新疆阿勒泰地区、塔城地区、伊犁哈萨克自治州等。新疆各地均有栽培。

| **资源情况** | 野生资源一般，栽培资源一般。药材来源于野生和栽培。

| **采收加工** | 荚果成熟后选晴天割取全草，脱粒，晒干。

| **功能主治** | 苦，温。强心，降血压，祛痰除湿。用于肾脏虚冷，小腹冷痛，小肠疝气，寒湿脚气。

| **用法用量** | 内服煎汤，3 ~ 10 g；或入丸、散剂。

豆科 Fabaceae 苜蓿属 *Medicago*

苜蓿
Medicago sativa L.

| 药 材 名 | 苜蓿（药用部位：全草）。

| 形态特征 | 多年生草本。高 30 ~ 100 cm。根粗壮，深入土层；根颈发达。茎丛生，直立或平卧，四棱形，无毛或微被柔毛。羽状三出复叶；托叶大，卵状披针形，先端锐尖，基部全缘或具 1 ~ 2 齿裂，脉纹清晰；叶柄比小叶短；小叶长卵形、倒长卵形至线状卵形。花序总状或头状，长 1 ~ 2.5 cm，具花 5 ~ 30；总花梗挺直，比叶长；苞片线状锥形，比花梗长或与花梗等长；花长 6 ~ 12 mm；花梗短，长约 2 mm；花萼钟形，长 3 ~ 5 mm，萼齿线状锥形，比萼筒长，被贴伏柔毛；花冠颜色多种；子房线形，具柔毛，花柱短阔，上端细而尖，柱头点状，胚珠多数。荚果螺旋状紧卷 2 ~ 6 圈，中央无孔或近无孔，

直径 5 ～ 9 mm，被柔毛或毛渐脱落，脉纹细；种子 10 ～ 20，卵形。花期 5 ～ 7
月，果期 6 ～ 8 月。

| 生境分布 | 生于山地草甸、草甸草原、山地和平原河谷灌丛草甸中。新疆各地均有分布。

| 资源情况 | 野生资源一般，栽培资源较丰富。药材来源于野生和栽培。

| 采收加工 | 春、夏季采收。

| 功能主治 | 微苦，微寒。清热消炎，强心利尿。用于肺炎咳嗽，胃热烦闷，不欲饮食，湿
热所致的小便不利，石淋，湿热发黄；外用于擦伤。

| 用法用量 | 内服捣汁，鲜品 150 ～ 250 g；或干品研末；或煎汤，10 ～ 15 g。外用适量，捣敷。

杂交苜蓿 *Medicago × varia* Martyn

| **药 材 名** | 苜蓿（药用部位：全草）。

| **形态特征** | 多年生草本。高 30 ~ 100 cm。茎直立、斜升或平卧，多分枝。羽状三出复叶；小叶片椭圆形、长倒卵形至线状楔形，先端钝圆，仅上部边缘有锯齿，上面无毛，下面被紧贴的柔毛；托叶披针形或条状披针形，先端渐尖。总状花序腋生，卵形至矩圆形，稠密或疏松；花萼钟形，被毛，萼齿与萼筒近等长；花冠紫色、深紫色、蓝色、淡黄色或杂色（半紫色半黄色、黄色带蓝色、绿色或白色），并在花期内逐渐变化，长 4.5 ~ 10 mm。荚果镰状弯曲至螺旋状盘曲 1 ~ 4 圈，镰状弯曲者长 7 ~ 10 mm，宽 2 ~ 3 mm，螺旋状盘曲者直径 3 ~ 6 mm，成熟后呈黑褐色，疏被毛，内含种子数粒；种子肾形，

黄褐色至深褐色。花果期 6 ～ 9 月。

| **生境分布** | 生于山地的草甸草原、草原、荒漠草原、低地草甸及昆仑山北坡的山前冲积扇和平原河谷。分布于新疆伊犁哈萨克自治州等。新疆阿勒泰地区、伊犁哈萨克自治州、克拉玛依市等有栽培。

| **资源情况** | 野生资源一般，栽培资源一般。药材来源于野生和栽培。

| **采收加工** | 夏、秋季采收，晒干。

| **功能主治** | 微苦，微寒。清热消炎，强心利尿。用于肺炎咳嗽，胃热烦闷，不欲饮食，湿热所致的小便不利，石淋，湿热发黄，外用于擦伤。

| **用法用量** | 内服捣汁，鲜品 150 ～ 250 g；或干品研末；或煎汤，10 ～ 15 g。外用适量，捣敷。

豆科 Fabaceae 草木樨属 Melilotus

白花草木樨 *Melilotus albus* Desr.

| 药 材 名 |

草木樨（药用部位：全草）。

| 形态特征 |

一年生或二年生草本。高可达 2 m。茎圆柱形，中空，直立，多分枝。羽状三出复叶；托叶尖刺状锥形；叶柄比小叶短；小叶片长圆形或倒披针状长圆形，上面无毛，下面被细柔毛，侧脉在两面均不隆起，顶生小叶稍大。总状花序腋生，花排列疏松；苞片线形；花梗短；花萼钟形，萼齿三角状披针形，短于萼筒；花冠白色；子房卵状披针形。荚果椭圆形至长圆形；种子卵形，棕色，表面具细瘤点。5～7 月开花，7～9 月结果。

| 生境分布 |

生于田边、路旁荒地及湿润沙地。分布于新疆呼图壁县、乌鲁木齐市、青河县、托克逊县、霍城县、和田市、察布查尔锡伯自治县、裕民县等。

| 资源情况 |

野生资源一般。药材来源于野生。

| **采收加工** | 夏、秋季采收，洗净，切碎，晒干。

| **功能主治** | 苦，凉。清热祛湿，健胃杀虫。用于脾病，绞肠痧，白喉，乳蛾，暑湿胸闷，口臭，头胀，头痛，疟疾，痢疾。

| **用法用量** | 内服煎汤，18.5 ～ 35 g。

豆科 Fabaceae 草木樨属 Melilotus

细齿草木樨 Melilotus dentatus Prol. Sibiricus O. E. Schulz

| **药 材 名** | 草木樨（药用部位：全草）。

| **形态特征** | 一年生或越冬生草本。株高 50 ~ 100（~ 150）cm。小叶长椭圆形，边缘密布细锯齿。总状花序细长；花长约 3 mm；花冠黄色，旗瓣稍长于翼瓣。荚果近圆形至卵形，长 4 ~ 5 mm，宽 2 ~ 2.5 mm，先端圆，表面具网状细脉纹，腹缝龙骨状增厚，褐色，有种子 1 ~ 2，圆形，直径约 1.5 mm，橄榄绿色。花期 7 ~ 9 月。

| **生境分布** | 生于草地、林缘及盐碱草甸。分布于新疆乌鲁木齐县、阿克陶县、精河县、察布查尔锡伯自治县、拜城县等。

| **资源情况** | 野生资源一般。药材来源于野生。

| **采收加工** | 夏、秋季采收，洗净，切碎，晒干。

| **功能主治** | 苦，凉。清热祛湿，健胃杀虫。用于脾病，绞肠痧，白喉，乳蛾，暑湿胸闷，口臭，头胀，头痛，疟疾，痢疾。

| **用法用量** | 内服煎汤，5 ~ 15 g。

豆科 Fabaceae 草木樨属 Melilotus

草木樨
Melilotus suaveolens Ledeb.

| 药 材 名 |

草木樨（药用部位：全草）。

| 形态特征 |

二年生草本。高 40 ~ 250 cm。茎直立，粗壮，多分枝，具纵棱，微被柔毛。羽状三出复叶；托叶镰状线形；小叶倒卵形、阔卵形、倒披针形至线形，长 15 ~ 25（~ 30）mm，宽 5 ~ 15 mm，先端钝圆或截形，基部阔楔形，边缘具不整齐疏浅齿，上面无毛，粗糙，下面散生短柔毛，侧脉 8 ~ 12 对，各侧脉平行且直达齿尖。总状花序长 6 ~ 15（~ 20）cm，腋生，具花 30 ~ 70，花序轴在花期显著伸展；苞片刺毛状，长约 1 mm；花长 3.5 ~ 7 mm；花梗与苞片等长或较苞片稍长；花萼钟形，长约 2 mm，脉纹 5，甚清晰，萼齿三角状披针形，稍不等长，比萼筒短；花冠黄色；子房卵状披针形，胚珠 4 ~ 8，花柱长于子房。荚果卵形，棕黑色；种子 1 ~ 2，卵形。花期 5 ~ 9 月，果期 6 ~ 10 月。

| 生境分布 |

生于山坡、河岸、路旁、砂质草地及林缘。新疆各地均有栽培。

| **资源情况** | 野生资源一般。药材来源于野生。

| **采收加工** | 夏、秋季采收，洗净，切碎，晒干。

| **功能主治** | 微甘，平。止咳平喘，散结止痛。用于哮喘，支气管炎，肠绞痛，创伤，淋巴结肿痛。

| **用法用量** | 内服煎汤，18.5 ～ 35 g。

豆科 Fabaceae 驴食豆属 Onobrychis

顿河红豆草

Onobrychis tanaitica Fisch. ex Steudel

| 药材名 |

红豆草（药用部位：全草）。

| 形态特征 |

多年生草本。高 40 ~ 60 cm。茎多数，直立，中空，具细棱角，被向上贴伏的短柔毛，有 1 ~ 2 短小分枝。叶长 10 ~ 22 cm，叶轴被短柔毛；托叶三角状卵形，长 6 ~ 8 mm，合生至上部，外被柔毛；小叶 9 ~ 13，无柄，小叶片狭长椭圆形或长圆状线形。总状花序腋生；花序轴与总花梗被向上贴伏的柔毛；花多数，斜上升，长 9 ~ 11 mm，紧密排列成穗状，具长约 1 mm 的短花梗；苞片披针形，长为花梗的 2 倍，背面几无毛，边缘具长睫毛；花萼筒钟状，长 6 ~ 7 mm，被长柔毛，萼齿钻状披针形，长为萼筒的 2 ~ 2.5 倍，边缘具密集长睫毛，下萼齿较短；花冠玫瑰紫色；子房被柔毛。荚果半圆形，被短柔毛和脉纹。花期 6 ~ 7 月，果期 7 ~ 8 月。

| 生境分布 |

生于海拔 1 500 ~ 2 000 m 的山地草甸、灌丛、林间空地和林缘等。分布于新疆乌鲁木齐县、阿勒泰市、富蕴县、布尔津县、吉木乃县、玛纳斯县、石河子市、伊宁市、尼勒

克县、新源县、和静县。新疆乌鲁木齐市及昭苏县、额敏县、和静县等有少量栽培。

| **资源情况** | 野生资源一般。药材来源于野生。

| **采收加工** | 秋季采收。

| **功能主治** | 清热解毒，活血消肿，收敛止血。用于咽喉肿痛，水肿。

豆科 Fabaceae 驴食豆属 *Onobrychis*

驴食豆
Onobrychis viciifolia Scop.

| **药 材 名** | 驴食豆（药用部位：全草）。

| **形态特征** | 多年生草本。高 40 ~ 80 cm。茎直立，中空，被向上贴伏的短柔毛。小叶 13 ~ 19，无小叶柄；小叶片长圆状披针形或披针形，长 20 ~ 30 mm，宽 4 ~ 10 mm，上面无毛，下面被贴伏柔毛。总状花序腋生，明显高于叶；花多数，长 9 ~ 11 mm，具长约 1 mm 的短花梗；花萼钟状，长 6 ~ 8 mm，萼齿披针状钻形，长为萼筒的 2 ~ 2.5 倍，下萼齿较短；花冠玫瑰紫色，旗瓣倒卵形，翼瓣长为旗瓣的 1/4，龙骨瓣与翼瓣约等长；子房密被贴伏柔毛。荚果具 1 节荚；节荚半圆形，上部边缘具或尖或钝的刺。

| **生境分布** | 生于年降水量为 350 ~ 500 mm 的地区或海拔 3 500 m 左右的高寒牧

区。分布于新疆伊犁哈萨克自治州、阿勒泰地区等。

| **资源情况** | 野生资源一般。药材来源于野生。

| **采收加工** | 秋季采收。

| **功能主治** | 凉。清热解毒，活血消肿，收敛止血。

| **用法用量** | 内服适量，煎汤。

豆科 Fabaceae 棘豆属 Oxytropis

鸟状棘豆 *Oxytropis avisoides* P. C. Li

| 药 材 名 | 棘豆（药用部位：全草）。

| 形态特征 | 多年生草本。高 10 ~ 20 cm。茎缩短，丛生。羽状复叶长 3 ~ 7 cm；托叶草质，长约 10 mm，基部与叶柄贴生，彼此分离，分离部分线状披针形，密被开展的白色长柔毛；叶柄与叶轴密被开展的白色长柔毛；小叶 13 ~ 21，长圆形或长圆状披针形，先端尖，基部圆形，两面密被开展的白色长柔毛。6 ~ 10 花组成长圆状总状花序，总花梗比叶长 2 ~ 3 倍，密被开展的白色长柔毛；花长约 9 mm；花萼钟状，长 5 ~ 7 mm，密被黑色或白色长柔毛，萼齿钻形，与萼筒近等长；花冠紫红色；子房密被长柔毛，有长柄。花期 7 月。

| 生境分布 | 生于海拔 4 650 m 的高原草甸。分布于新疆喀什地区等。

| **资源情况** | 野生资源一般，栽培资源稀少。药材来源于野生。

| **采收加工** | 秋季采收。

| **功能主治** | 清热解毒，生肌愈疮，涩脉止血，通便。用于瘟疫，咽喉肿痛；外用于疮疖肿痛。

牻牛儿苗科 Geraniaceae 熏倒牛属 Biebersteinia

高山熏倒牛

Biebersteinia odora Stephan ex Fisch.

| 药 材 名 | 熏倒牛（药用部位：果实）。

| 形态特征 | 多年生草本。高 6 ~ 25 cm，全体被黄色腺毛和糙毛。根强烈木质化，水平或斜生，多分枝。茎单一或分枝平铺于地面成根茎状，上部花葶状，具 1 ~ 2 无柄简化的叶片，基部仰卧，围以棕褐色残存的坚硬叶柄。基生叶狭矩圆形，长 8 ~ 10 cm，宽 1 ~ 2 cm；叶柄等长于或稍短于叶片；托叶披针形，与叶柄合生至上部；叶片羽状全裂，裂片羽状深裂至近基部，小裂片倒长卵形或宽条形，先端被较密的腺毛。花序总状，明显长于叶；总花梗基生，密被腺毛；苞片倒长卵形，长为花梗的一半或稍过之；花梗与花近等长；萼片长卵形，长 6 ~ 8 mm，宽约 3 mm，先端钝圆，边缘具长腺毛；花瓣黄色，

长为萼片的 1.5 倍，先端钝圆或具裂齿，基部圆楔形；雄蕊稍长于萼片，花丝被柔毛；子房被柔毛。花期 7 ~ 8 月，果期 8 ~ 9 月。

| **生境分布** | 生于海拔 2 600 ~ 5 100 m 的高山碎石风化物、冰碛堆积物和潮湿的沙砾山坡上。分布于新疆天山一带及温泉县、博乐市等。

| **资源情况** | 野生资源一般。药材来源于野生。

| **采收加工** | 秋季采收，洗净，晒干或鲜用。

| **功能主治** | 清热镇痉，祛风解毒。用于预防感冒，小儿高热惊厥，腹胀，腹痛。

尖喙牻牛儿苗 *Erodium oxyrhinchum* M. Bieb.

| 药 材 名 | 短嘴老鹳草（药用部位：全草）。

| 形态特征 | 一年生草本。高 7 ~ 15 cm，全体被灰白色柔毛。茎仰卧或基部仰卧，下部多分枝。叶对生；托叶钻状，长约 2 mm，被短柔毛；基生叶、茎下部的叶具长柄，叶柄长 5 ~ 6 cm；叶片长卵形或三角状卵形，长 15 ~ 25 mm，宽 10 ~ 15 mm，不分裂，边缘具不整齐的圆齿或 3 深裂，中裂片较大，长卵形，边缘具浅裂状圆齿，侧裂片较小，边缘具不规则的圆齿，表面密被短柔毛，背面被短绒毛；茎上部叶的叶柄较短，叶片较小，裂片有时全缘。总花梗腋生或顶生，长 2 ~ 3 cm，密被短绒毛，每梗具 2 花，有时 1 ~ 3 花；花梗与总花梗相似，长为总花梗的一半或与总花梗近等长；萼片椭圆形或椭

圆状卵形，长 5 ~ 6 mm，先端圆形，具短尖头，背面密被短柔毛；花瓣紫红色，倒卵形，与萼片近等长；雄蕊中部以下扩展。蒴果椭圆形，长 5 ~ 6 mm，宽 3 ~ 4 mm，被开展或稍向上的长柔毛，上部通常具横沟纹；喙长 7 ~ 9 cm，脱落，成熟裂开后呈羽毛状。花期 4 ~ 5 月，果期 5 ~ 6 月。

| 生境分布 | 生于砾石戈壁、半固定沙丘和山前地带的冲沟。分布于新疆喀什地区及新疆北部等。

| 资源情况 | 野生资源较少。药材来源于野生。

| 采收加工 | 夏、秋季果实近成熟时采收，捆成把，晒干。

| 功能主治 | 祛风湿，通经络，止泻痢。用于风湿痹痛，麻木拘挛，筋骨酸痛，泄泻痢疾。

牻牛儿苗科 Geraniaceae 牻牛儿苗属 Erodium

牻牛儿苗 *Erodium stephanianum* Willd.

| 药 材 名 | 短嘴老鹳草（药用部位：全草）。

| 形 态 特 征 | 多年生草本。通常高 15 ～ 50 cm。根为直根，较粗壮，少分枝。茎多数，仰卧或蔓生，具节，被柔毛。叶对生；托叶三角状披针形，分离，被疏柔毛，边缘具缘毛；基生叶、茎下部的叶具长柄，叶柄长为叶片的 1.5 ～ 2 倍，被开展的长柔毛和倒向短柔毛；叶片卵形或三角状卵形，基部心形，长 5 ～ 10 cm，宽 3 ～ 5 cm，2 回羽状深裂，小裂片卵状条形，全缘或具疏齿，表面被疏伏毛，背面被疏柔毛，沿脉被毛较密。伞形花序腋生，明显长于叶；总花梗被开展的长柔毛和倒向的短柔毛，每梗具 2 ～ 5 花；苞片狭披针形，分离；花梗与总花梗相似，等长于或稍长于花，在花期直立，在果期开展，

上部向上弯曲；萼片矩圆状卵形，长 6 ~ 8 mm，宽 2 ~ 3 mm，先端具长芒，被长糙毛；花瓣紫红色，倒卵形，等长于或稍长于萼片，先端圆形或微凹；雄蕊稍长于萼片，花丝紫色，中部以下扩展，被柔毛；雌蕊被糙毛，花柱紫红色。蒴果长约 4 cm，密被短糙毛；种子褐色，具斑点。花期 6 ~ 8 月，果期 8 ~ 9 月。

| 生境分布 |　生于干山坡、农田边、砂质河滩地和草原凹地等。分布于新疆乌鲁木齐县、巩留县、伊吾县等。

| 资源情况 |　野生资源较少。药材来源于野生。

| 采收加工 |　夏、秋季果实近成熟时采收，捆成把，晒干。

| 功能主治 |　祛风湿，通经络，止泻痢。用于风湿痹痛，麻木拘挛，筋骨酸痛，泄泻痢疾。

牻牛儿苗科 Geraniaceae 老鹳草属 Geranium

白花老鹳草 *Geranium albiflorum* Ledeb.

| 药 材 名 | 长嘴老鹳草（药用部位：全草）。

| 形态特征 | 多年生草本。高 20 ~ 60 cm。根茎短粗，近木质化，斜生，上部围以残存的基生托叶和叶柄。茎单一或 2 ~ 3，直立，具棱槽，上部假二叉分枝，被短柔毛或下部几无毛。叶基生和于茎上对生；托叶三角形；基生叶具长柄，叶柄长为叶片的 3 ~ 5 倍，几无毛，下部的茎生叶叶柄等长于或稍长于叶片，向上叶柄渐短，最上部的叶几无柄；叶片圆肾形，长 5 ~ 7 cm，宽 7 ~ 10 cm，掌状 5 ~ 7 深裂至 3/4 处或更深，裂片菱形，下部全缘，上部不规则地齿状羽裂，下部小裂片常具 1 ~ 2 齿，表面被疏伏毛，背面被疏柔毛。花序腋生或顶生，长于叶；总花梗被短柔毛和混生腺毛，每梗具 2 花；萼

片卵形或椭圆状卵形，长6～7 mm，宽2.5～3 mm，先端具长尖头，外被疏柔毛；花瓣倒卵形，白色或淡紫红色，先端微凹，基部楔形，被柔毛；雄蕊稍长于萼片，花丝下部扩展，被缘毛；雌蕊被长柔毛。蒴果长约3 cm，被柔毛。花期6～7月，果期7～8月。

| **生境分布** | 生于山地森林河谷和亚高山草甸。分布于新疆阿勒泰市、布尔津县、裕民县等。

| **资源情况** | 野生资源较少。药材来源于野生。

| **采收加工** | 夏、秋季果实近成熟时采收，捆成把，晒干。

| **功能主治** | 祛风湿，通经络，止泻痢。用于风湿痹痛，麻木拘挛，筋骨酸痛，泄泻痢疾。

牻牛儿苗科 Geraniaceae 老鹳草属 *Geranium*

丘陵老鹳草 *Geranium collinum* Stephan ex Willd.

| **药 材 名** | 长嘴老鹳草（药用部位：全草）。

| **形态特征** | 多年生草本。高 25 ~ 35 cm。根茎短粗，稍木质化，斜生，具多数稍肥厚的纤维状根。茎丛生，直立或基部仰卧，被倒向的短柔毛，上部 1 ~ 2 回假二叉分枝。叶基生和于茎上对生；托叶披针形，长 8 ~ 15 mm；基生叶、茎下部的叶具长柄；叶柄长为叶片的 3 ~ 4 倍，向上渐短，被短柔毛，有时混生星散腺毛；叶片五角形或基生叶近圆形，长 4 ~ 5 cm，宽 5 ~ 7 cm，掌状 5 ~ 7 深裂至近茎部，裂片菱形，下部楔形、全缘，上部羽状浅裂至深裂，下部小裂片常具数齿，齿先端急尖，表面被短伏毛，背面通常仅沿脉被短柔毛。花序腋生和顶生，长于叶；总花梗密被短柔毛和腺毛，每梗具 2 花；苞

片钻状披针形，长 5 ~ 7 mm，外被短柔毛；花梗与总花梗相似，长为花的 2 倍
或与花等长；萼片椭圆状卵形或长椭圆形，长 10 ~ 12 mm，宽 4 ~ 5 mm，先
端具长 2 mm 的尖头，外被短柔毛和腺毛；花冠淡紫红色，具深紫色脉纹，开展，
近辐射状；花瓣倒卵形，长 18 ~ 20 mm，宽 12 ~ 14 mm，先端钝圆，基部锲
形，基部两侧和蜜腺被簇生状毛；雄蕊与萼片近等长，花药棕褐色，花丝下部
扩展，中部以下具缘毛；雌蕊稍长于雄蕊，密被短柔毛，花柱分枝深褐色，长
约 2 mm。蒴果长 30 ~ 35 mm，被短柔毛。花期 7 ~ 8 月，果期 8 ~ 9 月。

| **生境分布** | 生于海拔 2 200 ~ 3 500 m 的山地森林草甸、亚高山或高山。新疆各地均有分布。

| **资源情况** | 野生资源较少。药材来源于野生。

| **采收加工** | 夏、秋季果实近成熟时采收，捆成把，晒干。

| **功能主治** | 祛风湿，通经络，止泻痢。用于风湿痹痛，麻木拘挛，筋骨酸痛，泄泻痢疾。

叉枝老鹳草 *Geranium divaricatum* Ehrh.

| 药 材 名 | 长嘴老鹳草（药用部位：全草）。

| 形态特征 | 一年生草本。高 20 ~ 60 cm。茎直立，分枝开展，被开展的细柔毛和短腺毛。叶对生；托叶三角状披针形，白色，膜质；下部的茎生叶具长柄；叶片五角状，掌状 5 裂至近基部，裂片菱形，再羽状浅裂至深裂，小裂片钝锯齿状，被短糙伏毛；上部的茎生叶具短柄，常 3 裂，边缘具钝锯齿。总花梗腋生，被细柔毛和腺毛，每梗具 2 花；花梗与总花梗相似，近直立或在果期向上弯曲；萼片卵形，长 5 ~ 6 mm，具短尖头；花瓣淡紫红色，具紫色脉纹，楔状倒卵形，稍长于花萼，先端微凹。果瓣具横皱纹；种子平滑。花期 5 ~ 6 月，果期 6 ~ 7 月。

| 生境分布 | 生于低山和山前平原。分布于新疆特克斯县、乌苏市，以及天山北坡等。

| 资源情况 | 野生资源较少。药材来源于野生。

| 采收加工 | 夏、秋季果实近成熟时采收，捆成把，晒干。

| 功能主治 | 祛风湿，通经络，止泻痢。用于风湿痹痛，麻木拘挛，筋骨酸痛，泄泻痢疾。

牻牛儿苗科 Geraniaceae 老鹳草属 Geranium

球根老鹳草
Geranium linearilobum DC.

| 药 材 名 | 长嘴老鹳草（药用部位：全草）。

| 形态特征 | 多年生草本。高 20 ～ 40 cm，有串珠状的卵形或球形根茎。茎直立，较细，下部有长而无叶的节间，密被开展的长毛。基生叶近圆形，直径约 4 cm，7 ～ 9 深裂几达基部，裂片长圆状楔形，羽状深裂，小裂片短条形，先端尖或钝圆，两面均被微毛，叶柄长 6 ～ 12 cm，纤细；上部茎生叶 5 ～ 6 深裂，裂片长条形，叶柄长 2 ～ 5 cm。花序顶生；花序梗长 2 ～ 5 cm；花 2，有时 3；花梗长约 1 cm，在果期直立，密被短柔毛；萼片 5，狭卵状矩圆形，长约 5 mm，宽约 2.5 mm，密被白色长毛；花瓣 5，淡紫色，心形，长 11 ～ 15 mm，宽 6 ～ 8 mm，先端有 1 深缺刻；花丝紫色，基部扩大部分背部及边

缘有毛；花柱深紫色，长 2.5 mm，分枝长约 1 mm。蒴果长 1.5 cm。花果期 5 ~ 9 月。

| **生境分布** | 生于海拔 700 ~ 1 600 m 的砾石质山坡、灌丛、草甸草原。分布于新疆乌鲁木齐县、石河子市等。

| **资源情况** | 野生资源较少。药材来源于野生。

| **采收加工** | 夏、秋季果实近成熟时采收，捆成把，晒干。

| **功能主治** | 祛风湿，通经络，止泻痢。用于风湿痹痛，麻木拘挛，筋骨酸痛，泄泻痢疾。

牻牛儿苗科 Geraniaceae 老鹳草属 Geranium

草地老鹳草

Geranium pratense L.

| 药 材 名 | 长嘴老鹳草（药用部位：全草）。

| 形态特征 | 多年生草本。高 30 ~ 50 cm。根茎粗壮，斜生，具多数纺锤形块根，上部被鳞片状残存的基生托叶。茎单一或数个丛生，直立，假二叉分枝，被倒向弯曲的柔毛和开展的腺毛。叶基生和于茎上对生；托叶披针形或宽披针形，长 10 ~ 12 mm，宽 4 ~ 5 mm，外被疏柔毛；基生叶、茎下部的叶具长柄，叶柄长为叶片的 3 ~ 4 倍，被倒向的短柔毛和开展的腺毛，近叶片处被毛密集，向上叶柄渐短，明显短于叶；叶片圆肾形或上部叶五角状圆肾形，基部宽心形，长 3 ~ 4 cm，宽 5 ~ 9 cm，掌状 7 ~ 9 深裂至近基部，裂片菱形或狭菱形，羽状深裂，小裂片条状卵形，常具 1 ~ 2 齿，表面被疏伏毛，

背面通常仅沿脉被短柔毛。总花梗腋生或于茎顶集为聚伞花序，长于叶，密被倒向的短柔毛和开展的腺毛，每梗具 2 花；苞片狭披针形，长 12 ～ 15 mm，宽约 2 mm；花梗与总花梗相似，明显短于花，向下弯曲或在果期下折；萼片卵状椭圆形或椭圆形，长 10 ～ 12 mm，宽 4 ～ 5 mm，背面密被短柔毛和开展的腺毛，先端具长约 2 mm 的尖头；花瓣紫红色，宽倒卵形，长为萼片的 1.5 倍，先端钝圆，基部楔形；雄蕊稍短于萼片，花丝上部紫红色，下部扩展，具缘毛，花药紫红色；雌蕊被短柔毛，花柱分枝紫红色。蒴果长 2.5 ～ 3 cm，被短柔毛和腺毛。花期 6 ～ 7 月，果期 7 ～ 9 月。

| 生境分布 | 生于山地草甸和亚高山草甸。分布于新疆天山、阿尔泰山、萨乌尔山等山区一带。

| 资源情况 | 野生资源较少。药材来源于野生。

| 采收加工 | 夏、秋季果实近成熟时采收，捆成把，晒干。

| 功能主治 | 祛风湿，通经络，止泻痢。用于风湿痹痛，麻木拘挛，筋骨酸痛，泄泻痢疾。

牻牛儿苗科 Geraniaceae 老鹳草属 Geranium

蓝花老鹳草 *Geranium pseudosibiricum* J. Mayer

| 药 材 名 | 长嘴老鹳草（药用部位：全草）。

| 形态特征 | 多年生草本。高 25 ~ 40 cm。根茎短粗，木质化，具多数粗纤维状或肥厚的根，上部围以残存的基生托叶。茎多数，下部仰卧，具明显的棱槽，假二叉分枝，被倒向的短柔毛，上部混生腺毛。叶基生和于茎上对生；托叶三角形，长 4 ~ 5 mm，宽 1.5 ~ 2 mm，先端长渐尖，外被短柔毛；基生叶、茎下部的叶具长柄，叶柄长为叶片的 2 ~ 3 倍，被短柔毛和腺毛，向上叶柄渐短；叶片圆肾形，掌状 5 ~ 7 裂至近基部，裂片菱形或倒卵状楔形，下部全缘，上部羽状浅裂至深裂，下部小裂片条状卵形，常具 1 ~ 2 齿，先端急尖，具短尖头，表面被疏伏毛，背面主要沿脉和边缘被柔毛和腺毛。总状花序腋生；

总花梗具 1 ~ 2 花；苞片钻状披针形，长 2 ~ 3 mm；花梗与总花梗相似，长为花的 1.5 ~ 2 倍，直立或在果期基部下折、上部向上弯曲；萼片长卵形或椭圆状长卵形，长 5 ~ 7 mm，宽 3 ~ 4 mm，先端具长 1 ~ 1.5 mm 的尖头，外被短柔毛和长腺毛；花瓣宽倒卵形，紫红色，长为萼片的 2 倍，先端钝圆，基部楔形，被长柔毛；雄蕊稍长于萼片，花药棕色，花丝下部扩展成长卵状，仅边缘被长缘毛；雌蕊密被微柔毛，花柱暗紫红色，无毛。蒴果长 2 ~ 2.5 cm，被短柔毛和开展的腺毛。花期 7 ~ 8 月，果期 8 ~ 9 月。

| 生境分布 | 生于海拔 1 000 ~ 1 500 m 的山地草丛、河谷泛滥地、林缘等。分布于新疆塔城地区及阿尔泰山一带。

| 资源情况 | 野生资源较少。药材来源于野生。

| 采收加工 | 夏、秋季果实近成熟时采收，捆成把，晒干。

| 功能主治 | 祛风湿，通经络，止泻痢。用于风湿痹痛，麻木拘挛，筋骨酸痛，泄泻痢疾。

牻牛儿苗科 Geraniaceae 老鹳草属 Geranium

直立老鹳草 *Geranium rectum* Trautv.

| 药 材 名 | 长嘴老鹳草（药用部位：全草）。

| 形态特征 | 多年生草本。高 30 ~ 50 cm。根茎粗而长，横生，被暗褐色鳞片状托叶，具多数纤维状不定根。茎直立，单一，具明显的棱槽，假二叉分枝，被密或疏的绢毛。叶基生和于茎上对生；托叶狭三角形，长 8 ~ 15 mm，宽 2 ~ 3 mm，先端长渐尖，无毛；基生叶、茎下部的叶具长柄，叶柄长为叶片的 2 ~ 3 倍，被星散长柔毛或近无毛；叶片五角状圆肾形，长 3 ~ 8 cm，宽 5 ~ 14 cm，掌状 5 ~ 7 裂至2/3 处或更深，裂片楔状菱形或倒卵状楔形，下部全缘，上部不规则地羽状浅裂至深裂，小裂片齿状，先端急尖，两面被疏柔毛。花序腋生和顶生，长于叶；总花梗被疏柔毛，具 2 花；苞片狭披针形，

长 3 ～ 5 mm；花梗与总花梗相似，直生，上部密被倒向的短柔毛；萼片长卵形或椭圆状卵形，长 6 ～ 7 mm，宽约 3 mm，先端具长约 2 mm 的尖头，外被长绢毛；花瓣倒长卵形，紫红色，长为萼片的 2 倍，先端圆形，基部楔形，具缘毛；雄蕊稍长于萼片，花药棕色，花丝下部扩展，密被短缘毛；雌蕊被柔毛，花柱无毛，分枝暗棕色。蒴果长 2.5 ～ 3 cm，被星散的绢毛或近无毛。花期 7 ～ 8 月，果期 8 ～ 9 月。

| 生境分布 | 生于山地云杉林下、河谷草甸潮湿处。分布于新疆天山一带及伊宁市、塔城市、玛纳斯县、裕民县等。

| 资源情况 | 野生资源较少。药材来源于野生。

| 采收加工 | 夏、秋季果实近成熟时采收，捆成把，晒干。

| 功能主治 | 祛风湿，通经络，止泻痢。用于风湿痹痛，麻木拘挛，筋骨酸痛，泄泻痢疾。

牻牛儿苗科 Geraniaceae 老鹳草属 Geranium

汉荭鱼腥草

Geranium robertianum L.

| 药 材 名 | 长嘴老鹳草（药用部位：全草）。

| 形态特征 | 一年生草本。高 20 ~ 50 cm。根纤细，数条呈纤维状。茎直立或基部仰卧，具棱槽，假二叉分枝，被绢毛和腺毛。叶基生和于茎上对生；托叶卵状三角形，长 2 ~ 4 mm，先端钝，外被疏柔毛；基生叶、茎下部的叶具长柄，叶柄长为叶片的 2 ~ 3 倍，被疏柔毛和腺毛；叶片五角状，长 2 ~ 5 cm，宽 3 ~ 7 cm，通常二至三回三出羽状，一回裂片卵状，具明显的柄，二回裂片具短柄或柄不明显，三回裂片为羽状深裂，其下部小裂片具数齿，上部小裂片全缘或呈缺刻状，先端急尖，两面被疏柔毛。花序腋生和顶生，长于叶；总花梗被短柔毛和腺毛，每梗具 2 花；苞片钻状披针形，长 1 ~ 2 mm；花梗与

总花梗相似，直生，等长于或稍长于花；萼片长卵形，长 5 ~ 7 mm，先端具长 1 ~ 1.5 mm 的尖头，外被疏柔毛和腺毛；花瓣粉红色或紫红色，倒卵形，稍长于花萼或为花萼长的 1.5 倍，先端圆形，基部楔形；雄蕊与萼片近等长，花药黄色，花丝白色，下部扩展；雌蕊与雄蕊近等长，被短糙毛，花柱分枝暗紫红色。蒴果长约 2 cm，被短柔毛。花期 4 ~ 6 月，果期 5 ~ 8 月。

| **生境分布** | 生于山地林下、岩壁、沟坡和路旁等。分布于新疆塔城地区等。

| **资源情况** | 野生资源较少。药材来源于野生。

| **采收加工** | 夏、秋季果实近成熟时采收，捆成把，晒干。

| **功能主治** | 祛风湿，通经络，止泻痢。用于风湿痹痛，麻木拘挛，筋骨酸痛，泄泻痢疾。

牻牛儿苗科 Geraniaceae 老鹳草属 Geranium

圆叶老鹳草 *Geranium rotundifolium* L.

| **药 材 名** | 长嘴老鹳草（药用部位：全草）。

| **形态特征** | 一年生草本。高约 15 cm。根纤细，直立。茎单一，具细条纹，从基部起假二叉分枝，被倒向开展的短柔毛，上部混生开展的细腺毛。基生叶早枯，茎生叶对生；托叶三角状卵形，半透明膜质，长 1.5 ~ 2 mm，宽约 1 mm，边缘具长缘毛；茎下部的叶具长柄，叶柄长为叶片的 2 ~ 3 倍，被短柔毛和开展的腺毛；叶片圆肾形，长约 1 cm，宽约 1.5 cm，掌状 5 裂至 2/3 处或更深，裂片倒卵状楔形，下部全缘，上部通常 3 浅裂至深裂，小裂片近卵形，先端近圆形或急尖，两面被疏柔毛，背面沿脉被毛较密。总花梗腋生和顶生，等长于或稍长于叶，被短柔毛和开展的腺毛，每梗通常具 2 花；苞片

钻状，长约 1 mm；花梗与总花梗相似，长约为花的 2 倍，直立；萼片椭圆形或椭圆状卵形，长约 2 mm，先端急尖，外被短柔毛和开展的长柔毛；花瓣紫红色，倒卵形，长约为萼片的 1.5 倍，先端圆形，基部楔形；雌蕊被微柔毛。蒴果长 7 ~ 8 mm，被微柔毛，果瓣密被伏贴柔毛。花期 5 ~ 6 月，果期 6 月。

| **生境分布** | 生于草原带低山坡。分布于新疆尼勒克县、乌苏市、阜康市等。

| **资源情况** | 野生资源较少。药材来源于野生。

| **采收加工** | 夏、秋季果实近成熟时采收，捆成把，晒干。

| **功能主治** | 祛风湿，通经络，止泻痢。用于风湿痹痛，麻木拘挛，筋骨酸痛，泄泻痢疾。

| 牻牛儿苗科 | Geraniaceae | 老鹳草属 | Geranium

岩生老鹳草 *Geranium saxatile* Kar. & Kir.

| **药材名** | 长嘴老鹳草（药用部位：全草）。

| **形态特征** | 多年生草本。根茎短，倾斜或直立，具多数柱状肉质粗根，基部具多数淡褐色托叶。茎高 5 ~ 7 cm 或无茎，密被倒向的伏毛。叶片近圆形，长 1.5 ~ 2.5 cm，宽 2 ~ 3 cm，掌状 5 深裂，裂片倒卵形，中上部再羽状分裂，叶上面被向下的伏毛，下面无毛或仅沿脉有短毛，边缘有缘毛；基生叶具长柄，叶柄长 3 ~ 4 cm，被短毛。聚伞花序顶生，花序轴长 2 ~ 4 cm，通常有花 2；花梗细，长 1 ~ 2.5 cm；花序轴和花梗上均被开展的柔毛或杂有腺毛；萼片长圆状披针形，绿色，后变紫色，长 1 ~ 1.2 cm，宽约 2.5 mm，背部具 3 脉，沿脉有短毛，边缘宽膜质，具缘毛，先端具短芒；花瓣紫红色，倒卵形，

全缘，长 2 ~ 2.5 cm，宽 1 ~ 1.2 cm；花丝基部扩大部分具缘毛；花柱合生部分长约 4 mm，分枝部分长约 1 mm。蒴果。花果期 6 ~ 9 月。

| **生境分布** | 生于海拔 1 600 ~ 3 700 m 的高山和亚高山草甸。分布于新疆天山中西部、昆仑山西部等。

| **资源情况** | 野生资源较少。药材来源于野生。

| **采收加工** | 夏、秋季果实近成熟时采收，捆成把，晒干。

| **功能主治** | 祛风湿，通经络，止泻痢。用于风湿痹痛，麻木拘挛，筋骨酸痛，泄泻痢疾。

牻牛儿苗科 Geraniaceae 老鹳草属 Geranium

鼠掌老鹳草 *Geranium sibiricum* L.

| 药 材 名 | 长嘴老鹳草（药用部位：全草）。

| 形态特征 | 一年生或多年生草本。高 30 ~ 70 cm。根为直根，有时具少数分枝。茎纤细，仰卧或近直立，多分枝，具棱槽，被倒向的疏柔毛。叶对生；托叶披针形，棕褐色，长 8 ~ 12 cm，先端渐尖，基部抱茎，外被倒向的长柔毛；基生叶、茎下部的叶具长柄，叶柄长为叶片的 2 ~ 3 倍；下部的叶肾状五角形，基部宽心形，长 3 ~ 6 cm，宽 4 ~ 8 cm，掌状 5 深裂，裂片倒卵形、菱形或长椭圆形，中部以上齿状羽裂或具齿状深缺刻，下部楔形，两面被疏伏毛，背面沿脉被毛较密；上部的叶具短柄，3 ~ 5 裂。总花梗丝状，单生于叶腋，长于叶，被倒向的柔毛或伏毛，具 1 花，偶具 2 花；苞片对生，棕褐色，钻状，

膜质，生于花梗中部或基部；萼片卵状椭圆形或卵状披针形，长约 5 mm，先端急尖，具短尖头，背面沿脉被疏柔毛；花瓣倒卵形，淡紫色或白色，等长于或稍长于萼片，先端微凹或呈缺刻状，基部具短爪；花丝扩大成披针形，具缘毛；花柱不明显，分枝长约 1 mm。蒴果长 15 ~ 18 mm，被疏柔毛，果柄下垂；种子肾状椭圆形，黑色，长约 2 mm，宽约 1 mm。花期 6 ~ 7 月，果期 8 ~ 9 月。

| 生境分布 | 生于海拔 100 ~ 1 500 m 的河边、农田边、林下。分布于新疆昌吉回族自治州、吐鲁番市、阿克苏地区及阿勒泰市、布尔津县、塔城市、伊吾县、巴里坤哈萨克自治县、乌鲁木齐县等。

| 资源情况 | 野生资源较少。药材来源于野生。

| 采收加工 | 夏、秋季果实近成熟时采收，捆成把，晒干。

| 功能主治 | 祛风湿，通经络，止泻痢。用于风湿痹痛，麻木拘挛，筋骨酸痛，泄泻痢疾。

牻牛儿苗科 Geraniaceae 老鹳草属 Geranium

林地老鹳草
Geranium sylvaticum L.

药材名

长嘴老鹳草（药用部位：全草）。

形态特征

多年生草本。根茎短，倾斜，具多数粗根，基部具多数浅褐色托叶。茎高 30 ~ 70 cm，直立或斜升，具纵棱，疏被长伏毛。叶大，肾状五角形，长 6 ~ 7 cm，宽 9 ~ 11 cm，掌状 5 深裂，裂片菱状倒卵形，羽状浅裂或具粗齿，先端具钝尖头，叶两面密被长伏毛；基生叶及下部的茎生叶具长柄，叶柄长 6 ~ 11 cm，上部叶具短柄，叶柄上疏被伏毛；托叶狭披针形。聚伞花序生于枝顶，形成伞房花序，花序轴长 3 ~ 6 cm，通常生 2 花；花梗长 2 ~ 3 cm；花序轴和花梗皆被长伏毛；花萼长圆形，绿色，长 5 ~ 6 mm，宽 2 ~ 2.5 mm，边缘窄膜质，先端具短芒，背面被短毛，两侧脉及边缘被开展的长毛，毛长可达 2 mm；花瓣蓝紫色，倒卵形，长约 1.5 cm；花丝基部扩大部分具缘毛。蒴果长 2 ~ 3 cm，被微毛。花果期 6 ~ 9 月。

生境分布

生于草原、林缘。分布于新疆塔城地区及新源县、奇台县等。

| **资源情况** | 野生资源较少。药材来源于野生。

| **采收加工** | 夏、秋季果实近成熟时采收，捆成把，晒干。

| **功能主治** | 祛风湿，通经络，止泻痢。用于风湿痹痛，麻木拘挛，筋骨酸痛，泄泻痢疾。

牻牛儿苗科 Geraniaceae 天竺葵属 Pelargonium

天竺葵
Pelargonium hortorum L. H. Bailey

| **药 材 名** | 石腊红（药用部位：花）。

| **形态特征** | 多年生草本。高 30 ~ 60 cm。茎直立，基部木质化，上部肉质，多分枝或不分枝，具明显的节，密被短柔毛，具浓烈的鱼腥味。叶互生；托叶宽三角形或卵形，长 7 ~ 15 mm，被柔毛和腺毛；叶柄长 3 ~ 10 cm，被细柔毛和腺毛；叶片圆形或肾形，基部心形，直径 3 ~ 7 cm，边缘波状浅裂，具圆形齿，两面被透明的短柔毛，表面叶缘以内有暗红色马蹄形环纹。伞形花序腋生，具多花；总花梗长于叶，被短柔毛；总苞片数枚，宽卵形；花梗 3 ~ 4 cm，被柔毛和腺毛，在芽期下垂，在花期直立；萼片狭披针形，长 8 ~ 10 mm，外面密被腺毛和长柔毛；花瓣红色、橙红色、粉红色或白色，宽倒

卵形，长 12 ～ 15 mm，宽 6 ～ 8 mm，先端圆形，基部具短爪，下面 3 花瓣通常较大；子房密被短柔毛。蒴果长约 3 cm，被柔毛。花期 5 ～ 7 月，果期 6 ～ 9 月。

| 生境分布 | 栽培种。新疆各地均有栽培。

| 资源情况 | 栽培资源较丰富。药材来源于栽培。

| 采收加工 | 夏、秋季采收，鲜用。

| 功能主治 | 清热消炎。用于中耳炎。

亚麻科 Linaceae 亚麻属 *Linum*

阿尔泰亚麻 *Linum altaicum* Ledeb. ex Juz.

药材名

亚麻根（药用部位：根）、亚麻叶（药用部位：叶）、亚麻籽（药用部位：种子）。

形态特征

多年生草本。高 30 ～ 60 cm。根粗壮，根颈木质化。茎直立，多数或丛生，光滑，中部以上分枝。叶散生或呈螺旋状排列；无叶柄；叶片条形或狭披针形，长 20 ～ 25 mm，宽 2 ～ 2.5 mm，先端渐狭，长渐尖或急尖，基部钝圆，两面无毛，具 3 ～ 5 脉。聚伞花序具少数花，疏散排列；花梗直立，长于叶；苞片与叶同形；外萼片宽卵形或椭圆状卵形，长 5 ～ 7 mm，宽约 2 mm，先端急尖，具不明显的尖头，内萼片先端钝圆，边缘膜质；花瓣蓝色或蓝紫色，倒卵形，长为萼片的 3 倍，先端钝圆或微凹，基部渐狭成黄色的爪；雄蕊与萼片近等长，花丝基部合生；雌蕊与雄蕊近等长。蒴果黄棕色，卵球形，长 6 ～ 7 mm，宽 4 ～ 5 mm，下部围以宿存萼片；种子长卵形，亮褐色，长约 4 mm，宽约 3 mm。花期 6 ～ 7 月，果期 7 ～ 8 月。

生境分布

生于山地草甸、草甸草原或疏灌丛。分布于

新疆阿尔泰山、天山等。

| 资源情况 |　　野生资源一般。药材来源于野生。

| 采收加工 |　　**亚麻根**：秋季采挖，洗净，切片，晒干。

　　　　　　　亚麻叶：夏季采收，晒干或鲜用。

　　　　　　　亚麻籽：秋季果实成熟时采收全草，晒干，打下种子，除去杂质，晒干。

| 功能主治 |　　**亚麻根**：用于肝风头痛，跌打损伤，痈肿疔疮。

　　　　　　　亚麻叶：用于肝风头痛，跌打损伤，痈肿疔疮。

　　　　　　　亚麻籽：养血祛风，润燥通便。用于麻风，皮肤干燥，瘙痒，脱发，疮疡湿疹，肠燥便秘。

亚麻科 Linaceae 亚麻属 Linum

异萼亚麻 *Linum heterosepalum Regel*

| 药 材 名 |

亚麻根（药用部位：根）、亚麻叶（药用部位：叶）、亚麻籽（药用部位：种子）。

| 形态特征 |

多年生草本。高 20 ～ 50 cm。根木质化，粗壮，下部多分枝。茎多数，直立，无毛，基部被淡黄色或近白色鳞片。叶多数，无叶柄，散生或呈螺旋状排列；叶片条状披针形或狭披针形，长 15 ～ 30 mm，宽 2 ～ 5 mm，无毛，先端钝或急尖，基部圆形，具 3 ～ 5 脉，近顶部叶缘具红褐色腺毛。花序顶生，聚伞状，具 4 ～ 8 花；花直立；花梗粗壮，与萼片近等长；萼片长 5 ～ 8 mm，外萼片草质，披针形或卵状披针形，先端急尖，边缘具腺毛，内萼片宽卵形或卵圆形，边缘具腺毛或仅一侧具腺毛；花瓣淡蓝色或紫红色，倒长卵形，长于萼片 3 ～ 4 倍，上部具明显的冠檐，基部渐狭成宽爪，爪部呈筒形；雌蕊与雄蕊不等长。蒴果球形或卵球形，黄棕色，长 8 ～ 12 mm，果瓣具长尖头；种子扁卵状椭圆形，淡黄棕色，长约 5 mm，宽约 1.5 mm。花期 6 ～ 7 月，果期 7 ～ 8 月。

| **生境分布** | 生于山地草原或旱生灌丛。分布于新疆天山西部等。

| **资源情况** | 野生资源一般。药材来源于野生。

| **采收加工** | 亚麻根：秋季采挖，洗净，切片，晒干。
亚麻叶：夏季采收，晒干或鲜用。
亚麻籽：秋季果实成熟时采收全草，晒干，打下种子，除去杂质，晒干。

| **功能主治** | 亚麻根：用于肝风头痛，跌打损伤，痈肿疔疮。
亚麻叶：用于肝风头痛，跌打损伤，痈肿疔疮。
亚麻籽：养血祛风，润燥通便。用于麻风，皮肤干燥，瘙痒，脱发，疮疡湿疹，肠燥便秘。

亚麻科 Linaceae 亚麻属 Linum

短柱亚麻 *Linum pallescens* Bunge

| 药 材 名 | 亚麻根（药用部位：根）、亚麻叶（药用部位：叶）、亚麻籽（药用部位：种子）。

| 形态特征 | 多年生草本。高 10 ～ 30 cm。直根系，粗壮；根茎木质化。茎多数丛生，直立或基部仰卧，不分枝或上部分枝，基部木质化，具卵形鳞片状叶；不育枝通常发育，具狭而密集的叶。茎生叶散生，线状条形，长 7 ～ 15 mm，宽 0.5 ～ 1.5 mm，先端渐尖，基部渐狭，叶缘内卷，具 1 或 3 脉。单花腋生或组成聚伞花序；花直径约 7 mm；萼片 5，卵形，长约 3.5 mm，宽约 2 mm，先端钝，具短尖头，外面 3 萼片具 1 ～ 3 脉或 5 脉，侧脉纤细而短，果期中脉明显隆起；花瓣倒卵形，白色或淡蓝色，长为萼片的 2 倍，先端圆形、

微凹，基部楔形；雄蕊和雌蕊近等长，长约 4 mm。蒴果近球形，草黄色，直径约 4 mm；种子扁平，椭圆形，褐色，长约 4 mm，宽约 2 mm。花果期 6 ~ 9 月。

| 生境分布 | 生于低山干山坡、荒地和河谷沙砾地。分布于新疆乌鲁木齐市、伊犁哈萨克自治州，以及塔城市、巴里坤哈萨克自治县等。

| 资源情况 | 野生资源一般。药材来源于野生。

| 采收加工 | **亚麻根**：秋季采挖，洗净，切片，晒干。
亚麻叶：夏季采收，晒干或鲜用。
亚麻籽：秋季果实成熟时采收全草，晒干，打下种子，除去杂质，晒干。

| 功能主治 | **亚麻根**：用于肝风头痛，跌打损伤，痈肿疔疮。
亚麻叶：用于肝风头痛，跌打损伤，痈肿疔疮。
亚麻籽：养血祛风，润燥通便。用于麻风，皮肤干燥，瘙痒，脱发，疮疡湿疹，肠燥便秘。

亚麻科 Linaceae 亚麻属 Linum

宿根亚麻
Linum perenne L.

| 药 材 名 | 亚麻根（药用部位：根）、亚麻叶（药用部位：叶）、亚麻籽（药用部位：种子）。

| 形 态 特 征 | 多年生草本。高 20 ~ 90 cm。根为直根，粗壮；根颈头木质化。茎多数，直立或仰卧，中部以上多分枝，基部木质化；不育枝具密集的狭条形叶。叶互生；叶片狭条形或条状披针形，长 8 ~ 25 mm，宽 3 ~ 4 mm，全缘内卷，先端锐尖，基部渐狭，具 1 ~ 3 脉（实际上由于侧脉不明显而为 1 脉）。花多数，组成聚伞花序，蓝色、蓝紫色或淡蓝色，直径约 2 cm；花梗细长，长 1 ~ 2.5 cm，直立或稍向一侧弯曲；萼片 5，卵形，长 3.5 ~ 5 mm，外面 3 萼片先端急尖，内面 2 萼片先端钝，全缘，脉 5 ~ 7，稍凸起；花瓣 5，倒卵形，长

1 ~ 1.8 cm，先端圆形，基部楔形；雄蕊 5，长于、短于或近等长于雌蕊，花丝中部以下稍宽，基部合生，退化雄蕊 5，与雄蕊互生；子房 5 室，花柱 5，分离，柱头头状。蒴果近球形，直径 3.5 ~ 7（~ 8）mm，草黄色，开裂；种子椭圆形，褐色，长 4 mm，宽约 2 mm。花果期 6 ~ 9 月。

| 生境分布 | 生于海拔 4 100 m 的干旱草原、沙砾质干河滩和干旱的山地阳坡疏灌丛或草地。分布于新疆克拉玛依市及巴里坤哈萨克自治县、伊吾县、精河县、奎屯市等。

| 资源情况 | 野生资源较少。药材来源于野生。

| 采收加工 | **亚麻根：**秋季采挖，洗净，切片，晒干。
亚麻叶：夏季采收，晒干或鲜用。
亚麻籽：秋季果实成熟时采收全草，晒干，打下种子，除去杂质，晒干。

| 功能主治 | **亚麻根：**用于肝风头痛，跌打损伤，痈肿疔疮。
亚麻叶：用于肝风头痛，跌打损伤，痈肿疔疮。
亚麻籽：养血祛风，润燥通便。用于麻风，皮肤干燥，瘙痒，脱发，疮疡湿疹，肠燥便秘。

亚麻科 Linaceae 亚麻属 Linum

亚麻
Linum usitatissimum L.

| 药 材 名 | 亚麻根（药用部位：根）、亚麻叶（药用部位：叶）、亚麻籽（药用部位：种子）。

| 形态特征 | 一年生草本。茎直立，高 30 ～ 120 cm，多在上部分枝，有时茎基部亦有分枝，基部木质化，无毛。叶互生；叶片线形、线状披针形或披针形，长 2 ～ 4 cm，宽 1 ～ 5 mm，先端锐尖，基部渐狭，无叶柄，叶缘内卷，三至五出脉。花单生于枝顶或枝上部叶腋，组成疏散的聚伞花序；花直径 15 ～ 20 mm；花梗长 1 ～ 3 cm，直立；萼片 5，卵形或卵状披针形，长 5 ～ 8 mm，先端凸尖或长尖，有 3(～5) 脉，中央 1 脉明显凸起，边缘膜质，无腺点，全缘，有时上部有锯齿，宿存；花瓣 5，倒卵形，长 8 ～ 12 mm，蓝色或紫蓝色，稀白色或

红色，先端啮蚀状；雄蕊 5，花丝基部合生，退化雄蕊 5，钻状；子房 5 室，花柱 5，分离，柱头比花柱微粗，细线状或棒状，长于或近等长于雄蕊。蒴果球形，干后棕黄色，直径 6 ~ 9 mm，先端微尖，室间开裂成 5 瓣；种子 10，长圆形，扁平，长 3.5 ~ 4 mm，棕褐色。花期 6 ~ 8 月，果期 7 ~ 10 月。

| 生境分布 | 适宜于温和凉爽、湿润的气候。新疆多地有栽培。

| 资源情况 | 野生资源一般，栽培资源较丰富。药材来源于栽培。

| 采收加工 | **亚麻根：**秋季采挖，洗净，切片，晒干。

亚麻叶：夏季采收，晒干或鲜用。

亚麻籽：秋季果实成熟时采收全草，晒干，打下种子，除去杂质，晒干。

| 功能主治 | **亚麻根：**用于肝风头痛，跌打损伤，痈肿疔疮。

亚麻叶：用于肝风头痛，跌打损伤，痈肿疔疮。

亚麻籽：养血祛风，润燥通便。用于麻风，皮肤干燥，瘙痒，脱发，疮疡湿疹，肠燥便秘。

蒺藜科 Zygophyllaceae 白刺属 Nitraria

大白刺 *Nitraria roborowskii* Kom.

| **药 材 名** | 白刺果（药用部位：果实）。

| **形态特征** | 灌木。高 1 ~ 2 m。枝平卧，有时直立；不孕枝先端刺针状；嫩枝白色。叶 2 ~ 3 簇生，矩圆状匙形或倒卵形，长 25 ~ 40 mm，宽 7 ~ 20 mm，先端圆钝，有时平截，全缘或先端不规则地 2 ~ 3 齿裂。花较其他种稀疏。核果卵形，长 12 ~ 18 mm，直径 8 ~ 15 mm，成熟时深红色，果汁紫黑色；果核狭卵形，长 8 ~ 10 mm，宽 3 ~ 4 mm。花期 6 月，果期 7 ~ 8 月。

| **生境分布** | 生于湖盆边缘、绿洲外围沙地。新疆各地均有分布。

| **资源情况** | 野生资源较丰富。药材来源于野生。

| **采收加工** | 果实成熟后采摘，晒干。

| **功能主治** | 健胃消食，调经活血。用于月经不调。

蒺藜科 Zygophyllaceae 白刺属 Nitraria

小果白刺 *Nitraria sibirica* Pall.

| 药 材 名 | 白刺果（药用部位：果实）。

| 形态特征 | 灌木。高 0.5 ~ 1.5 m，弯，多分枝。枝铺散，少直立；小枝灰白色；不孕枝先端刺针状。叶近无柄，在嫩枝上 4 ~ 6 簇生，倒披针形，长 6 ~ 15 mm，宽 2 ~ 5 mm，先端锐尖或钝，基部渐窄成楔形，无毛或幼时被柔毛。聚伞花序长 1 ~ 3 cm，被疏柔毛；萼片 5，绿色；花瓣黄绿色或近白色，矩圆形，长 2 ~ 3 mm。果实椭圆形或近球形，两端钝圆，长 6 ~ 8 mm，成熟时暗红色；果核卵形，先端尖，长 4 ~ 5 mm。花期 5 ~ 6 月，果期 7 ~ 8 月。

| 生境分布 | 生于 700 ~ 1 600 m 的湖盆边缘沙地、盐渍化沙地。分布于新疆玛纳斯县、和布克赛尔蒙古自治县、巴里坤哈萨克自治县、塔城市、

布尔津县、乌鲁木齐县、伊宁县、和静县、焉耆回族自治县、库尔勒市、阿合奇县等。

| 资源情况 |　野生资源较丰富。药材来源于野生。

| 采收加工 |　果实成熟时采收，晒干。

| 功能主治 |　健胃消食，调经活血。用于月经不调。

蒺藜科 Zygophyllaceae 白刺属 *Nitraria*

泡泡刺 *Nitraria sphaerocarpa* Maxim.

| 药 材 名 | 白刺果（药用部位：果实）。

| 形态特征 | 灌木。枝平卧，长 25 ~ 50 cm，弯；不孕枝先端刺针状；嫩枝白色。叶近无柄，2 ~ 3 簇生，条形或倒披针状条形，全缘，长 5 ~ 25 mm，宽 2 ~ 4 mm，先端稍锐尖或钝。花序长 2 ~ 4 cm，被短柔毛，黄灰色；花梗长 1 ~ 5 mm；萼片 5，绿色，被柔毛；花瓣白色，长约 2 mm。果实未成熟时披针形，先端渐尖，密被黄褐色柔毛，成熟时外果皮干膜质，膨胀成球形，直径约 1 cm；果核狭纺锤形，长 6 ~ 8 mm，先端渐尖，表面具蜂窝状小孔。花期 5 ~ 6 月，果期 6 ~ 7 月。

| 生境分布 | 生于海拔 700 ~ 1 280 m 的山前平原和砾质平坦沙地。分布于新疆

哈密市及英吉沙县、莎车县、巴里坤哈萨克自治县、焉耆回族自治县、库尔勒市、阿克苏市、喀什市、且末县等。

| **资源情况** | 野生资源较丰富。药材来源于野生。

| **采收加工** | 果实成熟时采收，晒干，除去杂质。

| **功能主治** | 健脾胃，调经活血，降血压。用于消化不良，月经不调，高血压头晕等。

蒺藜科 Zygophyllaceae 白刺属 *Nitraria*

白刺
Nitraria tangutorum Bobrov

| 药 材 名 | 白刺果（药用部位：果实）。

| 形态特征 | 灌木。高 1 ～ 2 m。多分枝，弯、平卧或开展；不孕枝先端刺针状；嫩枝白色。叶在嫩枝上 2 ～ 3（～ 4）簇生，宽倒披针形，长 18 ～ 30 mm，宽 6 ～ 8 mm，先端圆钝，基部渐窄成楔形，全缘，稀先端齿裂。花排列较密集。核果卵形，有时椭圆形，成熟时深红色，长 8 ～ 12 mm，直径 6 ～ 9 mm；果核狭卵形，长 5 ～ 6 mm，先端短渐尖。花期 5 ～ 6 月，果期 7 ～ 8 月。

| 生境分布 | 生于海拔 500 ～ 2 500 m 的荒漠和半荒漠的湖盆沙地、河流阶地、山前平原积沙地、有风积沙的黏土地。分布于新疆阿勒泰市、精河县、和静县、轮台县、阿合奇县、和田县、且末县、若羌县等。

| **资源情况** | 野生资源较丰富。药材来源于野生。

| **采收加工** | 果实成熟时采收，晒干。

| **功能主治** | 健脾胃，滋补强壮，调经活血，催乳。用于脾胃虚弱，消化不良，神经衰弱，高血压头晕，感冒，乳汁不下。

蒺藜科 Zygophyllaceae 骆驼蓬属 Peganum

骆驼蓬 *Peganum harmala* L.

| 药 材 名 | 骆驼蓬（药用部位：全草或种子）。

| 形态特征 | 高可达 70 cm，无毛。根多数，直径达 2 cm。茎直立或开展，基部多分枝。叶互生，叶片卵形，全裂，裂片条形或披针状条形。花单生于枝端，与叶对生；萼裂片条形，有时仅先端分裂；花瓣黄白色，倒卵状矩圆形；花丝近基部宽展。蒴果近球形；种子三棱形，稍弯，黑褐色，表面被小瘤状突起。5～6 月开花，7～9 月结果。

| 生境分布 | 生于海拔 3 600 m 的荒漠地带的干旱草地、绿洲边缘轻盐渍化的沙地、壤质低山坡或河谷沙丘。新疆各地均有分布。

| 资源情况 | 野生资源较丰富，栽培资源较丰富。药材来源于栽培。

| **采收加工** | 全草，秋季采收，洗净，晒干或鲜用。种子，9 月采收。

| **功能主治** | 全草，宣肺气，祛风湿，消肿毒。用于咳嗽气短，风湿痹痛，皮肤瘙痒，无名肿毒。种子，用于咳嗽，小便淋痛，四肢麻木，关节酸痛。

蒺藜科 Zygophyllaceae 霸王属 Sarcozygium

霸王

Sarcozygium xanthoxylom (Bunge) Maxim.

| 药 材 名 | 霸王（药用部位：根）。

| 形态特征 | 灌木。高 50 ～ 100 cm。枝弯曲，开展，皮部淡灰色，木部黄色，先端具刺尖，质坚硬。叶在老枝上簇生，在幼枝上对生；叶柄长 8 ～ 25 mm；小叶 1 对，长匙形、狭矩圆形或条形，长 8 ～ 24 mm，宽 2 ～ 5 mm，先端圆钝，基部渐狭，肉质。花生于老枝叶腋；萼片 4，倒卵形，绿色，长 4 ～ 7 mm；花瓣 4，倒卵形或近圆形，淡黄色，长 8 ～ 11 mm；雄蕊 8，长于花瓣。蒴果近球形，长 18 ～ 40 mm，翅宽 5 ～ 9 mm，常具 3 室，每室有 1 种子；种子肾形，长 6 ～ 7 mm，宽约 2.5 mm。花期 4 ～ 5 月，果期 7 ～ 8 月。

| 生境分布 | 生于荒漠和半荒漠的沙砾质河流阶地、低山山坡、碎石低丘和山前

平原。分布于新疆吐鲁番市及库尔勒市、巴楚县、富蕴县、巴里坤哈萨克自治县、伊吾县、和硕县、和静县、阿克苏市、阿克陶县、喀什市、莎车县、皮山县、叶城县、和田县、民丰县、且末县、尉犁县等。

| 资源情况 | 野生资源较丰富。药材来源于野生。

| 采收加工 | 春、秋季采挖，切段，洗净，晒干。

| 功能主治 | 行气宽中。用于气滞腹胀。

蒺藜科 *Zygophyllaceae* 蒺藜属 *Tribulus*

蒺藜 *Tribulus terrestris* L.

| 药 材 名 | 刺蒺藜（药用部位：果实）。

| 形态特征 | 一年生草本。茎平卧，枝长 20 ~ 60 cm。偶数羽状复叶，长 1.5 ~
5 cm；小叶对生，3 ~ 8 对，矩圆形或斜短圆形，长 5 ~ 10 mm，
宽 2 ~ 5 mm，先端锐尖或钝，基部稍偏斜，被柔毛，全缘。花腋生；
花梗短于叶；花黄色；萼片 5，宿存；花瓣 5；雄蕊 10，生于花盘
基部，基部有鳞片状腺体；子房 5 棱，柱头 5 裂，每室有 3 ~ 4 胚珠。
分果瓣 5，质硬，长 4 ~ 6 mm，无毛或被毛，中部边缘有 2 锐刺，
下部常有 2 小锐刺，其余部位常有小瘤体。花期 5 ~ 8 月，果期 6 ~
9 月。

| 生境分布 | 生于海拔 500 ~ 1 660 m 的沙地、荒地、山坡、居民点附近、田野、

路旁及河边草丛。新疆各地均有分布。

| **资源情况** | 野生资源较丰富。药材来源于栽培。

| **采收加工** | 秋季果实成熟时采收，晒干，打下果实，除去杂质。

| **功能主治** | 平肝解郁，活血祛风，明目，止痒。用于头痛眩晕，胸胁胀痛，乳闭乳痈，目赤翳障，风疹瘙痒。

蒺藜科 Zygophyllaceae 驼蹄瓣属 Zygophyllum

细茎驼蹄瓣 *Zygophyllum brachypterum* Kar. et Kir.

| **药 材 名** | 霸王（药用部位：根）。

| **形态特征** | 多年生草本。高 15 ~ 25 cm。根木质，粗壮，多数。茎细弱，直立或开展，多分枝。托叶卵形，长 3 ~ 5 mm；叶柄短于或等长于叶片，具翼；小叶 1 对，矩圆形或倒披针形；长 1.5 ~ 2.5 cm，宽 5 ~ 6 mm，质薄，先端圆钝。花梗长 10 ~ 15 mm；花 1 ~ 2 生于叶腋；萼片 5，不等长，长 7 ~ 9 mm；花瓣 5，卵圆形，长 4 ~ 5 mm；雄蕊明显长于花瓣，长 10 ~ 12 mm；鳞片细深裂。蒴果圆柱形或矩圆形，长 10 ~ 16 mm，直径约 5 mm，具 5 棱，先端钝；种子近肾形，长约 3 mm，宽 1.5 ~ 2 mm。花期 5 ~ 6 月，果期 7 月。

| **生境分布** | 生于荒漠地带山坡下部、河谷。分布于新疆泽普县、塔城市、伊吾县、

巴里坤哈萨克自治县、玛纳斯县、乌苏市、精河县、和静县、焉耆回族自治县、库尔勒市、乌恰县、喀什市、莎车县、若羌县等。

| **资源情况** | 野生资源一般。药材来源于野生。

| **采收加工** | 夏、秋季采挖，晒干。

| **功能主治** | 止咳化痰，消炎止痛。

蒺藜科 Zygophyllaceae 驼蹄瓣属 Zygophyllum

驼蹄瓣 *Zygophyllum fabago* L.

| 药 材 名 | 骆驼蹄瓣（药用部位：根）。

| 形态特征 | 多年生草本。高 30 ~ 80 cm。根粗壮。茎多分枝，枝条开展或铺散，光滑，基部木质化。托叶革质，卵形或椭圆形，长 4 ~ 10 mm，绿色，茎中部以下托叶合生，茎上部托叶较小，披针形，分离；叶柄明显短于小叶；小叶 1 对，倒卵形或矩圆状倒卵形，长 15 ~ 33 mm，宽 6 ~ 20 cm，质厚，先端圆形。花腋生；花梗长 4 ~ 10 mm；萼片卵形或椭圆形，长 6 ~ 8 mm，宽 3 ~ 4 mm，先端钝，边缘白色，膜质；花瓣倒卵形，与萼片近等长，先端近白色，下部橘红色；雄蕊长于花瓣，长 11 ~ 12 mm；鳞片矩圆形，长为雄蕊的一半。蒴果矩圆形或圆柱形，长 2 ~ 3.5 cm，宽 4 ~ 5 mm，具 5 棱，下垂；种子多数，

长约 3 mm，宽约 2 mm，表面有斑点。花期 5 ～ 6 月，果期 6 ～ 9 月。

| 生境分布 |　生于海拔 700 ～ 1 000 m 的荒漠草原、山前洪积扇、砾石沙地、荒漠河谷。新疆各地均有分布。

| 资源情况 |　野生资源丰富。药材来源于野生。

| 采收加工 |　夏、秋季采挖，晒干。

| 功能主治 |　止咳祛痰，止痛消炎。用于支气管炎，感冒，牙痛，顽固性头痛。

粗茎驼蹄瓣 *Zygophyllum loczyi* Kanitz

| 药 材 名 | 霸王（药用部位：根）。

| 形态特征 | 一年生或二年生草本。高 5 ~ 25 cm。茎开展或直立，基部多分枝。托叶膜质或草质，上部的托叶分离，三角状，基部的托叶结合为半圆形；叶柄短于小叶，具翼；茎上部的小叶常 1 对，茎中下部的小叶 2 ~ 3 对，椭圆形或斜倒卵形，长 6 ~ 25 mm，宽 4 ~ 15 mm，先端圆钝。花梗长 2 ~ 6 mm；花 1 ~ 2 腋生；萼片 5，椭圆形，长 5 ~ 6 mm，绿色，具白色膜质边缘；花瓣近卵形，橘红色，边缘白色，短于或近等长于萼片；雄蕊短于花瓣。蒴果圆柱形，长 16 ~ 25 mm，宽 5 ~ 6 mm，先端锐尖或钝，果皮膜质；种子多数，卵形，长 3 ~ 4 mm，先端尖，表面密被凹点。花期 4 ~ 7 月，果期

6 ~ 8 月。

| **生境分布** | 生于海拔 700 ~ 2 800 m 的低山、洪积平原、砾质戈壁、盐化沙地。分布于新疆精河县、喀什市、和田县等。

| **资源情况** | 野生资源一般。药材来源于野生。

| **采收加工** | 秋季采挖，晾晒。

| **功能主治** | 止咳祛痰，止痛消炎。用于支气管炎，感冒，牙痛，顽固性头痛。

蒺藜科 Zygophyllaceae 驼蹄瓣属 Zygophyllum

大翅驼蹄瓣 *Zygophyllum macropterum* C. A. Mey.

| 药 材 名 | 霸王（药用部位：根）。

| 形态特征 | 多年生草本。高 5 ~ 25 cm。根木质，粗壮。茎开展或直立，具糙皮刺。托叶离生，白色，膜质，卵形或披针形，边缘缝状或牙齿状；叶柄长 1 ~ 2 cm；小叶 3 ~ 5 对，倒卵形或矩圆形，长 5 ~ 12 mm，宽 2 ~ 8 mm。花腋生，花梗长 2 ~ 7 mm，在花期直立，在果期下垂；萼片椭圆形，先端钝或锐尖，长 5 ~ 6 mm，宽 4 ~ 5 mm；花瓣倒卵形，长于萼片，橘红色，先端钝或凹入；雄蕊 10，其中 5 雄蕊与花瓣近等长，5 雄蕊较短；鳞片矩圆形。蒴果近球形或卵状球形，长 2 ~ 4.5 cm，宽 2 ~ 4 cm，翅宽 5 ~ 12 mm，膜质；种子斜披针形，长 5 ~ 9 mm，宽 2 ~ 3 mm，稍扁，黄色或灰绿色。花期 4 ~ 5 月，

果期 5 ~ 8 月。

| **生境分布** | 生于砾石荒漠、荒地、盐渍化沙地。分布于新疆乌鲁木齐市及呼图壁县、沙湾市、乌苏市、乌什县、伊宁县、阿克陶县、喀什市、若羌县等。

| **资源情况** | 野生资源一般。药材来源于野生。

| **采收加工** | 春、秋季采挖，切段，洗净，晒干。

| **功能主治** | 行气宽中。用于气滞胃胀。

蒺藜科 Zygophyllaceae 驼蹄瓣属 *Zygophyllum*

长梗驼蹄瓣 *Zygophyllum obliquum* Popov

| 药 材 名 | 霸王（药用部位：根）。

| 形态特征 | 多年生草本。高 30 ~ 80 cm。根粗壮，多数，由基部多分枝，上升或外倾。茎下部托叶合生，茎上部托叶分离，宽卵形、矩圆形或披针形，长约 3 mm，边缘狭，膜质；叶柄具翼，扁平，短于小叶；小叶 1 对，斜卵形，长 10 ~ 20 mm，宽 7 ~ 10 mm，灰蓝色，先端锐尖，基部楔形。花梗长 10 ~ 18 mm；1 ~ 2 花生于叶腋；萼片 5，卵形或矩圆形，长 5 ~ 8 mm，先端钝，边缘膜质；花瓣倒卵形，长 6 ~ 10 mm，下部橘红色，上部色较淡；雄蕊短于花瓣；鳞片矩圆形，长为花丝的一半。蒴果圆柱形，竖立，长约 3 cm，直径 5 ~ 8 cm，两端钝，具 5 棱；种子卵形，宽约 2.5 mm。花期 6 ~ 8 月，果期 7 ~

9 月。

| 生境分布 | 生于海拔 2 400 ~ 3 500 m 的低山山坡、河滩沙砾地、河谷。分布于新疆伊宁市、阿合奇县、阿图什市、乌恰县、阿克陶县、叶城县、塔什库尔干塔吉克自治县等。

| 资源情况 | 野生资源较少。药材来源于野生。

| 采收加工 | 春、秋季采挖，切段，洗净，晒干。

| 功能主治 | 镇痉止痛。

疾藜科 Zygophyllaceae 驼蹄瓣属 Zygophyllum

大花驼蹄瓣 *Zygophyllum potaninii* Maxim.

| **药 材 名** | 霸王（药用部位：根）。

| **形态特征** | 多年生草本。高 10 ~ 25 cm。茎直立或开展，基部多分枝，粗壮。托叶草质，合生，宽短，长约 3 mm，边缘膜质；叶柄长 3 ~ 8 mm，叶轴具翼；小叶 1 ~ 2 对，斜倒卵形、椭圆形或近圆形，长 1 ~ 2.5 cm，宽 0.5 ~ 2 cm，肥厚。花梗短于萼片；花后伸长；花 2 ~ 3 腋生，下垂；萼片倒卵形，稍黄色，长 6 ~ 11 mm，宽 4 ~ 5 mm；花瓣白色，下部橘黄色，匙状倒卵形，短于萼片；雄蕊长于萼片；鳞片条状椭圆形，长为花丝的一半。蒴果下垂，卵圆状球形或近球形，长 15 ~ 25 mm，宽 15 ~ 26 mm，具 5 翅，翅宽 5 ~ 7 mm，每室有 4 ~ 5 种子；种子斜卵形，长约 5 mm，宽约 3 mm。花期 5 ~

6月，果期 6 ~ 8 月。

| 生境分布 | 生于海拔 490 ~ 1 700 m 的砾质荒漠、石质低山坡。分布于新疆乌鲁木齐市及富蕴县、哈巴河县、布尔津县、福海县、塔城市、伊吾县、奇台县、巴里坤哈萨克自治县等。

| 资源情况 | 野生资源一般。药材来源于野生。

| 采收加工 | 春、秋季采挖，切段，洗净，晒干。

| 功能主治 | 行气宽中。用于气滞胃胀。

蒺藜科 Zygophyllaceae 驼蹄瓣属 Zygophyllum

翼果驼蹄瓣 *Zygophyllum pterocarpum* Bunge

| **药 材 名** | 霸王（药用部位：根）。

| **形态特征** | 多年生草本。高 10 ~ 20 cm。根粗壮，木质。茎多数，细弱，开展。托叶卵形，上部者披针形，长 1 ~ 2 mm；叶柄长 4 ~ 6 mm，扁平，具翼；小叶 2 ~ 3 对，条状矩圆形或披针形，长 5 ~ 15 mm，宽 2 ~ 5 mm，先端锐尖或稍钝，灰绿色。花 1 ~ 2 生于叶腋；花梗长 4 ~ 8 mm，花后伸长；萼片椭圆形，长 5 ~ 7 mm，宽约 4 mm，先端钝；花瓣矩圆状倒卵形，稍长于萼片，长 7 ~ 8 mm，上部白色，下部橘红色，先端钝，基部楔形；雄蕊不伸出花瓣；鳞片长为花丝的 1/3。蒴果矩圆状卵形或卵圆形，两端常钝圆，长 10 ~ 20 mm，宽 6 ~ 15 mm，翅宽 2 ~ 3 mm。花期 5 ~ 6 月，果期 6 ~ 8 月。

| 生境分布 | 生于海拔 500 ~ 1 200 m 的石质山坡、洪积扇、盐化砂土、梭梭林下。分布于新疆乌鲁木齐市、吐鲁番市及和布克赛尔蒙古自治县、青河县、阿勒泰市、福海县、哈巴河县、巴里坤哈萨克自治县、奇台县、阜康市、沙湾市、尼勒克县、博乐市等。

| 资源情况 | 野生资源较少。药材来源于野生。

| 采收加工 | 春、秋季采挖，切段，洗净，晒干。

| 功能主治 | 镇痉止痛。

石生驼蹄瓣 *Zygophyllum rosovii* Bunge

| 药 材 名 | 霸王（药用部位：根）。

| 形 态 特 征 | 多年生草本。高 10 ~ 15 cm。根木质，直径达 3 cm。茎多自基部分枝，通常开展，无毛，具条棱。托叶全部离生，卵形，长 2 ~ 3 mm，白色，膜质；叶柄长 2 ~ 7 mm；小叶 1 对，卵形，长 8 ~ 18 mm，宽 5 ~ 8 mm，绿色，先端锐尖或圆钝。花 1 ~ 2 腋生；花梗长 5 ~ 6 mm；萼片椭圆形或倒卵状矩圆形，长 5 ~ 8 mm，宽 2 ~ 3 mm，边缘膜质；花瓣 5，倒卵形，与萼片近等长，先端圆形，白色，下部橘红色，基部渐狭成爪；雄蕊长于花瓣，橙黄色；鳞片矩圆形，全缘或上部有齿。蒴果条状披针形，长 18 ~ 25 mm，宽约 5 mm，先端渐尖，稍弯或镰状弯曲，下垂；种子灰蓝色，矩圆状卵形。花

期 4 ~ 6 月，果期 6 ~ 7 月。

| 生境分布 | 生于砾石低山坡、洪积砾石堆、石质峭壁。分布于新疆裕民县、青河县、奇台县、鄯善县、喀什市、阿克苏市、精河县、新源县及哈密市等。

| 资源情况 | 野生资源一般。药材来源于野生。

| 功能主治 | 止咳祛痰，止痛消炎。用于支气管炎，感冒，牙痛，顽固性头痛。

芸香科 Rutaceae 白鲜属 Dictamnus

新疆白鲜 *Dictamnus angustifolius* G. Don ex Sweet

| 药 材 名 | 白鲜皮（药用部位：根皮）。

| 形态特征 | 多年生草本。高 50 ~ 100 cm。根肉质，粗壮，淡黄色。茎直立，基部木质，被白色柔毛，向上毛渐与褐色油点混生。叶多密集于茎中上部；小叶（3 ~ ）5 ~ 6（ ~ 7）对，卵状披针形或矩圆状披针形，长 3 ~ 11 cm，宽 1 ~ 3.8 cm，先端渐尖，基部圆形或宽楔形，稍偏斜，无叶柄，边缘有细锯齿，背面有凹陷的油点，沿脉被柔毛，尤以下面毛较多。总状花序顶生，长 20 ~ 25 cm；花梗长约 2 cm；苞片 2，狭披针形，着生在基部者长约 1 cm，着生在中部者长约 0.5 cm；萼片狭披针形，宿存，长约 1 cm；花瓣 5，淡红色并具深红色脉纹，倒卵状披针形，长 3 ~ 3.5 cm，下面 1 萼片稍下倾；雄蕊 10，伸出

花瓣外；花梗、萼片及花瓣密生凸起的透明油点；子房卵圆形，先端具 5 齿，花柱从中间伸出，长 2 ~ 3 cm，向上弯曲。果实成熟后沿腹缝线开裂，先端具外弯的刺尖头，长 1.5 ~ 1.8 cm，宽约 0.7 cm，密生褐色油点，内果皮蜡黄色，呈镰状弯曲，有光泽；种子 2 ~ 3，倒宽卵状球形，黑褐色，长约 3.5 mm，宽约 2.5 mm，光滑。花期 6 ~ 7 月，果期 7 ~ 8 月。

| 生境分布 | 生于海拔 880 ~ 2 000 m 的山地草原和砾石质灌丛。分布于新疆青河县、富蕴县、福海县、阿勒泰市、哈巴河县、和布克赛尔蒙古自治县、额敏县、塔城市、裕民县、托里县、霍城县、尼勒克县、新源县、巩留县、特克斯县等。

| 资源情况 | 野生资源较少。药材来源于野生和栽培。

| 采收加工 | 春、秋季采挖根，除去泥沙，剥取根皮，切片，干燥。

| 功能主治 | 清热燥湿，祛风止痒，解毒。用于风热湿毒所致的风疹，湿疹，疥癣，黄疸，湿热痹痛。

芸香科 Rutaceae 黄檗属 *Phellodendron*

黄檗
Phellodendron amurense Rupr.

| 药 材 名 |

黄檗（药用部位：树皮）。

| 形态特征 |

落叶乔木。高 10 ~ 20 m，最高达 30 m，胸径 1 m。枝扩展；成年树的树皮有厚木栓层，浅灰色或灰褐色，深沟状或不规则网状开裂，内皮薄，鲜黄色；小枝暗紫红色，无毛。叶轴及叶柄均纤细；小叶 5 ~ 13，薄纸质或纸质，卵状披针形或卵形，长 6 ~ 12 cm，宽 2.5 ~ 4.5 cm，先端长渐尖，基部阔楔形，一侧斜尖，或为圆形，叶缘有细钝齿和缘毛，叶面无毛或中脉有疏短毛，叶背仅基部中脉两侧密被长柔毛，秋季落叶前叶色由绿色转为黄色而明亮，毛被大多脱落。花序顶生；萼片细小，阔卵形，长约 1 mm；花瓣紫绿色，长 3 ~ 4 mm；雄蕊比雄花花瓣长；退化雌蕊短小。果实圆球形，直径约 1 cm，蓝黑色，通常有 5 ~ 8（~ 10）浅纵沟，干后纵沟较明显；种子通常 5。花期 5 ~ 6 月，果期 9 ~ 10 月。

| 生境分布 |

生于山地杂木林中或山区河谷沿岸。新疆阿勒泰市、木垒哈萨克自治县、玛纳斯县、石河子市等有栽培。

| **资源情况** | 野生资源较少，栽培资源一般。药材来源于野生和栽培。

| **采收加工** | 夏季采收，剥下树皮，除去栓皮，晒干，切丝。

| **功能主治** | 清热，燥湿，泻火，解毒。用于热痢，泄泻，消渴，黄疸，痿病，梦遗，淋浊，痔疮，便血，赤白带下，骨蒸劳热，目赤肿痛，口舌生疮，疮疡肿毒。

芸香科 Rutaceae 花椒属 Zanthoxylum

花椒
Zanthoxylum bungeanum Maxim.

药材名

花椒（药用部位：果皮）、花椒叶（药用部位：叶）、花椒根（药用部位：根）。

形态特征

落叶小乔木。高 3 ~ 7 m。茎干上的刺常早落。枝有短刺，小枝上的刺基部宽而扁，呈劲直的长三角形，当年生枝被短柔毛。叶有小叶 5 ~ 13，叶轴常有甚狭窄的叶翼；小叶对生，无柄，卵形或椭圆形，稀披针形，位于叶轴顶部的较大，近基部的有时圆形，长 2 ~ 7 cm，宽 1 ~ 3.5 cm，叶缘有细裂齿，齿缝有油点，其余部分无或散生肉眼可见的油点，叶背基部中脉两侧有丛毛或两面均被柔毛，中脉在叶面微凹陷，叶背干后常有红褐色斑纹。花序顶生或生于侧枝顶部，花序轴及花梗密被短柔毛或无毛；花被片 6 ~ 8，黄绿色，形状及大小大致相同；雄蕊 5 ~ 8；退化雌蕊先端叉状浅裂；雌花很少有发育雄蕊，有心皮 2 ~ 3，间有 4，花柱斜向背弯。果实紫红色，分果瓣直径 4 ~ 5 mm，散生微凸起的油点，先端有甚短的芒尖或无；种子长 3.5 ~ 4.5 mm。花期 4 ~ 5 月，果期 8 ~ 9 月或 10 月。

| 生境分布 | 栽培种。新疆阿克苏地区、乌鲁木齐市等有栽培。

| 资源情况 | 栽培资源较丰富。药材来源于栽培。

| 采收加工 | 花椒：秋季采收成熟果实，除去杂质，晒干，将果皮与种子分开。
花椒叶：全年均可采收，晒干或鲜用。
花椒根：全年均可采挖，洗净，切片，晒干。

| 功能主治 | 花椒：温中止痛，杀虫止痒。用于脘腹冷痛，呕吐泄泻，虫积腹痛；外用于湿疹，阴痒。
花椒叶：温中散寒，燥湿健脾，杀虫解毒。用于奔豚，寒积，霍乱转筋，脱肛，脚气病，风弦烂眼，漆疮，疥疮，毒蛇咬伤。
花椒根：散寒，除湿，止痛，杀虫。用于虚寒血淋，风湿痹痛，胃痛，牙痛，痔疮，湿疮，脚气病，蛔虫病。

臭椿
Ailanthus altissima (Mill.) Swingle

| 药 材 名 | 凤眼草（药用部位：果实）。

| 形态特征 | 落叶乔木。高可达 20 m。树皮平滑而有直纹；嫩枝有髓，幼时被黄色或黄褐色柔毛，后毛脱落。叶为奇数羽状复叶，长 40 ~ 60 cm；叶柄长 7 ~ 13 cm；小叶 13 ~ 27，对生或近对生，纸质，卵状披针形，长 7 ~ 13 cm，宽 2.5 ~ 4 cm，先端长渐尖，基部偏斜，截形或近圆形，两侧各具 1 或 2 粗锯齿，齿背有腺体 1，叶面深绿色，叶背灰绿色，揉碎后具臭味。圆锥花序长 10 ~ 30 cm；花淡绿色；花梗长 1 ~ 2.5 mm；萼片 5，覆瓦状排列，萼裂片长 0.5 ~ 1 mm；花瓣 5，长 2 ~ 2.5 mm，基部两侧被硬粗毛；雄蕊 10，花丝基部密被硬粗毛，花丝长于雄花花瓣，短于雌花花瓣，花药长圆形，长约 1 mm；心皮

5，花柱黏合，柱头 5 裂。翅果长椭圆形，长 3 ~ 4.5 cm，宽 1 ~ 1.2 cm；种子位于翅的中间，扁圆形。花期 4 ~ 5 月，果期 8 ~ 10 月。

| **生境分布** | 栽培种。新疆吐鲁番市、乌鲁木齐市及阿克苏市、伊宁市、巴楚县、麦盖提县、喀什市等有栽培。

| **资源情况** | 栽培资源较丰富。药材来源于栽培。

| **采收加工** | 8 ~ 9 月果实成熟时采收，除去果柄，晒干。

| **功能主治** | 清热燥湿，收涩止带，止泻，止血。用于赤白带下，湿热泻痢，久泻久痢，便血，崩漏。

棟科 Meliaceae 香椿属 Toona

香椿
Toona sinensis (Juss.) Roem.

| 药 材 名 | 椿眼皮（药用部位：树皮、根皮）、椿叶（药用部位：叶）、香椿子（药用部位：果实）。

| 形态特征 | 乔木。树皮粗糙，深褐色，片状脱落。叶具长柄，偶数羽状复叶，长 30 ~ 50 cm 或更长；小叶 16 ~ 20，对生或互生，纸质，卵状披针形或卵状长椭圆形，长 9 ~ 15 cm，宽 2.5 ~ 4 cm，先端尾尖，基部一侧圆形，另一侧楔形，不对称，全缘或有疏离的小锯齿，两面均无毛，无斑点，背面常呈粉绿色，侧脉每边 18 ~ 24，平展，与中脉几成直角，在背面略凸起；小叶柄长 5 ~ 10 mm。圆锥花序与叶等长或较叶长，被稀疏的锈色短柔毛或近无毛，小聚伞花序生于短的小枝上，多花；花长 4 ~ 5 mm，具短花梗；花萼 5 齿裂或呈

浅波状，外面被柔毛，且有睫毛；花瓣5，白色，长圆形，先端钝，长4～5 mm，宽2～3 mm，无毛；雄蕊10，其中5雄蕊能育，5雄蕊退化；花盘无毛，近念珠状；子房圆锥形，有5细沟纹，无毛，每室有胚珠8，花柱比子房长，柱头盘状。蒴果狭椭圆形，长2～3.5 cm，深褐色，有苍白色小皮孔，果瓣薄；种子基部通常钝，上端有膜质长翅，下端无翅。花期6～8月，果期10～12月。

| 生境分布 | 栽培种。新疆阿克苏市、库尔勒市、喀什市及吐鲁番市等有栽培。

| 资源情况 | 野生资源较少，栽培资源较丰富。药材来源于栽培。

| 采收加工 | **椿眼皮：**全年均可采收，以春季水分充足时最易剥离，树皮可直接剥下，根皮须先将树根挖出，刮去外面黑皮，以木棍轻捶之，使皮部与木部松离，再行剥取，仰面晒干。

椿叶：春季采收，鲜用。

香椿子：秋季采收，晒干。

| 功能主治 | **椿眼皮：**除热，燥湿，涩肠，止血，杀虫。用于痢疾，泄泻，小便淋痛，便血，崩中，带下，风湿腰腿痛。

椿叶：消炎，解毒，杀虫。用于痔疮，痢疾。

香椿子：祛风，散寒，止痛。用于泄泻，痢疾，胃痛。

远志科 Polygalaceae 远志属 Polygala

新疆远志
Polygala hybrida DC.

药材名

远志（药用部位：根）。

形态特征

多年生草本。高 15 ~ 40 cm。茎通常多数丛生，被极短的卷曲微柔毛。单叶互生，叶片薄纸质或膜质，椭圆形或狭披针形，长 1.5 ~ 4.5 cm，宽 2 ~ 4 cm，先端钝，基部渐狭，全缘，绿色，主脉在上面凹陷，在下面凸起，侧脉直升，不明显；无叶柄。总状花序顶生；花密集；花梗短，长约 2 mm，无毛；小苞片 3，钻状三角形，膜质，先端长渐尖，不等长，长 3 ~ 5 mm，具细缘毛，早落；萼片 5，膜质，宿存，外面 3 萼片椭圆状披针形，长约 4 mm，宽约 1.5 mm，先端钝，具细缘毛，内面 2 萼片大，花瓣状，椭圆形，长约 8 mm，宽约 4.5 mm，先端钝至近圆形，基部具爪，具 5 脉；花瓣 3，紫红色，侧方花瓣长椭圆形，偏斜，长约 7 mm，中部以下与龙骨瓣合生，先端略尖，龙骨瓣短于侧方花瓣，长约 4.5 mm；鸡冠状附属物条状微裂；雄蕊 8，花丝长约 4.5 mm，全部合生成鞘，鞘内被柔毛，花药卵形；子房长椭圆形，具狭翅，直径约 1 mm，长约 1.5 mm，无毛，花柱长 2.5 mm，自下向上渐宽，先端毛笔状，柱头位于中间。蒴果长圆形，长 6 mm，直径约 4 mm，具翅，无毛；种子除种阜外密被绢毛。花期 5 ~ 7 月，果期 6 ~ 9 月。

| 生境分布 | 生于海拔 1 300 ~ 2 800 m 的中山带草原、林缘、林中空地、河边。分布于新疆哈密市及阿勒泰市、青河县、福海县、额敏县、塔城市、奇台县、沙湾市、呼图壁县、精河县、伊宁县、新源县、昭苏县、和静县等。

| 资源情况 | 野生资源一般，栽培资源较丰富。药材来源于栽培。

| 采收加工 | 春、夏季采收，洗净，晒干。

| 功能主治 | 祛痰，宁心，解毒消痈。用于咳喘痰多，心悸失眠，痈疽疮肿。

大戟科 Euphorbiaceae 大戟属 Euphorbia

阿拉套大戟 *Euphorbia alatavica* Boiss.

| 药材名 | 大戟（药用部位：根茎）。

| 形态特征 | 多年生草本。有时略呈红褐色。根圆柱状，长超过 10 cm，直径 4 ~ 8 mm。茎自基部多分枝，丛生，每分枝向上不再分枝，高 20 ~ 50 cm，直径约 3 mm，被白色柔毛或无毛。叶互生，长卵状椭圆形，长 2 ~ 3 cm，宽 8 ~ 10 mm，先端渐尖，基部圆形，边缘具不明显的细齿；侧脉不明显；无叶柄；总苞叶 4，三角状卵形，长约 1.3 cm，宽 8 ~ 10 mm，先端圆形，基部渐狭；苞叶 3，倒卵状，长与宽均 4 ~ 6 mm。花序单生于二叉分枝先端，基部无梗，伞幅常 4，长约 2 cm；总苞杯状，高与直径均约 2 mm，边缘 4 裂，裂片狭钻状；腺体 4，半圆形，褐黄色；雄花数枚，稍伸出总苞外；雌花 1，子房

柄伸出约 1 mm，子房被小的瘤状突起，无毛，花柱 3，分离，柱头 2 浅裂。蒴果球状，长与直径均约 3 mm，被稀疏的瘤状突起，无毛，成熟时分裂为 3 分果片；种子卵球状，直径约 1.5 mm，长约 2 mm，黑褐色，光亮，腹面无明显纹饰，种阜具短柄。花果期 6 ～ 8 月。

| 生境分布 | 生于海拔 2 000 ～ 3 000 m 的高山和亚高山带的林缘、草甸和草原山坡。分布于新疆博乐市、霍城县、尼勒克县、新源县、巩留县、特克斯县、昭苏县等。

| 资源情况 | 野生资源一般。药材来源于栽培。

| 采收加工 | 春季未发芽前或秋季茎叶枯萎时采挖，除去残茎及须根，洗净，晒干。

| 功能主治 | 祛痰消积，杀虫止痛，清热凉血。

布赫塔尔大戟 *Euphorbia buchtormensis* C. A. Mey. ex Ledeb.

| **药 材 名** | 大戟（药用部位：根茎）。

| **形态特征** | 多年生草本。高 20 ~ 30 cm。根粗，圆柱形，头多。茎多数，直立，仅在基部被短刚毛，向上无毛，通常单一，仅在上部有时具腋生的花序梗。叶互生；茎下部的叶小，鳞片状，有缘毛，向上叶长圆状椭圆形或倒卵形，长 1.5 ~ 2.5 cm，宽 5 ~ 12 mm，表面淡绿色，背面蓝绿色或带红色，先端钝，基部心形，有时抱茎，近全缘或有小锯齿；苞叶数片，轮生，与总苞叶相似，但较小；小苞叶下部 3，轮生，上部 2，对生，圆形或椭圆形，边缘常有小锯齿，先端钝，基部心形，在花期呈黄色。杯状花序顶生，茎端有具 4 ~ 5 伞梗的伞形花序，每伞梗同腋生的单花序梗一样，再 1 ~ 2 回叉状分枝而

具小伞梗；总苞宽钟状，直径 3 ~ 4 mm，外面无毛，内面有毛，边缘 4 裂，裂片长圆形，有缘毛；腺体 4，椭圆形，褐色；花柱 3，基部合生，先端 2 裂。蒴果球形，压扁，有 3 浅沟，被淡黄色瘤状突起；种子卵形，具有柄的种阜。花果期 4 ~ 5 月。

| **生境分布** | 生于海拔 1 000 ~ 1 300 m 的陡坡及山地灌草丛。分布于新疆裕民县等。

| **资源情况** | 野生资源较少。药材来源于栽培。

| **采收加工** | 春季未发芽前或秋季茎叶枯萎时采挖，除去残茎及须根，洗净，晒干。

| **功能主治** | 祛痰消积，杀虫止痛，清热凉血。

大戟科 Euphorbiaceae 大戟属 *Euphorbia*

乳浆大戟
Euphorbia esula L.

| 药 材 名 | 大戟（药用部位：全草）。

| 形态特征 | 多年生草本。根圆柱状，长超过 20 cm，直径 3 ~ 5（~ 6）mm，不分枝或分枝，常曲折，褐色或黑褐色。茎单生或丛生，单生时自基部多分枝，高 30 ~ 60 cm，直径 3 ~ 5 mm。不育枝常发自茎基部，较矮，有时发自叶腋。叶线形至卵形，形状变异大，长 2 ~ 7 cm，宽 4 ~ 7 mm，先端尖或钝尖，基部楔形至平截，无叶柄；不育枝叶常为松针状，长 2 ~ 3 cm，直径约 1 mm，无叶柄；总苞叶 3 ~ 5，与茎生叶同形；苞叶 2，常为肾形，稀为卵形或三角状卵形，长 4 ~ 12 mm，宽 4 ~ 10 mm，先端渐尖或近圆形，基部近平截。花序单生于二叉分枝先端，基部无梗，伞幅 3 ~ 5，长 2 ~ 4（~ 5）cm；

总苞钟状，高约 3 mm，直径 2.5 ～ 3 mm，边缘 5 裂，裂片半圆形至三角形，边缘及内侧被毛；腺体 4，新月形，两端具角，角长而尖或短而钝，变化较大，褐色；雄花多枚；苞片宽线形，无毛；雌花 1，子房柄明显伸出总苞外，子房光滑，无毛，花柱 3，分离，柱头 2 裂。蒴果三棱状球形，长与直径均 5 ～ 6 mm，具 3 纵沟，成熟时分裂为 3 分果爿，具宿存花柱；种子卵球状，长 2.5 ～ 3 mm，直径 2 ～ 2.5 mm，成熟时黄褐色，种阜盾状，无柄。花果期 4 ～ 10 月。

| 生境分布 |　生于河边草甸、山地云杉林下。分布于新疆富蕴县、奇台县。

| 资源情况 |　野生资源较少。药材来源于栽培。

| 采收加工 |　夏、秋季采收，除去杂质，晒干或鲜用。

| 功能主治 |　利尿消肿，散结，杀虫。

大戟科 Euphorbiaceae 大戟属 *Euphorbia*

地锦草
Euphorbia humifusa Willd. ex Schltdl.

| 药 材 名 | 地锦草（药用部位：全草）。

| 形态特征 | 一年生草本。根纤细，长 10 ~ 18 cm，直径 2 ~ 3 mm，常不分枝。茎匍匐，基部以上多分枝，偶先端斜向上伸展，基部常红色或淡红色，长 20（~ 30）cm，直径 1 ~ 3 mm，被柔毛或疏柔毛。叶对生，矩圆形或椭圆形，长 5 ~ 10 mm，宽 3 ~ 6 mm，先端钝圆，基部偏斜，略渐狭，边缘常于中部以上具细锯齿，叶面绿色，叶背淡绿色，有时淡红色，两面被疏柔毛；叶柄极短，长 1 ~ 2 mm。花序单生于叶腋，基部具长 1 ~ 3 mm 的短梗；总苞陀螺状，高与直径各约 1 mm，边缘 4 裂，裂片三角形；腺体 4，矩圆形，边缘具白色或淡红色附属物；雄花数枚，与总苞边缘近等长；雌花 1，子房柄伸出至总苞边缘，

子房三棱状卵形，光滑，无毛，花柱 3，分离，柱头 2 裂。蒴果三棱状卵球形，长约 2 mm，直径约 2.2 mm，成熟时分裂为 3 分果爿，具宿存花柱；种子三棱状卵球形，长约 1.3 mm，直径约 0.9 mm，灰色，棱面无横沟，无种阜。花果期 5 ～ 10 月。

| **生境分布** | 生于原野荒地、路旁、田间、沙丘、海滩、山坡等。主要分布于新疆喀什地区及伊宁县等。新疆伊犁哈萨克自治州、和田地区、喀什地区等有栽培。

| **资源情况** | 野生资源较丰富，栽培资源一般。药材来源于野生和栽培。

| **采收加工** | 秋季采收，除去杂质，鲜用或晒干。

| **功能主治** | 清热解毒，利湿退黄，活血止血，解蛇毒。用于痢疾，泄泻，黄疸，咯血，吐血，尿血，便血，崩漏，乳汁不下，跌打肿痛，热毒疮疡，毒蛇咬伤。

大戟科 Euphorbiaceae 大戟属 Euphorbia

续随子

Euphorbia lathyris L.

|药 材 名|

千金子（药用部位：种子）。

|形态特征|

二年生草本。全体无毛。根柱状，长超过
20 cm，直径 3 ~ 7 mm；侧根多而细。茎
直立，基部单一，略带紫红色，顶部二叉分
枝，灰绿色，高可达 1 m。叶交互对生，于
茎下部密集，于茎上部稀疏，线状披针形，
长 6 ~ 10 cm，宽 4 ~ 7 mm，先端渐尖或尖，
基部半抱茎，全缘；侧脉不明显；无叶柄；
总苞叶 2，卵状长三角形，长 3 ~ 8 cm，宽
2 ~ 4 cm，先端渐尖或急尖，基部近平截或
半抱茎，全缘，无叶柄。花序单生，近钟状，
高约 4 mm，直径 3 ~ 5 mm，边缘 5 裂，裂
片三角状长圆形，边缘浅波状；腺体 4，新
月形，两端具短角，暗褐色；雄花多数，伸
出总苞边缘；雌花 1，子房柄与总苞近等长，
子房光滑，无毛，直径 3 ~ 6 mm，花柱 3，
细长，分离，柱头 2 裂。蒴果三棱状球形，
长与直径各约 1 cm，光滑，无毛，成熟时
不开裂，花柱早落；种子柱状至卵球状，长
6 ~ 8 mm，直径 4.5 ~ 6 mm，褐色或灰褐色，
无皱纹，具黑褐色斑点，种阜无柄，极易脱
落。花期 4 ~ 7 月，果期 6 ~ 9 月。

| **生境分布** | 栽培种。新疆伊宁县等有栽培。

| **资源情况** | 野生资源较少。药材来源于栽培。

| **采收加工** | 果实变黑褐色时采收，晒干，脱粒，扬净，再晒干。

| **功能主治** | 逐水消肿，破瘾杀虫，导泻，镇静，镇痛，抗炎，抗菌，抗肿瘤。用于晚期血吸虫病，毒蛇咬伤，经闭等。

大戟科 Euphorbiaceae 大戟属 Euphorbia

宽叶大戟
Euphorbia latifolia C. A. Mey. ex Ledeb.

| **药 材 名** | 大戟（药用部位：根茎）。

| **形态特征** | 多年生草本。根圆柱状，长15～30 cm，直径4～6 mm，褐色。
茎单一或数个，高60～100 cm，直径5～7 mm，光滑，无毛，
中部以上多分枝。叶互生，椭圆形，长4～6.5 cm，宽2～3 cm，
先端圆形，基部近圆形或略呈楔形，全缘；主脉于叶背隆起，侧脉
11～15对；叶柄近无；总苞叶6～10，与茎生叶同形，但通常略小；
苞叶2，卵圆形、三角状卵形或半圆形，长1～1.5 cm，宽1～2 cm，
先端圆形或近圆形，基部近平截。花序单生于二叉分枝先端，基部
具短梗，伞幅6～10，长3～5 cm；总苞钟状，高2～2.5 mm，
直径1.5～2 mm，无毛，边缘5裂，裂片卵状三角形，内侧被柔毛；

腺体 4，新月形，先端具 2 钝角，淡褐色或褐色；雄花多数；苞片线形，多少撕裂；雌花 1，子房柄伸出总苞外，子房光滑，无毛，花柱 3，分离，柱头 2 裂。蒴果卵球状，具 3 纵沟，长 4 ～ 4.5 mm，直径约 4 mm，成熟时分裂为 3 分果爿，具宿存花柱；种子卵状，长 2.5 ～ 3 mm，直径 1.5 ～ 2 mm，棕褐色，种阜肉色，无柄。花果期 5 ～ 9 月。

| 生境分布 | 生于海拔 1 000 ～ 1 500 m 的林缘、河谷、草甸、灌丛。分布于新疆哈巴河县、阿勒泰市、额敏县、塔城市、新源县、巩留县等。

| 资源情况 | 野生资源较少。药材来源于栽培。

| 采收加工 | 春季未发芽前或秋季茎叶枯萎时采收，除去残茎及须根，洗净，晒干。

| 功能主治 | 祛痰消积，杀虫止痛，清热凉血。

大戟科 Euphorbiaceae 大戟属 Euphorbia

银边翠
Euphorbia marginata Pursh.

| **药 材 名** | 银边翠（药用部位：全草）。

| **形态特征** | 一年生草本。根纤细，极多分枝，长超过 20 cm，直径 3 ~ 5 mm。茎单一，自基部极多分枝，高 60 ~ 80 cm，直径 3 ~ 5 mm，光滑，常无毛，有时被柔毛。叶互生，椭圆形，长 5 ~ 7 cm，宽约 3 cm，先端钝，具小尖头，基部平截状圆形，绿色，全缘；无叶柄或近无叶柄；总苞叶 2 ~ 3，椭圆形，长 3 ~ 4 cm，宽 1 ~ 2 cm，先端圆形，基部渐狭，全缘，绿色，边缘具白色；苞叶椭圆形，长 1 ~ 2 cm，宽 5 ~ 7（~ 9）mm，先端圆形，基部渐狭，近无柄。花序单生于苞叶内或数个呈聚伞状着生，基部具梗；花序梗长 3 ~ 5 mm，密被柔毛；伞幅 2 ~ 3，长 1 ~ 4 cm，被柔毛或近无毛；总苞钟状，高 5 ~

6 mm, 直径约 4 mm, 外部被柔毛, 边缘 5 裂, 裂片三角形至圆形, 先端尖至微凹,
边缘与内侧均被柔毛; 腺体 4, 半圆形, 边缘具宽大的白色附属物, 长与宽均
超过腺体; 雄花多数, 伸出总苞外; 苞片丝状; 雌花 1, 子房柄较长, 长 3 ～
5 mm, 伸出总苞外, 被柔毛, 子房密被柔毛, 花柱 3, 分离, 柱头 2 浅裂。
蒴果近球状, 长与直径均约 5.5 mm, 具长柄, 果柄长 3 ～ 7 mm, 被柔毛, 果
实成熟时分裂为 3 分果爿, 具花柱宿存; 种子圆柱状, 淡黄色至灰褐色, 长
3.5 ～ 4 mm, 直径 2.8 ～ 3 mm, 被瘤、短刺或不明显的突起, 无种阜。花果期 6 ～
9 月。

| **生境分布** | 栽培种。新疆乌鲁木齐市及库尔勒市等有栽培。

| **资源情况** | 药材来源于栽培。

| **采收加工** | 春、夏季采收, 晒干或鲜用。

| **功能主治** | 活血调经, 消肿拔毒。用于月经不调, 跌打损伤, 无名肿毒。

大戟科 Euphorbiaceae 大戟属 Euphorbia

小萝卜大戟 *Euphorbia rapulum* Kar. & Kir.

| 药 材 名 | 大戟（药用部位：全草）。

| 形态特征 | 多年生草本。全体灰褐色略带紫色。根萝卜状或球状，直径2～4 cm或更大，末端细线形。茎单一，直立，上部多分枝，高10～30 cm，直径3～7 mm。叶互生；茎下部的叶呈鳞片状，基部半抱茎，长1～2 cm，宽3～6 mm，略呈淡紫色，叶背紫色尤为明显，茎上部的叶倒卵形至椭圆形，长3～4 cm，宽6～20 mm，全缘；叶脉羽状，数条发自主脉下半部；叶柄近无或短；苞叶2，卵状长圆形，长约1 cm，宽3～5 mm。花序单生于二叉分枝先端；无花序梗；总苞阔钟状，高约2.5 mm，直径3～4.5 mm，边缘4裂，裂片长圆形，具柔毛；腺体4，半圆形，淡褐色；雄花多枚，伸出总苞外；雌花1，

子房柄长达 3 mm，明显伸出总苞外，子房光滑，无毛；花柱 3，分离，柱头 2 裂。
蒴果卵球状，长约 5 mm，直径 3.5 ~ 5 mm，成熟时分裂为 3 分果爿，具宿存花柱；
种子黄褐色至淡灰色，圆柱状，长约 3 mm，直径约 2 mm，光滑，腹面具 1 条纹，
种阜无柄。花果期 4 ~ 6 月。

| 生境分布 |　生于海拔 800 ~ 2 000 m 的洪积平原、荒地和山前平原。分布于新疆察布查尔
锡伯自治县、伊宁县、奎屯市、新源县、巩留县等。

| 资源情况 |　野生资源较少。药材来源于栽培。

| 采收加工 |　夏、秋季采收，晒干。

| 功能主治 |　祛痰消积，杀虫止痛，清热凉血。

大戟科 Euphorbiaceae 大戟属 Euphorbia

准噶尔大戟
Euphorbia soongarica Boiss.

| 药 材 名 | 准噶尔大戟（药用部位：根）。

| 形态特征 | 多年生草本。茎多丛生，具条纹，中部以上多分枝，顶部二叉分枝。叶互生，倒披针形，先端渐尖，基部楔形，叶上部边缘具细锯齿，侧脉羽状；叶柄近无；总苞叶卵形至长圆形；苞叶 2，形状同总苞叶。花序单生于分枝先端；总苞钟状，先端 5 裂，裂片半圆形至卵圆形，边缘和内侧具缘毛，腺体半圆形，淡褐色。雄花多数，明显超出总苞；雌花明显伸出总苞外，子房光滑，无毛，花柱 3，近基部合生；柱头 2 裂。蒴果近球状，光滑；花柱宿存；成熟时分裂为 3 分果爿；种子卵球状，黄褐色，腹面具条纹，种阜无柄。

| 生境分布 | 生于海拔 530 ~ 800 m 的潮湿盐碱洼地、撂荒地以及河谷岸边。分

布于新疆乌鲁木齐市及石河子市、塔城市、托里县、奇台县、沙湾市、乌苏市等。

| 资源情况 | 野生资源丰富。药材来源于野生。

| 采收加工 | 春、秋季采挖，洗净，搓去外皮，晾干。

| 功能主治 | 攻逐水饮，消肿散结。用于渗出性胸膜炎，肝硬化腹水，肾炎性水肿，疔疮痈肿。哈萨克医用于湿性胸膜炎，肾炎性水肿，肝硬化腹水；外用于疮疖肿痛。

| 用法用量 | 内服煎汤，1.5 ~ 3 g。外用适量，捣敷。

大戟科 Euphorbiaceae 大戟属 Euphorbia

对叶大戟 *Euphorbia sororia* A. Schrenk

| 药 材 名 | 对叶大戟（药用部位：全草）。

| 形态特征 | 一年生草本。根单一，细长，常弯曲。茎单一，上部多二叉分枝，光滑无毛。叶对生，线形或线状椭圆形，先端钝尖，基部渐狭；全缘；总苞叶和苞叶均2，叶形同茎生叶；总伞幅2。花序单生于二歧聚伞分枝的先端；总苞狭钟状，无柄，边缘4裂，裂片近三角形；腺体4，新月形，两端具长角，淡黄色，且常背弯；雄花多数，伸出总苞之外；雌花1；子房光滑无毛；花柱3，分离，柱头2裂。蒴果三棱状卵球形，光滑无毛；种子圆柱状，黑色或灰褐色，具不规则的疣点状突起；种阜白色，略呈盾状，基部具柄，柄常贴伏于种皮表面，似无柄。花果期6～7月。

| **生境分布** | 生于沙地、山沟、坡地。新疆和田地区等有栽培。

| **采收加工** | 6～7月采收，晒干。

| **功能主治** | 消散寒气，燥湿开胃，开通阻滞，健脑益智。用于腹胀胃弱，食少健忘，语言不利，肢体瘫痪，皮肤疾病等。

| **用法用量** | 内服煎汤，3～6 g。

大戟科 Euphorbiaceae 大戟属 Euphorbia

土大戟

Euphorbia turczaninowii Kar. et Kir.

| 药 材 名 | 大戟（药用部位：根）。

| 形态特征 | 一年生草本。全体光滑无毛。茎自基部二叉分枝，向上呈扇状展开。叶对生，长卵状至卵状椭圆形，先端渐尖，基部略狭；茎下部的叶稀疏，茎上部的叶密集，节间极短，叶脉 3 ~ 5，由叶基发出而直达叶上部边缘；苞叶形状同茎生叶。花序单生于二叉分枝先端；总苞杯状，膜质，黄白色，边缘 4 裂，具柔毛，腺体 4，半月形，先端具 2 角，不明显；雄花数朵；雌花 1，子房光滑，花柱 3，离生，柱头 2 裂。蒴果卵圆状；种子矩圆状，灰白色，为不规则的棱状体，具皱纹，腹面具 1 褐色沟纹，无种阜。花果期 5 ~ 7 月。

| 生境分布 | 生于海拔 300 ~ 500 m 的流动沙丘、半固定沙丘、梭梭林下及河岸

冲积的沙地。分布于新疆布尔津县、奇台县、阜康市、昌吉市、玛纳斯县、石河子市、霍城县等。

| **资源情况** | 野生资源一般。药材来源于野生。

| **采收加工** | 秋季地上部分枯萎后至早春萌芽前采挖，切片，晒干或烘干。

| **功能主治** | 泻水逐饮，消肿散结。用于水肿，胸腹积水，痰饮积聚，二便不利，痈肿，瘰疬。

| **用法用量** | 内服煎汤，0.5 ~ 3 g；或入丸、散剂。外用适量，研末；或熬膏敷；或煎汤熏洗。

凤仙花科 Balsaminaceae 凤仙花属 Impatiens

凤仙花 *Impatiens balsamina* L.

| **药材名** | 凤仙根（药用部位：根）、凤仙透骨草（药用部位：地上部分）、凤仙花（药用部位：花）、急性子（药用部位：果实）。

| **形态特征** | 一年生草本。高 60 ~ 100 cm。茎粗壮，肉质，直立，不分枝或有分枝，无毛或幼时疏被柔毛，基部直径可达 8 mm，具多数纤维状根，下部节常膨大。叶互生，最下部叶有时对生；叶片披针形、狭椭圆形或倒披针形，长 4 ~ 12 cm，宽 1.5 ~ 3 cm，先端尖或渐尖，基部楔形，边缘有锐锯齿，基部常有数对无柄的黑色腺体，两面无毛或疏被柔毛，侧脉 4 ~ 7 对；叶柄长 1 ~ 3 cm，上面有浅沟，两侧具数对有柄的腺体。花单生或 2 ~ 3 簇生于叶腋，无总花梗，白色、粉红色或紫色，单瓣或重瓣；花梗长 2 ~ 2.5 cm，密被柔毛；苞片线

形，位于花梗的基部；侧生萼片 2，卵形或卵状披针形，长 2 ~ 3 mm；唇瓣深舟状，长 13 ~ 19 mm，宽 4 ~ 8 mm，被柔毛，基部急尖成长 1 ~ 2.5 cm、内弯的距，旗瓣圆形，兜状，先端微凹，背面中肋具狭龙骨状突起，先端具小尖，翼瓣具短柄，长 23 ~ 35 mm，2 裂，下部裂片小，倒卵状长圆形，上部裂片近圆形，先端 2 浅裂，外缘近基部具小耳；雄蕊 5，花丝线形，花药卵球形，先端钝；子房纺锤形，密被柔毛。蒴果宽纺锤形，长 10 ~ 20 mm，两端尖，密被柔毛；种子多数，圆球形，直径 1.5 ~ 3 mm，黑褐色。花期 7 ~ 10 月。

| 生境分布 | 生于向阳、疏松肥沃的土壤中，也可生于较贫瘠的土壤中。新疆各地均有栽培。

| 采收加工 | **凤仙根**：秋季采挖根，洗净，鲜用或晒干。

凤仙透骨草：夏、秋季植株生长茂盛时割取地上部分，除去叶、花、果实，洗净，晒干。

凤仙花：夏、秋季开花时采收花，鲜用，或阴干、烘干。

急性子：8 ~ 9 月蒴果由绿转黄时采摘果实，脱粒，筛去果皮、杂质，收集种子。

| 功能主治 | **凤仙根**：苦、辛，平；有小毒。活血止痛，利湿消肿。用于跌扑肿痛，风湿骨痛，带下，水肿。

凤仙透骨草：苦、辛，温；有小毒。祛风湿，血止痛，解毒。用于风湿痹痛，跌打肿痛，闭经，痛经，痈肿，丹毒，鹅掌风，蛇虫咬伤。

凤仙花：甘、苦，微温。祛风除湿，活血止痛，解毒杀虫。用于风湿肢体痿废，腰胁疼痛，经闭腹痛，产后瘀血未尽，跌打损伤，骨折，痈疽疮毒，毒蛇咬伤，带下，鹅掌风，灰指甲。

急性子：辛、微苦，温；有小毒。行瘀降气，软坚散结。用于经闭，痛经，产难，产后胞衣不下，噎膈，痞块，骨鲠，龋齿，疮疡肿毒。

| 用法用量 | **凤仙根**：内服煎汤，6 ~ 15 g；或研末，3 ~ 6 g；或浸酒。外用适量，捣敷。

凤仙透骨草：内服煎汤，3 ~ 9 g；或鲜品捣汁。外用适量，鲜品捣敷；或煎汤熏洗。

凤仙花：内服煎汤，2.5 ~ 5 g，鲜品 5 ~ 15 g；或研末；或浸酒。外用适量，捣汁滴耳；或捣敷；或煎汤熏洗。

急性子：内服煎汤，3 ~ 5 g。

葡萄科 Vitaceae 葡萄属 Vitis

葡萄
Vitis vinifera L.

| **药 材 名** | 琐琐葡萄（药用部位：果实）。

| **形态特征** | 高大缠绕藤本。幼茎秃净或略被绵毛；卷须二叉分枝，与叶对生。叶互生；叶柄长 4 ~ 8 cm；叶片纸质，圆卵形或圆形，宽 10 ~ 20 cm，常 3 ~ 5 裂，基部心形，边缘有粗而稍尖锐的齿缺，下面常密被蛛丝状绵毛。花杂性，异株；圆锥花序大而长，与叶对生，疏被蛛丝状柔毛；花序梗无卷须；花萼极小，杯状，全缘或边缘具不明显的 5 齿裂；花瓣 5，黄绿色，先端黏合不展开，基部分离，开花时呈帽状整块脱落；雄蕊 5；花盘隆起，由 5 腺体组成，基部与子房合生；子房 2 室，花柱短，圆锥形。浆果卵圆形至卵状长圆形，富汁液，成熟时紫黑色或红色而带青色，外被蜡粉。花期 6 月，果

期 9 ～ 10 月。

| 生境分布 | 栽培于壤土或砂壤土中。新疆高昌区、鄯善县、和田市等有少量栽培。

| 采收加工 | 秋季果实成熟时剪下果序，阴干。

| 功能主治 | 清热消炎，止咳化痰，祛风透疹。用于呼吸道炎症，发热，急性肺炎，咽喉炎，咳嗽气短，小儿麻疹，急性肝炎等。

| 用法用量 | 内服煎汤，15 ～ 30 g。

锦葵科 Malvaceae 苘麻属 Abutilon

苘麻
Abutilon theophrasti Medicus

| **药 材 名** | 苘麻（药用部位：全草或叶）、苘麻根（药用部位：根）、苘麻子（药用部位：种子）。

| **形态特征** | 一年生亚灌木状草本。茎枝被柔毛。叶互生，圆心形，先端长渐尖，基部心形，边缘具细圆锯齿，两面均密被星状柔毛；叶柄被星状细柔毛；托叶早落。花单生于叶腋；花梗被柔毛，近先端具节；花萼杯状，密被短绒毛，裂片5，卵形；花黄色；花瓣倒卵形；雄蕊柱平滑无毛，先端平截，具扩展、被毛的长芒2，排列成轮状，密被软毛。蒴果半球形，被粗毛，先端具长芒2；种子肾形，褐色，被星状柔毛。花期7～8月。

| **生境分布** | 生于绿洲地带的田边、路旁、沟边及河岸等。分布于新疆吐鲁番市、

乌鲁木齐市及石河子市、察布查尔锡伯自治县、阿图什市、和田市等。

| 资源情况 |　野生资源丰富，栽培资源一般。药材来源于野生。

| 采收加工 |　苘麻：夏季采收，晒干或鲜用。

苘麻根：立冬后采挖，除去茎叶，洗净，晒干。

苘麻子：秋季采收成熟果实，晒干，打下种子，筛去果皮及杂质，再晒干。

| 功能主治 |　**中医**　苘麻：清热利湿，解毒开窍。用于痢疾，中耳炎，耳鸣，耳聋，睾丸炎，化脓性扁桃体炎，痈疽肿毒。

苘麻根：利湿解毒。用于小便淋沥，痢疾，急性中耳炎，睾丸炎。

苘麻子：清热解毒，利湿，退翳。用于赤白痢，淋证涩痛，痈肿疮毒，目生翳膜。

蒙医　苘麻子：燥协日乌素，杀虫。

| 用法用量 |　苘麻：内服煎汤，10 ~ 30 g。外用适量，捣敷。

苘麻根：内服煎汤，30 ~ 60 g。

苘麻子：内服煎汤，6 ~ 12 g；或入散剂。

裸花蜀葵 *Alcea nudiflora* (Lindl.) Boiss.

| 药 材 名 | 蜀葵子（药用部位：种子）。

| 形态特征 | 二年生草本。被星状疏柔毛。叶卵形，下部的叶掌状 5 ~ 6 裂，裂片卵状长圆形，上部的叶 3 ~ 5 裂，边缘具圆锯齿，基部心形，两面均密被星状糙硬毛；叶柄被星状疏硬毛。花簇生，排列成顶生总状花序，无叶状苞片；花梗密被星状糙硬毛；总苞的小苞片杯状，裂片正三角形至披针形，密被星状绵毛；花萼杯状，裂片 5，三角状披针形，密被星状糙硬毛；花冠白色，基部淡绿黄色；花瓣 5，倒卵形，先端凹，基部狭，爪具髯毛；雄蕊花丝纤细，花药黄色；花柱分枝多数。果实盘状，被短柔毛。花期 7 月。

| 生境分布 | 生于海拔约 1 000 m 的山地草原阳坡灌丛中。分布于新疆托里县、

新源县、阿勒泰市、哈巴河县、布尔津县、富蕴县等。

| **资源情况** | 野生资源较少。药材来源于野生。

| **采收加工** | 9 ~ 11 月采收成熟果实，晒干，脱粒，簸去杂质，再晒至全干。

| **功能主治** | 利尿通淋，解毒排脓，润肠。用于水肿，淋证，带下，乳汁不通，疥疮，无名肿毒。

| **用法用量** | 内服煎汤，3 ~ 9 g；或研末。外用适量，研末调敷。

锦葵科 Malvaceae 蜀葵属 Alcea

蜀葵 *Alcea rosea* L.

| 药 材 名 |

蜀葵根（药用部位：根）、蜀葵苗（药用部位：茎叶）、蜀葵花（药用部位：花）、蜀葵子（药用部位：种子）。

| 形态特征 |

二年生直立草本。茎枝密被刺毛。叶近圆心形，掌状 5 ~ 7 浅裂或具波状棱角，裂片三角形或圆形，上面疏被星状柔毛，粗糙，下面被星状长硬毛或绒毛；叶柄被星状长硬毛；托叶卵形，先端具 3 尖。花腋生、单生或近簇生，排列成总状花序式，具叶状苞片；花梗被星状长硬毛；小苞片杯状，裂片卵状披针形，密被星状粗硬毛，基部合生；花萼钟状，裂片卵状三角形，密被星状粗硬毛；花大，有红色、紫色、白色、粉红色、黄色、黑紫色等，单瓣或重瓣；花瓣倒卵状三角形，先端凹缺，基部狭，爪被长髯毛；雄蕊柱无毛，花丝纤细，花药黄色；花柱分枝多数，微被细毛。果实盘状，被短柔毛，分果爿近圆形，多数，具纵槽。花期 2 ~ 8 月。

| 生境分布 |

栽培种。新疆乌鲁木齐市、克拉玛依市、昌吉回族自治州、巴音郭楞蒙古自治州、哈密

市、阿克苏地区、阿勒泰地区、和田地区、喀什地区、吐鲁番市等有栽培。

| 资源情况 | 栽培资源丰富。药材主要来源于栽培。

| 采收加工 | **蜀葵根：**冬季采挖，刮去栓皮，洗净，切片，晒干。

蜀葵苗：夏季采收，晒干或鲜用。

蜀葵花：夏、秋季采收，晒干。

蜀葵子：9 ~ 11 月采收成熟果实，晒干，脱粒，簸去杂质，再晒至全干。

| 功能主治 | **中医** **蜀葵根**：清热利湿，凉血止血，解毒排脓。用于淋证，带下，痢疾，吐血，血崩，外伤出血，疮疡肿毒，烫火伤。

蜀葵苗：清热利湿，解毒。用于热毒下痢，淋证，无名肿毒，烫火伤，金疮。

蜀葵花：清利湿热，消肿解毒。用于湿热壅遏，淋浊，水肿；外用于痈疽肿毒，烫火伤。

蜀葵子：利尿通淋，解毒排脓，润肠。用于水肿，淋证，带下，乳汁不通，疥疮，无名肿毒。

蒙医 **蜀葵花**：利尿，消水肿，清热，固精，调经血。

| 用法用量 | **蜀葵根**：内服煎汤，9～15 g。外用适量，捣敷。

蜀葵苗：内服煎汤，6～18 g；或煮食；或捣汁。外用适量，捣敷；或烧存性，研末调敷。

蜀葵花：内服煎汤，3～9 g；或研末，1～3 g。外用适量，研末调敷；或鲜品捣敷。

蜀葵子：内服煎汤，3～9 g；或研末。外用适量，研末调敷。

锦葵科 Malvaceae 药葵属 Althaea

药葵
Althaea officinalis L.

| 药 材 名 | 药蜀葵（药用部位：根、种子）。

| 形态特征 | 多年生直立草本。茎密被星状长糙毛。叶卵圆形或心形，3 裂或不分裂，先端短尖，基部近心形至圆形，边缘具圆锯齿，两面密被星状绒毛；叶柄被星状绒毛。总苞的小苞片 9，披针形，密被星状糙毛；花萼杯状，5 裂，裂片披针形，较苞片长，密被星状糙毛；花冠淡红色；花瓣 5，倒卵状长圆形。果实圆肾形，外包以宿存花萼，被短柔毛，分果爿多数。花期 7 月。

| 生境分布 | 生于河流沿岸、河漫滩、田边、撂荒地及低湿处盐化草甸。分布于新疆塔城市、阿勒泰市、哈巴河县、奇台县、呼图壁县、玛纳斯县、沙湾市、精河县、博乐市、伊宁县、新源县及吐鲁番市等。

| **资源情况** | 野生资源一般，栽培资源丰富。药材主要来源于栽培。

| **采收加工** | 根，冬季采挖，刮去栓皮，洗净，切片，晒干。种子，9～11月采收成熟果实，晒干，脱粒，簸去杂质，再晒至全干。

| **功能主治** | 利水通淋，解毒通便，镇咳散寒，解表消炎。用于疮疖痈肿，咳嗽，气管炎，风寒感冒等。

锦葵科 Malvaceae 锦葵属 Malva

圆叶锦葵
Malva pusilla Sm.

| 药 材 名 | 圆叶锦葵根（药用部位：根）。

| 形态特征 | 多年生草本。分枝被粗毛。叶肾形，基部心形，边缘具细圆齿，上面疏被长柔毛，下面疏被星状柔毛；叶柄被星状长柔毛；托叶卵状渐尖。花簇生于叶腋；花梗疏被星状柔毛；小苞片披针形，被星状柔毛；花萼钟形，被星状柔毛，裂片5，具三角状渐尖头；花白色至浅粉红色；花瓣5，倒心形；雄蕊柱被短柔毛；花柱分枝13～15。果实扁圆形，分果爿13～15，被短柔毛；种子肾形，被网纹或无网纹。花期夏季。

| 生境分布 | 生于庭园、路边、村旁及山谷河岸。分布于新疆乌鲁木齐市、吐鲁番市及阜康市、塔城市、沙湾市、博乐市、霍城县、伊宁县、特克

斯县、昭苏县、麦盖提县、策勒县、和田市等。

| **资源情况** | 野生资源丰富。药材来源于野生。

| **采收加工** | 夏、秋季采挖，洗净，切片，晒干。

| **功能主治** | 益气止汗，利水通乳，托疮排脓。用于倦怠乏力，内脏下垂，肺虚咳嗽，自汗盗汗，水肿，乳汁不足，崩漏，痈疽难溃，溃后脓稀，久不收口。

| **用法用量** | 内服煎汤，9 ~ 15 g；或炖肉，30 ~ 60 g。

柽柳科 Tamaricaceae 水柏枝属 Myricaria

宽苞水柏枝 *Myricaria bracteata* Royle

| 药 材 名 |

翁波（药用部位：嫩枝）。

| 形态特征 |

灌木。多年生枝红棕色或黄绿色，有条纹。叶密生于绿色的当年生小枝上，卵形、卵状披针形、线状披针形或狭长圆形，先端钝或锐尖，常具狭膜质边缘。总状花序密集，呈穗状；苞片通常宽卵形或椭圆形，先端渐尖，边缘膜质，后膜质边缘脱落，露出中脉而成凸尖头或尾状长尖，伸展或向外反卷，基部狭缩，具宽膜质的啮齿状边缘，边缘易脱落，基部残留于花序轴上，常成龙骨状脊；萼片披针形、长圆形或狭椭圆形，先端钝或锐尖，具宽膜质边缘；花瓣倒卵形或倒卵状长圆形，先端圆钝，常内曲，基部狭缩，具脉纹，粉红色、淡红色或淡紫色，果时宿存；雄蕊略短于花瓣，花丝部分合生；子房圆锥形，柱头头状。蒴果狭圆锥形；种子狭长圆形或狭倒卵形，先端芒柱 1/2 以上被白色长柔毛。花期 6 ~ 7 月，果期 8 ~ 9 月。

| 生境分布 |

生于海拔 1 100 ~ 3 300 m 的沙质河滩、湖边、冲积扇。分布于新疆哈密市、吐鲁番市及奇台县、乌鲁木齐县、玛纳斯县、托里县、塔城市、沙湾市、温泉县、霍城县、巩留县、昭苏县、焉耆回族自治县、库尔勒市、拜城县、塔什库尔干塔吉克自治县等。

| **资源情况** | 野生资源丰富。药材来源于野生。

| **采收加工** | 春、夏季采收，剪取幼嫩枝条，阴干或晒干。

| **功能主治** | 升阳发散，解毒透疹，祛风止痒。用于麻疹不透，高热，咳嗽，腮腺炎，风湿性关节炎，风疹瘙痒，皮癣，血热酒毒。

| **用法用量** | 内服煎汤，3 ~ 9 g。外用适量，煎汤洗。

柽柳科 Tamaricaceae 红砂属 Reaumuria

五柱红砂 *Reaumuria kaschgarica* Rupr.

| **药 材 名** | 五柱红砂（药用部位：枝叶）。

| **形态特征** | 矮灌木。垫状枝致密，老枝灰色，当年生幼枝带粉红色、黄绿色。叶肉质，棒状，先端钝或稍尖，向基部稍变狭。花单生于枝顶，无花梗；苞片形状与叶相同；萼片5，裂片卵状披针形，外伸，边缘膜质；花瓣5，粉红色，椭圆形，内面有2矩圆形鳞片；雄蕊约15，花丝基部合生；子房卵圆形，花柱5。蒴果长圆状卵形，5瓣裂；种子小，全被褐色长毛。花期5～8月，果期8月。

| **生境分布** | 生于海拔1300～3000 m的山前砾质洪积扇、低山的盐土荒漠和多石荒漠草原。分布于新疆若羌县、阿合奇县、乌恰县等。

| **资源情况** | 野生资源一般。药材来源于野生。

| **功能主治** | 祛湿止痒。用于湿疹，皮炎。

| **用法用量** | 外用适量，煎汤洗。

柽柳科 Tamaricaceae 柽柳属 Tamarix

密花柽柳
Tamarix arceuthoides Bunge

| **药 材 名** | 柽柳实（药用部位：果实）。

| **形态特征** | 灌木。绿色营养枝上的叶几抱茎，卵形、卵状披针形或近三角状卵形，长渐尖或骤尖，鳞片状；木质化生长枝上的叶半抱茎，长卵形，短渐尖，多向外伸，稍具耳。总状花序；苞片卵状钻形或条状披针形，先端针状渐尖；花萼 5 深裂，萼片卵状三角形，边缘膜质，白色，透亮，近全缘，花后紧包子房；花瓣 5，充分展开，倒卵形或椭圆形；花白色、粉红色至紫色；花盘 5 深裂，每裂片先端常凹缺或再深裂成 10 裂片，裂片常呈紫红色；雄蕊 5，花丝细长，花药先端钝或具短尖头；雌蕊子房长圆锥形，花柱 3，短。蒴果小而狭细。花期 5 ~ 9 月。

| 生境分布 | 生于山前河边、砾质河谷湿地。新疆各地均有分布。

| 资源情况 | 野生资源丰富。药材来源于野生。

| 采收加工 | 夏、秋季采收成熟的果序，晒干，打下果实，除去杂质。

| 功能主治 | 生干寒，清热止血，消炎解毒，止咳化痰，燥湿强肌，软坚消肿，祛风止痒。用于热性出血，肺炎，感冒，咳嗽，湿性脱肛，腹泻，肝脏硬肿，脾脏肿大，湿疹，皮肤瘙痒等。

| 用法用量 | 内服煎汤，5 ~ 7 g。外用适量。

柽柳科 Tamaricaceae 柽柳属 Tamarix

长穗柽柳
Tamarix elongata Ledeb.

| **药 材 名** | 柽柳实（药用部位：果实）。

| **形态特征** | 大灌木。营养小枝淡黄绿色而带灰蓝色；生长枝上的叶披针形、线状披针形或线形，下面扩大，基部宽心形，背面隆起，半抱茎，具耳。基部有具苞片的总花梗；苞片线状披针形或宽线形，先端渐尖，淡绿色，膜质，明显超出花萼，花时略向外倾，终花期向外反折；花梗比花萼略短或与花萼等长；花 4 数；花萼深钟形，基部略结合，萼片卵形，先端钝或急尖，边缘膜质，具牙齿；花瓣卵状椭圆形或长圆状倒卵形，两侧不等，先端圆钝，盛花期充分张开，向外折，粉红色，花后即落；假顶生花盘薄，4 裂；雄蕊 4，与花瓣等长或略长，花丝基部变宽，花药钝或先端具小突起，粉红色；子房卵状圆锥形，

几无花柱，柱头3。蒴果形同子房，果皮枯草质，淡红色或橙黄色。4～5月开花。

| 生境分布 | 生于荒漠区河谷阶地、沙丘、冲积平原及盐渍化土壤上。分布于新疆富蕴县、福海县、奇台县、吉木萨尔县、昌吉市、呼图壁县、玛纳斯县、沙湾市、奎屯市、精河县、焉耆回族自治县、若羌县、且末县、轮台县、阿克苏市、莎车县、策勒县、和田市等。

| 资源情况 | 野生资源丰富。药材来源于野生。

| 采收加工 | 夏、秋季采收成熟的果序，晒干，打下果实，除去杂质。

| 功能主治 | 生干寒，清热止血，消炎解毒，止咳化痰，燥湿强肌，软坚消肿，祛风止痒。用于热性出血，肺炎，感冒，咳嗽，湿性脱肛，腹泻，肝脏硬肿，脾脏肿大，湿疹，皮肤瘙痒等。

| 用法用量 | 内服煎汤，5～7 g。外用适量。

柽柳科 Tamaricaceae 柽柳属 Tamarix

刚毛柽柳 *Tamarix hispida* Willd.

| 药 材 名 | 柽柳实（药用部位：果实）。

| 形态特征 | 灌木或小乔木状。老枝树皮红棕色，幼枝淡红色，全体密被单细胞短直毛。木质化生长枝上的叶卵状披针形，基部宽而钝圆，背面向外隆起，耳发达，淡灰黄色；营养枝上的叶阔心状卵形至阔卵状披针形，具短尖头，向内弯，背面向外隆起，基部具耳，被密柔毛。总状花序，集成紧缩的圆锥花序；苞片狭三角状披针形，先端渐尖，全缘，基部背面圆丘状隆起，基部之上变宽，向尖端则为狭披针形；花梗短；花5数；花萼5深裂，萼片卵圆形，先端稍钝或近尖，边缘膜质，半透明，具细牙齿，外面2萼片先端急尖，背面稍龙骨状隆起；花瓣5，紫红色，通常倒卵形至长圆状椭圆形，上半部向外反

折；花盘 5 裂；雄蕊 5，伸出花冠外，花丝基部变粗，有蜜腺，花药心形，先端钝，常具小尖头；子房上细下粗，长瓶状，花柱 3，柱头极短。蒴果狭长锥形瓶状，壁薄，金黄色、淡红色、鲜红色至紫色，具种子约 15。花期 7～9 月。

| **资源情况** | 生于荒漠地带、河湖沿岸、沙堆、沙漠边缘的盐渍化土壤上。新疆各地均有分布。

| **资源情况** | 野生资源丰富。药材来源于野生。

| **采收加工** | 夏、秋季采收成熟的果序，晒干，打下果实，除去杂质。

| **功能主治** | 生干寒，清热止血，消炎解毒，止咳化痰，燥湿强肌，软坚消肿，祛风止痒。用于热性出血，肺炎，感冒，咳嗽，湿性脱肛，腹泻，肝脏硬肿，脾脏肿大，湿疹，皮肤瘙痒等。

| **用法用量** | 内服煎汤，5～7 g。外用适量。

柽柳科 Tamaricaceae 柽柳属 Tamarix

盐地柽柳
Tamarix karelinii Bunge

| 药 材 名 |

柽柳实（药用部位：果实）。

| 形态特征 |

大灌木或乔木状。树皮紫褐色，枝具不明显的乳头状突起。叶卵形，急尖，内弯，几半抱茎，基部钝，稍下延。总状花序，集成圆锥花序；苞片披针形，先端急尖成钻状，基部扩展；萼片5，近圆形，先端钝，边缘膜质，半透明，近全缘；花瓣倒卵状椭圆形，先端钝，直出或靠合，上部边缘向内弯，背部向外隆起，深红色或紫红色，花后部分脱落；花盘小，薄膜质，5裂，裂片逐渐变为宽的花丝基部；雄蕊5，伸出花冠外，常与花冠等长，花丝基部具退化的蜜腺，花药有短尖头；花柱3，长圆状棍棒形。蒴果。花期6～9月。

| 生境分布 |

生于荒漠地带的河湖沿岸及沙漠边缘的盐渍化土壤上。分布于新疆吐鲁番市及阿勒泰市、奇台县、呼图壁县、玛纳斯县、沙湾市、博乐市、尉犁县、新和县、阿瓦提县、莎车县、策勒县等。

| 资源情况 | 野生资源丰富。药材来源于野生。

| 采收加工 | 夏、秋季采收成熟的果序，晒干，打下果实，除去杂质。

| 功能主治 | 生干寒，清热止血，消炎解毒，止咳化痰，燥湿强肌，软坚消肿，祛风止痒。用于热性出血，肺炎，感冒，咳嗽，湿性脱肛，腹泻，肝脏硬肿，脾脏肿大，湿疹，皮肤瘙痒等。

| 用法用量 | 内服煎汤，5 ~ 7 g。外用适量。

柽柳科 Tamaricaceae 柽柳属 Tamarix

短穗柽柳 *Tamarix laxa* Willd.

| 药 材 名 | 柽柳实（药用部位：果实）。

| 形态特征 | 灌木。树皮灰色，幼枝灰色、淡红灰色或棕褐色，小枝短而直伸。叶黄绿色，披针形、卵状长圆形至菱形，先端渐尖或急尖，具短尖头，基部变狭而略下延，边缘狭膜质。总状花序，有稀疏的鳞被；苞片卵形，长椭圆形，先端钝，边缘膜质，上半部软骨质，常向内弯，淡棕色或淡绿色；萼片4，卵形，先端钝或渐尖，果时外弯，边缘宽膜质，外面2具龙骨状突起；花瓣4，粉红色，略呈长圆状椭圆形至长圆状倒卵形，向外反折，花后脱落；花盘4裂，暗红色；雄蕊4，花丝基部变宽，着生于花盘裂片先端，花药红紫色，先端钝而有小头或突尖；花柱3，先端有头状柱头。蒴果狭。花期4月上旬至5

月上旬。

| **生境分布** | 生于荒漠地带的河流阶地、湖盆、沙丘边缘、强盐渍化土壤或盐土上。分布于新疆吐鲁番市及富蕴县、福海县、奇台县、玛纳斯县、石河子市、奎屯市、乌苏市、伊宁县、库尔勒市、若羌县、且末县、轮台县、阿克苏市、莎车县、和田市等。

| **资源情况** | 野生资源丰富。药材来源于野生。

| **采收加工** | 夏、秋季采收成熟的果序，晒干，打下果实，除去杂质。

| **功能主治** | 生干寒，清热止血，消炎解毒，止咳化痰，燥湿强肌，软坚消肿，祛风止痒。用于热性出血，肺炎，感冒，咳嗽，湿性脱肛，腹泻，肝脏硬肿，脾脏肿大，湿疹，皮肤瘙痒等。

| **用法用量** | 内服煎汤，5 ~ 7 g。外用适量。

柽柳科 Tamaricaceae 柽柳属 Tamarix

细穗柽柳 *Tamarix leptostachys* Bunge

| 药 材 名 | 柽柳实（药用部位：果实）。

| 形态特征 | 灌木。老枝树皮淡棕色或浅灰红色；木质化枝灰红色，略紧靠。生长枝上的叶狭卵形，先端急尖，下延。总状花序细长，向上直伸，密集成半球形或卵形的大型圆锥花序；苞片长披针形，伸长，先端尖，弯曲；花梗与花萼等长或略长；花5数；萼片卵形，边缘膜质；花瓣倒卵形，紫色或玫瑰色，长于花萼，早落；花盘5裂；雄蕊5，花丝着生于花盘裂片先端，花药长于花冠；子房细圆锥形，花柱3。蒴果细，高出花萼。花期6～8月，果期7～8月。

| 生境分布 | 生于荒漠地区盆地下游的潮湿河谷阶地和松陷盐土上。新疆各地均有分布。

| **资源情况** | 野生资源丰富。药材来源于野生。

| **采收加工** | 夏、秋季采收成熟的果序，晒干，打下果实，除去杂质。

| **功能主治** | 生干寒，清热止血，消炎解毒，止咳化痰，燥湿强肌，软坚消肿，祛风止痒。用于热性出血，肺炎，感冒，咳嗽，湿性脱肛，腹泻，肝脏硬肿，脾脏肿大，湿疹，皮肤瘙痒等。

| **用法用量** | 内服煎汤，5 ~ 7 g。外用适量。

尖叶董菜
Viola acutifolia (Kar. & Kir.) W. Becker

| 药 材 名 | 紫花地丁（药用部位：全草）。

| 形态特征 | 多年生草本。地上茎多弯曲，无毛。叶片心形或肾形，先端钝或具短尖头，基部深心形，两面近无毛；茎下部仅生1叶，具长柄；茎顶部的叶近轮生，具短柄，叶片宽，卵形，先端渐尖，基部心形，边缘具疏锯齿，两面疏被柔毛；托叶仅基部与叶柄合生，离生部分卵状披针形，先端急尖，全缘或疏生流苏状齿。花淡黄色，生于茎顶叶腋间；花梗较叶短，中部以上有小苞片；萼片线状披针形或线形，先端稍尖，基部附属物极短；花瓣倒卵形，有紫色脉纹，下方花瓣较短，距极短，呈囊状，稍向上弯。蒴果长圆形。花期5～6月，果期6～7月。

| **生境分布** | 生于海拔 1 100 ～ 3 100 m 的高山草甸、林缘、林间空地、沟谷水边、草原山坡及灌木林下。分布于新疆石河子市、沙湾市、尼勒克县、新源县、巩留县、特克斯县、昭苏县、温宿县等。

| **资源情况** | 野生资源一般。药材来源于野生。

| **采收加工** | 春、秋季采收，除去杂质，晒干或鲜用。

| **功能主治** | 清热解毒，凉血消肿。用于疔疮肿毒，痈疽发背，丹毒，毒蛇咬伤。

| **用法用量** | 内服煎汤，10 ～ 30 g，鲜品 30 ～ 60 g。外用适量，捣敷。

阿尔泰堇菜

Viola altaica Ker-Gawl.

| **药材名** | 紫花地丁（药用部位：全草）。

| **形态特征** | 多年生草本。根茎具多头，细，有分枝。地上茎极短，节间短缩，密被多数叶片。叶片卵圆形或长圆状卵形，先端钝圆，基部多少楔形，边缘具圆齿，两面近无毛或疏被细毛；叶柄通常较叶片长；托叶卵形或长圆形，羽状半裂或羽状深裂，顶生裂片较大，长圆状卵形，侧生裂片披针形或长圆状披针形，边缘散生短毛。花较大，通常单一，黄色或蓝紫色；花梗无毛；萼片长圆状披针形，先端微尖，边缘通常疏生细齿，基部附属物较宽，常具细齿；上方花瓣近卵圆形，侧方花瓣及下方花瓣基部具明显的紫黑色条纹，通常侧方花瓣内面基部稍有须毛，稍超出萼片的附属物，通常稍向上弯曲。蒴果长圆

状卵形。花期 5 ～ 8 月。

| **资源情况** | 生于海拔 2 200 ～ 3 300 m 的阿尔泰山、天山的高山和亚高山草甸，以及林缘、林下。分布于新疆青河县、福海县、布尔津县、哈巴河县、塔城市、裕民县、察布查尔锡伯自治县、特克斯县、昭苏县、和硕县、和静县、温宿县等。

| **资源情况** | 野生资源较少。药材来源于野生。

| **采收加工** | 春、秋季采收，除去杂质，晒干或鲜用。

| **功能主治** | 清热解毒，凉血消肿。用于疔疮肿毒，痈疽发背，丹毒，毒蛇咬伤。

| **用法用量** | 内服煎汤，10 ～ 30 g，鲜品 30 ～ 60 g。外用适量，捣敷。

双花菫菜 *Viola biflora* L.

| 药 材 名 | 紫花地丁（药用部位：全草）。

| 形态特征 | 多年生草本。根茎细或稍粗壮，垂直或斜生，具结节，有多数细根。地上茎较细弱，簇生，直立或斜升，具节，通常无毛或幼茎上被疏柔毛。基生叶 2 至数片，具长柄，叶片肾形、宽卵形或近圆形，先端钝圆，基部深心形或心形，边缘具钝齿，上面散生短毛，下面无毛，有时两面被柔毛；茎生叶具短柄，叶柄无毛至被短毛，叶片较小；托叶与叶柄离生，卵形或卵状披针形，先端尖，全缘或疏生细齿。花黄色或淡黄色，在终花期有时变淡白色；花梗细弱，上部有 2 披针形小苞片；萼片线状披针形或披针形，先端急尖，基部附属物极短，具膜质边缘，无毛或中下部具短缘毛；花瓣长圆状倒卵形，具

紫色脉纹，侧方花瓣内面无须毛，距短筒状；下方雄蕊的距呈短角状；子房无毛，花柱棍棒状，基部微膝曲，上半部 2 深裂，裂片斜展，其间具明显的柱头孔。蒴果长圆状卵形，无毛。花果期 5 ～ 9 月。

| 生境分布 | 生于海拔 2 000 ～ 3 800 m 的高山和亚高山草甸、林下、河谷石隙中、河滩及水沟边。分布于新疆奇台县、乌鲁木齐县、石河子市、沙湾市、温泉县、新源县、昭苏县、和静县、拜城县、温宿县、阿克苏市、塔什库尔干塔吉克自治县等。

| 资源情况 | 野生资源丰富。药材来源于野生。

| 采收加工 | 春、秋季采收，除去杂质，晒干或鲜用。

| 功能主治 | 清热解毒，凉血消肿。用于疔疮肿毒，痈疽发背，丹毒，毒蛇咬伤。

| 用法用量 | 内服煎汤，10 ～ 30 g，鲜品 30 ～ 60 g。外用适量，捣敷。

董菜科 Violaceae 董菜属 Viola

裂叶堇菜 *Viola dissecta* Ledeb.

| 药 材 名 | 紫花地丁（药用部位：全草）。

| 形态特征 | 多年生草本。高 2.5 ~ 10 cm。根茎短，节密，从基部生出数条稍肥厚和带黄白色的根。无地上茎。叶全部基生，叶片圆形或圆状肾形，羽状或近掌状全裂，裂片再羽状浅裂或深裂，中裂片线形或长圆形，两面近无毛或叶缘和下面叶脉及叶柄上有短硬毛；叶柄多与叶片近等长，稀较长或较短于叶片；托叶披针形，近膜质，黄白色至淡绿色，先端渐尖，边缘疏生缘毛或细齿，约 2/3 以上与叶柄合生。花小，长 8 ~ 14 mm；萼片卵形或披针形，先端渐尖，边缘膜质，全缘或具 1 ~ 2 缺刻，基部附属物短；花瓣淡紫色至紫堇色，上方花瓣倒卵形，上部稍向上反曲，侧方花瓣长圆状倒卵形，内面基部有髯毛，

下方花瓣具稍向上弯曲的距，距长 4 ~ 8 mm，末端钝；子房卵球形，无毛，花柱棒状，基部稍细并向前膝曲，柱头前端具短喙，两侧及后方具稍增厚的边缘；花梗通常与叶等长或较叶稍长，有毛或无毛；苞片线形，近对生于花梗中部稍上处。蒴果长圆形或椭圆形，长 7 ~ 10 mm，无毛。花果期 5 ~ 9 月。

| **生境分布** | 生于海拔 1 750 ~ 2 800 m 的亚高山草甸、林间空地、林缘。分布于新疆沙湾市、精河县、温宿县、乌鲁木齐县等。

| **资源情况** | 野生资源较少。药材来源于野生。

| **采收加工** | 5 ~ 6 月果实成熟后采收，除去杂质，洗净，晒干。

| **功能主治** | 清热解毒，凉血消肿。用于疔疮肿毒，痈疽发背，丹毒，乳腺炎，目赤肿痛，咽炎；外用于跌打损伤，痈肿，毒蛇咬伤等。

硬毛董菜 *Viola hirta* L.

| 药 材 名 | 紫花地丁（药用部位：全草）。

| 形态特征 | 多年生草本。高 5 ~ 15 cm。根茎短，较粗壮，密生结节，上部分枝，具多数须根。无地上茎。叶全部基生，呈莲座状，叶片卵形或卵状心形，长 1.5 ~ 4 cm，宽 1 ~ 2.5 cm，先端稍急尖或圆钝，基部浅心形，边缘具钝锯齿，两面密被白色短硬毛，叶缘、叶背面或沿脉毛较密集，花后叶增大；叶柄明显长于叶片，长 3 ~ 7 cm，密被向下倒生的白毛；托叶披针形，长 1 ~ 2 cm，先端长渐尖，边缘有短流苏及腺体。花盘紫色，长 1 ~ 1.5 cm，无香气；萼片长圆形，先端钝，基部具末端钝圆的附属物，边缘膜质，具小钝齿；花瓣长圆状倒卵形，侧方花瓣内面有髯毛，下方花瓣先端微凹，基部具距，

距长约 5 mm，红紫色，末端钝或钝尖，常向上弯曲；花梗长于叶片，中部略上处有 2 钻形小苞片。蒴果近圆球形，被柔毛。花果期 4 ~ 6 月。

| 生境分布 | 生于海拔 1 050 ~ 1 600 m 的林中、林缘、草原山坡、河谷及河滩。分布于新疆塔城市、裕民县、额敏县、霍城县、新源县、巩留县等。

| 资源情况 | 野生资源较少。药材来源于野生。

| 采收加工 | 5 ~ 6 月果实成熟后采收，除去杂质，洗净，晒干。

| 功能主治 | 清热解毒，凉血消肿。用于疔疮肿毒，痈疽发背，丹毒，乳腺炎，目赤肿痛，咽炎；外用于跌打损伤，痈肿，毒蛇咬伤等。

董菜科 Violaceae 董菜属 Viola

西藏董菜
Viola kunawarensis Royle

| 药 材 名 | 紫花地丁（药用部位：全草）。

| 形态特征 | 多年生草本。高 2 ~ 6 cm。根茎细长，褐色，带白色或褐色细根；根颈通常增粗，节间短缩。无地上茎。叶较肥厚，全部基生，呈莲座状；叶片卵形、椭圆形或长圆形，长 7 ~ 40 mm，宽 5 ~ 10 mm，先端钝，基部渐狭，全缘或具不明显的圆形疏齿，两面无毛，主脉凸起；叶柄与叶片近等长，稀稍短于或长于叶片；托叶披针形，白色，膜质，边缘疏生具腺的流苏，大部分与叶柄合生。花淡紫红色或下部白色而具紫色条纹，长 5 ~ 10 mm；萼片长圆形或卵状披针形，先端近尖或钝，基部附属物短，末端圆形；花瓣长圆状倒卵形，先端圆钝，基部略狭，侧方花瓣内面无髯毛，下方花瓣较短，具极短

的距，距略长于或短于萼片的附属物；子房无毛，花柱棒状，基部膝曲，先端圆钝，向前伸出极短的喙；花梗短于或略长于叶，中部稍上处具 2 小苞片；小苞片线形或线状披针形，先端渐尖，边缘下部疏生具腺的流苏。蒴果卵圆形或长圆形，长 5 ~ 7 mm，无毛。花果期 6 ~ 7 月。

| **生境分布** | 生于海拔 2 000 ~ 4 000 m 的高山和亚高山草甸以及岩石缝隙中。分布于新疆哈密市及奇台县、阜康市、乌鲁木齐县、沙湾市、昭苏县、巩留县、富蕴县、和硕县、和静县、乌恰县、塔什库尔干塔吉克自治县、策勒县等。

| **资源情况** | 野生资源一般。药材来源于野生。

| **采收加工** | 5 ~ 6 月果实成熟后采收，除去杂质，洗净，晒干。

| **功能主治** | 清热解毒，凉血消肿。用于疔疮肿毒，痈疽发背，丹毒，乳腺炎，目赤肿痛，咽炎；外用于跌打损伤，痈肿，毒蛇咬伤等。

董菜科 Violaceae 董菜属 Viola

大距董菜 *Viola macroceras* Bunge

| 药 材 名 | 紫花地丁（药用部位：全草）。

| 形态特征 | 多年生草本。高 5 ~ 14 cm。根茎短而粗，斜升或直伸，先端分叉，具白色细根。无地上茎。叶全部基生，叶片心形或卵状心形，长 1.5 ~ 4.5 cm，宽 1 ~ 3 cm，先端渐尖或钝，基部心形，边缘具圆形浅齿，花期叶增大成长卵形或长圆形；叶柄通常长于叶片，长 1 ~ 8 cm，在果期更长；托叶长披针形或卵状披针形，白色，膜质，先端锐尖，全缘或疏生流苏，1/2 或 1/3 与叶柄合生。花紫色或蓝紫色，较大，略有香气；萼片长椭圆形或卵状披针形，长 5 ~ 6 mm，宽约 2.5 mm，先端钝，基部具短的附属物，附属物末端圆钝；花瓣长圆状倒卵形，长 1 ~ 1.5 cm，侧方花瓣内面基部具白色髯毛，下

方花瓣基部具距，距较粗，长 4 ~ 6 mm，平直，末端圆钝，有时稍向上弯曲；花梗长 4 ~ 9 cm，中部或中部以下具 2 小苞片；小苞片线状披针形或钻形，长 4 ~ 6 mm，全缘或近基部疏生流苏。蒴果椭圆形，长 7 ~ 9 mm；种子大，卵球形，长约 2.5 mm，红褐色。花果期 5 ~ 9 月。

| 生境分布 | 生于海拔 1 300 ~ 1 600 m 的森林和草原的砾石质山坡及水边。分布于新疆福海县、阿勒泰市、乌鲁木齐县、阜康市、玛纳斯县、博乐市、霍城县、巩留县等。

| 资源情况 | 野生资源一般。药材来源于野生。

| 采收加工 | 5 ~ 6 月果实成熟后采收，除去杂质，洗净，晒干。

| 功能主治 | 清热解毒，凉血消肿。用于疔疮肿毒，痈疽发背，丹毒，乳腺炎，目赤肿痛，咽炎；外用于跌打损伤，痈肿，毒蛇咬伤等。

石生董菜 *Viola rupestris* F. W. Schmidt

| 药 材 名 | 紫花地丁（药用部位：全草）。

| 形态特征 | 多年生草本。高 5 ～ 10 cm，全体被短柔毛，稀近无毛。根茎粗短，有时细长，有结节和鳞片，深褐色。茎少数或多数，丛生，斜升或直立，有棱槽。叶圆形或圆状卵形或圆状肾形，长 5 ～ 25 mm，宽 5 ～ 22 mm，先端钝，基部心形，边缘具整齐的浅圆齿，两面被短毛，背面有褐色腺点；基生叶呈莲座状，有长柄，叶柄与茎中部的叶的叶柄均长于叶片；茎上部的叶的叶柄与叶片等长或较叶片稍短；托叶披针形或卵形，边缘有稀疏的流苏或缺刻状齿，长达 8 mm，宽 1.5 ～ 4 mm。花蓝紫色或淡紫色，喉部白色，具暗色脉纹，单生于茎上部的叶腋，长 1.2 ～ 1.4 cm；萼片披针形，先端渐尖，边缘窄

膜质，有短的附属物；花瓣长圆状倒卵形，上方花瓣较短，具圆筒状距，距长
3 ~ 4 mm，直径约 2 mm，平直或末端向上弯曲；花梗长 2.5 ~ 6 cm，多少被
白色短毛，中部以上具 2 钻形小苞片；小苞片长 4 ~ 6 mm，全缘或中下部疏生
长流苏。蒴果长圆形，长 5 ~ 7 mm，被短柔毛或无毛。花果期 5 ~ 7 月。

| 生境分布 |　生于海拔 1 300 ~ 2 500 m 的林缘、林下、草原砾石质山坡、河边草地及河滩。
分布于新疆青河县、富蕴县、奇台县、阜康市、乌鲁木齐县、玛纳斯县、沙湾市、
精河县、霍城县、新源县、巩留县、特克斯县、昭苏县、巴里坤哈萨克自治县等。

| 资源情况 |　野生资源丰富。药材来源于野生。

| 采收加工 |　5 ~ 6 月果实成熟后采收，除去杂质，洗净，晒干。

| 功能主治 |　清热解毒，凉血消肿。用于疔疮肿毒，痈疽发背，丹毒，乳腺炎，目赤肿痛，咽炎，
感冒发烧，肿痛，淋巴肿大；外用于跌打损伤，痈肿，毒蛇咬伤等。

菫菜科 Violaceae 菫菜属 Viola

天山菫菜 *Viola tianshanica* Maxim.

| 药 材 名 | 菫菜（药用部位：全草）。

| 形态特征 | 多年生草本。高 4 ~ 7 cm，全株光滑。根茎多粗短；主根圆柱状或倒长圆锥形，长 2 ~ 5 cm，黄白色或淡棕色，具少数须根。无地上茎和匍匐枝。叶基生，长 1 ~ 3 cm，宽 0.5 ~ 0.8 cm，叶片卵状或长圆状卵形，较厚，全缘或具圆齿，先端钝，基部收缩成柄；叶柄与叶片近等长；托叶披针形或宽披针形，膜质，白色，边缘有短流苏状腺毛，3/4 与叶柄合生。花单生于先端；花梗与叶等长或稍长于根生叶；苞片位于花萼中部，2 苞片对生，线状披针形，边缘具腺，着生在中部以下；萼片 5，长圆状卵形，先端渐尖，基部有带状附属器；花两侧对称，直径 0.5 ~ 1 cm，花瓣 5，白色，具淡紫色条纹，

倒卵形，侧瓣无髯毛，下面1瓣较大，呈倒心形，基部有短距，稍长于萼片附属器；花丝短而阔；子房上位，光滑，花柱先端弯曲。蒴果卵形，光滑。花期6～7月，果期7～8月。

| **生境分布** | 生于高山或亚高山的草甸、山坡、山地草原及灌丛。分布于新疆犁哈萨克自治州、和田地区（墨玉县、和田县）及塔什库尔干塔吉克自治县等。和田地区（于田县、策勒县）及塔什库尔干塔吉克自治县的山区有栽培。

| **采收加工** | 夏季初花期采收全草，晒干，除去杂质。

| **功能主治** | 清热解毒，消炎退烧，润肺消肿，润喉止咳，通利二便。用于发热，乃孜来性感冒，干热性头痛及急性胸膜炎，肺炎，咽干咳嗽等。

| **用法用量** | 内服汤煎，6～12 g。外用适量。本品可入汤剂、糖浆剂、糖膏剂、小丸剂、蜜膏剂、泡茶剂、油剂、洗剂、药浴剂、敷剂等。

董菜科 Violaceae 董菜属 Viola

三色堇
Viola tricolor L.

| 药 材 名 | 紫花地丁（药用部位：全草）。

| 形态特征 | 一至二年生或多年生草本。高 10 ~ 40 cm。茎较粗，直立或斜升，有棱槽，单一或分枝，被向下的白色短毛。基生叶长卵形或披针形，边缘有钝齿，被短毛，有长叶柄；茎生叶卵形，长圆形或长圆状披针形，先端圆钝，基部圆形或宽楔形，边缘有稀疏的圆齿或钝锯齿，被短毛，上部的叶叶柄较长，下部的叶叶柄较短；托叶大，叶状，长 1 ~ 4 cm，羽状深裂，顶生裂片大于侧生裂片，被毛。花大，直径 2.5 ~ 4 cm，通常数朵，每花有紫色、黄色、白色 3 色；花梗单生于叶腋，较粗，长达 10 cm，上部具 2 长约 2 mm 的膜质小苞片；萼片长圆状披针形，先端尖，边缘狭，膜质，有缘毛，基部附属物

长 3 ～ 6 mm，边缘浅波状或有疏齿；上方花瓣深紫堇色，侧方花瓣及下方花瓣均为 3 色，有紫色条纹，侧方花瓣内面基部有白色髯毛，下方花瓣具距，距长 5 ～ 8 mm；子房无毛；花柱短，基部膝曲，柱头球状，前方有柱头孔。蒴果椭圆形，长 8 ～ 12 mm，无毛；种子倒卵形，长约 1.5 mm。花果期 5 ～ 8 月。

| 生境分布 | 栽培种。新疆乌鲁木齐市、喀什市、伊宁县等有栽培。

| 采收加工 | 5 ～ 6 月果实成熟后采收，除去杂质，洗净，晒干。

| 功能主治 | 清热解毒，凉血消肿，祛痰透疹。用于疔疮肿毒，痈疽发背，丹毒，乳腺炎，目赤肿痛，咽炎，佝偻病；外用于跌打损伤，痈肿，毒蛇咬伤等。

瑞香科 Thymelaeaceae 瑞香属 *Daphne*

阿尔泰瑞香 *Daphne altaica* Pall.

| 药 材 名 | 瑞香（药用部位：根皮、茎皮、叶）。

| 形态特征 | 灌木。高 27 ～ 50 cm。小枝纤细，具短伏毛；老枝红褐色，无毛。叶互生，簇生于茎顶，倒卵状披针形，长 2 ～ 4.5 cm，宽 0.5 ～ 1.2 cm，先端钝圆而具短尖头或渐尖，基部楔形，全缘或中下部有疏齿。总状花序顶生；花白色，花萼筒状，长 1.1 ～ 1.3 cm，先端 4 裂，裂片长 4 ～ 5 mm，矩圆形或卵状长圆形；雄蕊 8，2 列，上列在喉部稍下，下列在花萼筒中部稍上，花丝极短；子房长椭圆形或矩圆形，具柄，无毛，花柱极短，柱头圆形。

| 生境分布 | 生于海拔 1 100 ～ 1 600 m 的山地草原及山地灌丛中。分布于新疆哈巴河县、阿勒泰市、塔城市、霍城县等。

| 资源情况 | 野生资源较少。药材来源于野生。

| 采收加工 | 夏季采收，晒干。

| 功能主治 | 发汗、解表，止咳祛痰，止痛。用于风寒感冒，气管炎，咳嗽，胃痛。

沙枣
Elaeagnus angustifolia L.

| **药 材 名** | 沙枣（药用部位：树皮、果实）。

| **形态特征** | 落叶乔木或小乔木。高 5 ～ 10 cm，无刺或具刺，刺长 30 ～ 40 mm，棕红色，发亮。幼枝密被银白色鳞片；老枝鳞片脱落，红棕色，光亮。叶薄纸质，矩圆状披针形至线状披针形，长 3 ～ 7 cm，宽 1 ～ 1.3 cm，先端钝尖，基部楔形，全缘，上面幼时具银白色圆形鳞片，成熟后部分鳞片脱落，带绿色，下面灰白色，密被白色鳞片，有光泽；侧脉不甚明显；叶柄纤细，银白色，长 5 ～ 10 mm。花银白色，直立或近直立，密被银白色鳞片，芳香，常 1 ～ 3 花簇生于新枝基部 5 ～ 6 叶的叶腋；花梗长 2 ～ 8 mm；萼筒钟状，长 4 ～ 5 mm，在裂片下面不收缩，在子房上骤收缩，萼裂片宽卵形或卵状矩圆形，

长 3 ~ 4 mm，先端钝或渐尖，内面被白色星状柔毛；雄蕊几无花丝，花药淡黄色，矩圆形，长 2.2 mm；花柱直立，无毛，上端弯曲；花盘明显，圆锥形，包围花柱基部，无毛。果实椭圆形，长 9 ~ 12 mm，直径 6 ~ 10 mm，粉红色，密被银白色鳞片；果肉乳白色，粉质；果柄短，粗壮，长 3 ~ 6 mm。花期 5 ~ 6月，果期 9 月。

| **生境分布** | 生于山地、平原、沙滩、荒漠及河谷地带。分布于新疆克拉玛依市及墨玉县、伽师县、泽普县、柯坪县、博乐市等。

| **资源情况** | 野生资源一般。药材来源于栽培。

| **采收加工** | 树皮，全年均可采剥，晒干。果实，秋末冬初果实成熟时采摘，晒干。

| **功能主治** | 树皮，清热凉血，收敛止痛，止血。用于慢性支气管炎，胃痛，腹泻，带下；外用于烫火伤。果实，健脾止泻。用于消化不良。

胡颓子科 Elaeagnaceae 胡颓子属 Elaeagnus

尖果沙枣

Elaeagnus oxycarpa Schltdl.

药材名

沙枣（药用部位：树皮、果实）。

形态特征

落叶乔木或小乔木。高 5 ~ 20 m，具细长的刺。幼枝密被银白色鳞片；老枝鳞片脱落，圆柱形，红褐色。叶纸质，窄矩圆形至线状披针形，长 3 ~ 7 cm，宽 0.6 ~ 1.2 cm，先端钝尖或短渐尖，基部楔形或近圆形，上面灰绿色，下面银白色，两面均密被银白色鳞片；中脉在上面微凹，侧脉 7 ~ 9 对，不明显；叶柄长 6 ~ 10 mm，上面有浅沟，密被白色鳞片。花白色，略带黄色，常 1 ~ 3 花簇生于新枝下部的叶腋；萼筒漏斗形或钟形，长约 4 mm，在子房上部收缩，萼裂片长卵形，长约 3 mm，宽约 2 mm，先端短渐尖，内面黄色，疏被白色星状柔毛；雄蕊 4，花丝淡白色；花柱圆柱形，先端弯曲，近环形，长 5.6 ~ 6.5 mm；花盘发达，长圆锥形，长 1 ~ 1.9 mm，先端有白色柔毛。果实球形或近椭圆形，长 9 ~ 10 mm，直径 6 mm，乳黄色至橙黄色，具白色鳞片；果肉粉质；果柄长 3 ~ 6 mm，密被银白色鳞片。花期 5 ~ 6月，果期 9 ~ 10 月。

| **生境分布** | 生于海拔 300 ～ 1 500 m 的戈壁沙滩、田边、路旁。分布于新疆福海县、乌鲁木齐县、托克逊县、玛纳斯县、乌苏市、霍城县、库尔勒市、民丰县等。

| **资源情况** | 野生资源丰富。药材来源于栽培。

| **采收加工** | 树皮，全年均可采剥，晒干。果实，秋末冬初果实成熟时采摘，晒干。

| **功能主治** | 树皮，清热凉血，收敛止痛，止血。用于慢性支气管炎，胃痛，肠炎，腹泻，带下，心脏病；外用于烫火伤。果实，健脾止泻。用于消化不良。

胡颓子科 Elaeagnaceae 沙棘属 Hippophae

沙棘
Hippophae rhamnoides L.

| 药 材 名 | 沙棘（药用部位：树皮、果实）。

| 形态特征 | 落叶灌木。高 2 ~ 6 m。幼枝灰色或褐色；老枝粗壮，侧生棘刺较长而纤细，常不分枝。叶互生，长 40 ~ 60 mm，宽 5 ~ 8 mm，中部以上最宽，顶部钝形，上面绿色或稍带银白色。果实圆形或近圆形，长 6 ~ 8 mm，直径 5 ~ 7 mm，果柄长 1 ~ 3.5 mm；种子椭圆形，长 3.8 ~ 5 mm。花期 5 月，果期 8 ~ 9 月。

| 生境分布 | 生于海拔 800 ~ 3 600 m 的山坡、谷地、砾石沙地或干涸河床上。分布于新疆昭苏县、塔城市、奇台县、玛纳斯县、石河子市、精河县、霍城县、伊宁县、和静县、温宿县、疏附县、阿克陶县、策勒县等。

| 采收加工 | 10 ~ 11 月采收，晒干。

| 功能主治 | 健胃消食，止咳祛痰，活血散瘀。用于脾虚食少，食积腹痛，咳嗽痰多，胸痹心痛，瘀血经闭，跌打瘀肿。

胡颓子科 Elaeagnaceae 沙棘属 *Hippophae*

蒙古沙棘

Hippophae rhamnoides L. subsp. *mongolica* Rousi

| 药 材 名 | 沙棘（药用部位：果实）。

| 形态特征 | 落叶灌木。高 2 ~ 6 m。幼枝灰色或褐色；老枝粗壮，侧生棘刺较长而纤细，常不分枝。叶互生，长 40 ~ 60 mm，宽 5 ~ 8 mm，中部以上最宽，先端钝形，上面绿色或稍带银白色。果实圆形或近圆形，长 6 ~ 9 mm，直径 5 ~ 8 mm；果柄长 1 ~ 3.5 mm；种子椭圆形，长 3.8 ~ 5 mm。

| 生境分布 | 生于海拔 1 800 ~ 2 000 m 的河漫滩。分布于新疆伊吾县、策勒县、和静县等。新疆阿勒泰地区（青河县、福海县、哈巴河县）等有栽培。

| **采收加工** | 剪枝采集：9 ～ 10 月果实成熟时，用镰刀或枝剪截取附有果实的小枝，晒干，打下果实，除去枝叶等杂质，晒干。

冻打采集：冬季果实冻结后，用木棍打下果实，烘干。

| **功能主治** | 健脾消食，止咳祛痰，活血散瘀。用于脾虚食少，食积腹痛，咳嗽痰多，胸痹心痛，瘀血经闭，跌扑瘀肿。

| **用法用量** | 内服煎汤，3 ～ 9 g；或入丸、散剂。外用适量，捣敷；或研末撒。

胡颓子科 Elaeagnaceae 沙棘属 *Hippophae*

中亚沙棘
Hippophae rhamnoides L. subsp. *turkestanica* Rousi

| 药 材 名 | 沙棘（药用部位：果实）。

| 形态特征 | 落叶灌木或小乔木。高达 6 m，稀至 15 m。嫩枝密被银白色鳞片，一年以上生枝鳞片脱落，表皮呈白色，光亮；老枝树皮部分剥裂；刺较多而短，有时分枝；节间稍长；芽小。单叶互生，线形，长 15 ~ 45 mm，宽 2 ~ 4 mm，先端钝形或近圆形，基部楔形，两面银白色（稀上面绿色），密被鳞片，无锈色鳞片；叶柄短，长约 1 mm。果实阔椭圆形或倒卵形至近圆形，长 5 ~ 7（~ 9）mm，直径 3 ~ 4 mm（栽培者长 6 ~ 9 mm，直径 6 ~ 8 mm），干时果肉较脆；果柄长 3 ~ 4 mm；种子形状不一，常稍扁，长 2.8 ~ 4.2 mm。花期 5 月，果期 8 ~ 9 月。

| 生境分布 | 生于海拔 800 ～ 3 000 m 的河谷台阶地、开旷山坡、河漫滩。分布于新疆哈密市及塔城市、博乐市、奇台县、玛纳斯县、精河县、霍城县、伊宁市、昭苏县、和静县、温宿县、疏附县、阿克陶县、策勒县、石河子市等。新疆阿勒泰地区种植较多。

| 采收加工 | 同"蒙古沙棘"。

| 功能主治 | 健脾消食，止咳祛痰，活血散瘀。用于脾虚食少，食积腹痛，咳嗽痰多，胸痹心痛，瘀血经闭，跌扑瘀肿。

| 用法用量 | 内服煎汤，3 ～ 9 g；或入丸、散剂。外用适量，捣敷；或研末撒。

千屈菜科 Lythraceae   千屈菜属 *Lythrum*

千屈菜
Lythrum salicaria L.

| 药 材 名 | 千屈菜（药用部位：全草）。

| 形态特征 | 多年生草本。高 30 ~ 100 cm。根茎横卧于地下，粗壮。茎直立，多分枝。全体青绿色，略被毛。枝通常具 4 棱。叶对生或 3 叶轮生，披针形或阔披针形，长 4 ~ 6 cm，宽 8 ~ 12 mm，先端钝或短渐尖，基部圆形或心形，有时略抱茎，全缘；无叶柄。花组成小聚伞花序，簇生；花梗极短；苞片宽披针形或三角状卵形，向上渐小；萼筒长 5 ~ 8 mm，有 12 纵棱，稍被粗毛，萼裂片 6，三角形，萼齿间具尾状附属体，附属体长 1.5 ~ 2 mm；花瓣 6，红紫色，倒披针状长椭圆形，基部楔形，长 7 ~ 8 mm，着生于萼筒上部，有短爪；雄蕊 12，6 长 6 短，伸出萼筒外；子房 2 室，花柱长短不一。蒴果扁

圆形。花果期 7 ~ 9 月。

| **生境分布** | 生于海拔 300 ~ 800 m 的河岸、湖畔、沼泽及平原低湿地。分布于新疆阜康市、额敏县、裕民县、博乐市、精河县等。

| **资源情况** | 野生资源一般。药材来源于野生。

| **采收加工** | 夏、秋季采收，除去泥沙，晒干或鲜用。

| **功能主治** | 清热解毒，凉血止血。用于肠炎，痢疾，便血；外用于外伤出血。

千屈菜科 Lythraceae 千屈菜属 Lythrum

帚枝千屈菜 *Lythrum virgatum* L.

药材名

千屈菜（药用部位：全草）。

形态特征

多年生草本。直立，高 50 ～ 100 cm，全体无毛。茎上部具 4 棱，多分枝。叶对生，有时上部互生，线状披针形或披针形，长 2 ～ 10 cm，宽 5 ～ 10 mm，顶部渐尖，基部渐狭，边缘有时具微小锯齿；苞叶通常线形。花通常 2 ～ 3 组成聚伞花序，腋生于苞叶，组成顶生的总状花序；总花梗极短；小花梗长 2 ～ 4 mm；萼筒管状钟形，长 4 ～ 6 mm，有棱 12，萼裂片细小，三角形，长约 1 mm，萼齿间附属体小，锥形，与萼齿近等长；花瓣紫红色，矩圆形或椭圆形，长 7 ～ 9 mm，宽 2.5 ～ 4 mm，基部狭，边缘有不规则的圆齿；雄蕊 12，6 长 6 短；子房长约 3 mm，花柱三型，长短不一。蒴果圆柱形或长球形，长 4 ～ 5 mm。花果期 7 ～ 9 月。

生境分布

生于海拔 500 ～ 1 000 m 的沼泽、河岸、水池等湿地。分布于新疆阿勒泰市、哈巴河县、布尔津县、富蕴县、阜康市、塔城市、乌鲁木齐县、裕民县、伊宁县等。

| **资源情况** | 野生资源一般。药材来源于野生。

| **采收加工** | 夏、秋季采收，除去泥沙，晒干或鲜用。

| **功能主治** | 清热解毒，凉血止血，止泻。用于肠炎，痢疾，便血；外用于外伤出血。

石榴科 Punicaceae 石榴属 Punica

石榴 *Punica granatum* L.

| 药 材 名 | 石榴（药用部位：果皮、根皮、茎皮、花）。

| 形态特征 | 落叶灌木或乔木。高 3 ~ 5 m，稀达 10 m。枝顶常为尖锐长刺；幼枝具棱角，无毛；老枝近圆柱形。叶通常对生，纸质，矩圆状披针形，长 2 ~ 9 cm，先端短尖、钝尖或微凹，基部短尖至稍钝，上面光亮；侧脉稍细密；叶柄短。花大，1 ~ 5 生于枝顶；萼筒长 2 ~ 3 cm，通常红色或淡黄色，萼裂片略外展，卵状三角形，长 8 ~ 13 mm，外面近先端处有 1 黄绿色腺体，边缘有小乳突；花瓣通常大，红色、黄色或白色，长 1.5 ~ 3 cm，宽 1 ~ 2 cm，先端圆形；花丝无毛，长达 13 mm；花柱长于雄蕊。浆果近球形，直径 5 ~ 12 cm，通常为淡黄褐色或淡黄绿色，有时白色，稀暗紫色；种子多数，钝角形，

红色至乳白色，外种皮肉质。

| **生境分布** | 生于海拔 300 ~ 1 000 m 的山上。分布于新疆策勒县、喀什市、阿克苏市、沙雅县、乌鲁木齐县等。新疆塔里木盆地周边有栽培。

| **资源情况** | 药材来源于栽培。

| **采收加工** | 秋季果实成熟后采收果皮，全年均可采收根、茎皮，晒干。夏、秋季采收花，晾干。

| **功能主治** | 果皮，涩肠止泻，止血，驱虫。用于久泻，久痢，便血，脱肛，崩漏，带下，虫积腹痛。根、茎皮，驱虫，涩肠，止带。用于泄泻，痘风疮，跌打损伤。花，凉血，止血。用于衄血，吐血，外伤出血，月经不调，崩漏，带下，中耳炎。

柳叶菜科 Onagraceae 柳兰属 Chamerion

柳兰

Chamerion angustifolium (L.) Holub

| 药 材 名 | 柳兰（药用部位：全草或根茎）。

| 形态特征 | 多年生草本。高 40 ~ 100 cm。茎直立，常不分枝。叶互生，较密集，披针形，长 10 ~ 15 cm，宽 1 ~ 3 cm，先端渐尖，基部楔形，全缘或呈皱纹状，稀反卷；叶脉明显，无毛或微被毛；叶柄短。总状花序顶生，伸长，长 12 ~ 18 cm；苞片条形，长 1 ~ 2 cm；花大，两性；花梗 1 ~ 1.5 cm，密被短柔毛；萼筒稍延伸至子房之上，萼裂片 4，紫色，条状披针形，长 1 ~ 1.5 cm，外被短柔毛；花瓣 4，紫红色，倒卵形，长约 1.5 cm，先端钝圆，基部具短爪；雄蕊 8，4 长 4 短；子房下位，柱头 4 裂，裂片条形，外面紫色，内面黄色，长约 3 mm，幼时直立，后反卷，花柱基部有毛，与雄蕊等长，俯状下

垂。蒴果圆柱形，长 6 ～ 10 cm，密被短柔毛；种子多数，先端具种缨。花期 6 ～ 8 月，果期 8 ～ 9 月。

| **生境分布** | 生于海拔 80 ～ 3 000 m 的亚高山草甸、山地草原、林缘、山谷低湿地、沼泽、河边。分布于新疆吐鲁番市及昌吉市、阿勒泰市、富蕴县、布尔津县、哈巴河县、乌鲁木齐县、石河子市、和布克赛尔蒙古自治县、塔城市、托里县、沙湾市、奎屯市、乌苏市、精河县、博乐市、温泉县、霍城县、察布查尔锡伯自治县、尼勒克县、新源县、巩留县、特克斯县、昭苏县、伊吾县、巴里坤哈萨克自治县、和静县、温宿县、莎车县、塔什库尔干塔吉克自治县等。

| **资源情况** | 野生资源丰富。药材来源于野生。

| **采收加工** | 秋季采收，洗净，晒干或鲜用。

| **功能主治** | 调经活血，消肿止痛。用于月经不调；外用于骨折，关节扭伤。

柳叶菜科 Onagraceae 柳兰属 Chamerion

宽叶柳兰

Chamerion latifolium (L.) Fr. & Lange

| 药 材 名 |

柳兰（药用部位：全草或根茎）。

| 形态特征 |

多年生草本。高 12 ～ 35 cm。茎直立，常不分枝或于中上部分枝，疏被短柔毛。叶下部对生，上部互生，长圆状披针形，先端渐尖，基部楔形，全缘，两面疏被短曲柔毛；无叶柄。总状花序顶生；苞片条状披针形；花大，两性；花梗长约 1 cm，密被短柔毛；萼筒稍延伸至子房之上，萼裂片 4，紫色，条状披针形，长约 1.5 cm，外面被短柔毛；花瓣 4，紫红色，倒卵形，长约 1.5 cm，先端钝圆，基部具短爪；雄蕊 8，4 长 4 短；子房下位，柱头 4 裂，裂片披针形，直立或反卷，花柱短于雄蕊，基部无毛。蒴果圆柱状，长 2 ～ 5 cm；种子小，长约 1 mm，先端具种缨。花期 6 ～ 8 月，果期 8 ～ 9 月。

| 生境分布 |

生于海拔 1 100 ～ 2 800 m 的山地草甸、林下、沟边及低湿地。分布于新疆哈密市及富蕴县、哈巴河县、奇台县、乌鲁木齐县、玛纳斯县、巩留县、和布克赛尔蒙古自治县、沙湾市、精河县、温泉县、鄯善县、和静县、塔什库尔

干塔吉克自治县等。

| **资源情况** |　野生资源一般。药材来源于野生。

| **采收加工** |　秋季采收，洗净，晒干或鲜用。

| **功能主治** |　调经活血，消肿止痛，催乳润肠。用于月经不调；外用于骨折，关节扭伤。

柳叶菜 *Epilobium hirsutum* L.

| 药 材 名 |　柳叶菜（药用部位：全草）。

| 形态特征 |　多年生草本。高 30 ~ 100 cm。茎直立，密被白色长曲柔毛。茎下部的叶对生，茎上部的叶互生；叶片长椭圆状披针形，长 2 ~ 8 cm，宽 0.6 ~ 1.8 cm，先端渐尖或钝圆，基部宽楔形或圆形，两面密被白色长柔毛，边缘具疏细小锯齿；无叶柄，略抱茎。花两性，单生于茎顶或腋生，紫红色；花萼 4 裂，裂片披针形，长 8 ~ 10 mm，宽约 2 mm，外面密被长柔毛；花瓣 4，倒宽卵形或倒三角形，长约 12 mm，宽 5 ~ 8 mm，先端 2 浅裂；雄蕊 8，4 长 4 短；子房下位，柱头 4 裂。蒴果圆柱形，长 4 ~ 7 cm，密被腺毛及疏被白色长柔毛；种子椭圆形，长约 1 mm，密生小乳突，先端具 1 簇白色种缨。花期

7 ～ 8 月，果期 9 月。

| **生境分布** | 生于海拔 300 ～ 2 700 m 的平原及前山带河岸、湖岸、沼泽、沟渠及低湿地。分布于新疆吐鲁番市、哈密市及阿勒泰市、奇台县、乌鲁木齐县、呼图壁县、玛纳斯县、石河子市、乌苏市、塔城市、托里县、奎屯市、温泉县、霍城县、察布查尔锡伯自治县、尼勒克县、新源县、巩留县、特克斯县、昭苏县、博湖县、拜城县等。

| **资源情况** | 野生资源丰富。药材来源于野生。

| **采收加工** | 秋季采收，洗净，切段，晒干。

| **功能主治** | 用于骨折，跌打损伤，疔疮痈肿，外伤出血。

柳叶菜科 Onagraceae 柳叶菜属 Epilobium

细籽柳叶菜 Epilobium minutiflorum Hausskn.

药 材 名

柳叶菜（药用部位：全草）。

形态特征

多年生草本。高 40 ~ 65 cm。茎直立，多分枝或少分枝，下部紫红色，无毛或被少毛，上部被稀疏弯曲的短毛。叶卵状披针形或披针形，长 2.5 ~ 5 cm，宽 0.7 ~ 1.2 cm，先端渐尖，基部宽楔形，边缘具细锯齿，两面无毛或仅沿中脉或叶缘有疏短曲毛；无叶柄。花单生于叶腋，淡紫红色；花萼 4 裂，长 3 ~ 4 mm，裂片披针形，被白色毛；花瓣倒卵形，长 3 ~ 4 mm，先端 2 裂；柱头短棍棒状。蒴果长圆筒形，长 3 ~ 6 cm，被白色直或弯曲的短毛，果柄长 1 ~ 1.5 cm；种子棕褐色，倒圆锥形，长约 1 mm，先端圆形，有短喙，种缨白色。花期 7 ~ 8 月，果期 8 ~ 9 月。

生境分布

生于海拔 350 ~ 2 450 m 的平原河、湖、沼泽、水库、沟渠及低湿地。分布于新疆吐鲁番市及青河县、布尔津县、哈巴河县、塔城市、和布克赛尔蒙古自治县、奇台县、乌鲁木齐县、沙湾市、精河县、温泉县、霍城县、察布查尔锡伯自治县、昭苏县、新源县、焉耆回族自治县、和静县、疏附县、莎车县、叶城县等。

| **资源情况** | 野生资源丰富。药材来源于野生。

| **采收加工** | 秋季采收，洗净，切段，晒干。

| **功能主治** | 用于骨折，跌打损伤，疔疮痈肿，外伤出血。

柳叶菜科 Onagraceae 柳叶菜属 Epilobium

沼生柳叶菜

Epilobium palustre L.

| 药 材 名 | 柳叶菜（药用部位：全草）。

| 形态特征 | 多年生草本。高 15 ~ 50 cm。茎直立，基部具匍匐枝或地下有匍匐枝，上部被曲柔毛，向下毛渐少。茎下部的叶对生，茎上部的叶互生；叶片卵状披针形至条形，长 2 ~ 5 cm，宽 0.2 ~ 1 cm，先端渐尖，基部楔形，上面有弯曲的短毛，下部仅沿中脉有毛，全缘，边缘常反卷；无叶柄。花单生于茎顶或腋生，淡紫红色；花萼 4 裂，裂片披针形，长约 3 mm，外被短柔毛；花瓣 4，倒卵形，长约 5 mm，先端 2 裂；雄蕊 8，4 长 4 短；子房下位。蒴果圆柱形，长 4 ~ 8 cm，被曲柔毛，果柄长 1 ~ 2 cm；种子倒披针形，暗棕色，长约 2 mm，先端有 1 簇白色种缨。花期 7 ~ 8 月，果期 8 ~ 9 月。

| 生境分布 | 生于前山带至山地河岸、低湿地。分布于新疆克拉玛依市及阿勒泰市、哈巴河县、奇台县、木垒哈萨克自治县、乌鲁木齐县、塔城市、托里县、和布克赛尔蒙古自治县、温泉县、巩留县、昭苏县等。

| 资源情况 | 野生资源一般。药材来源于野生。

| 采收加工 | 8～9月采收，洗净，晒干。

| 功能主治 | 疏风清热，解毒利咽，止咳，利湿。用于风热感冒，音哑，咽喉肿痛，肺热咳嗽，水肿，淋痛，湿热泻痢，风湿热痹，疮痈，毒虫咬伤。

柳叶菜科 Onagraceae 柳叶菜属 Epilobium

小花柳叶菜 *Epilobium parviflorum* Schreb.

| 药 材 名 | 柳叶菜（药用部位：全草）。

| 形态特征 | 多年生草本。高 40 ~ 60 cm。茎直立，不分枝，被长而弯曲的毛，向上毛渐密。叶对生，长椭圆状披针形，长 5 ~ 7 cm，宽 1 ~ 1.5 cm，先端渐尖，基部圆形或楔形，边缘具细而疏的齿，两面密被曲柔毛；无叶柄。花两性，单生于叶腋，淡红色，长 5 ~ 7 mm；花萼裂片 4，长 3 ~ 4 mm，外面散生短毛；花瓣 4，宽 4 ~ 5 mm；雄蕊 8，4 长 4 短；子房下位，柱头 4 裂。蒴果圆柱形，长 4 ~ 6 mm，疏被短腺毛；种子倒卵形，长约 1 mm，密生小乳突，先端具 1 簇白色种缨。花期 7 ~ 8 月，果期 8 ~ 9 月。

| 生境分布 | 生于河边、渠边、沼泽地、低湿地。分布于新疆乌鲁木齐县、阿克

苏市、吉木萨尔县等。

| **资源情况** | 野生资源较少。药材来源于野生。

| **采收加工** | 秋季采收，洗净，切段，晒干。

| **功能主治** | 去腐生肌。用于骨折，跌打损伤，疔疮痈肿，外伤出血。

多脉柳叶菜 *Epilobium roseum* Schreb. subsp. *subsessile* (Boiss.) P. H. Raven

| **药 材 名** | 柳叶菜（药用部位：全草）。

| **形态特征** | 多年生草本。自茎基部生出匍匐枝条或短的肉质根出条。叶近无柄，长圆状披针形，长 3.6 ~ 6 cm，宽 0.9 ~ 2.5 cm，先端钝，基部宽楔形；茎上部的叶狭卵形至披针形，先端锐尖至渐尖，基部圆形或近心形，叶缘每边具 23 ~ 45 细齿；侧脉每侧 5 ~ 7，在背面隆起。花序具叶状苞片，疏被曲柔毛，无腺毛；柱头棍棒状，高 1.5 ~ 2 mm。蒴果长 3 ~ 6 cm，被曲柔毛。花期 6 ~ 8 月，果期 7 ~ 9 月。

| **生境分布** | 生于海拔 1 500 ~ 2 100 m 的山坡溪流、沟边湿处。分布于新疆察布查尔锡伯自治县、特克斯县、霍城县、巩留县、哈巴河县、布尔津县等。

| **资源情况** | 野生资源较少。药材来源于野生。

| **采收加工** | 秋季采收，洗净，切段，晒干。

| **功能主治** | 用于骨折，跌打损伤，疔疮痈肿，外伤出血。

小二仙草科 Haloragaceae 狐尾藻属 *Myriophyllum*

穗状狐尾藻 *Myriophyllum spicatum* L.

| **药 材 名** | 狐尾藻（药用部位：全草）。

| **形态特征** | 多年生沉水草本。根茎发达，在水底泥中蔓延，节部生根。茎圆柱形，长 1 ~ 2.5 m，分枝极多。叶常 5 轮生，有时 4 ~ 6 或 3 ~ 4 轮生，长 3.5 cm，丝状全细裂，裂片约 13 对，细线形，长 1 ~ 1.5 cm；叶柄极短或不存在。多数花排成顶生或腋生的穗状花序，长 6 ~ 10 cm，生于水面上；花两性、单性或杂性，雌雄同株，单生于苞片状叶腋内，常 4 花轮生，如为单性花，则上部为雄花，下部为雌花，中部有时为两性花，基部有 1 对苞片，其中 1 苞片稍大，呈广椭圆形，长 1 ~ 3 mm，全缘或羽状齿裂；雄花萼筒广钟状，先端 4 深裂，平滑，花瓣 4，阔匙形，凹陷，长 2.5 mm，先端圆形，粉红色，雄蕊 8，

花药长椭圆形，长 2 mm，淡黄色，无花梗；雌花萼筒管状，4 深裂，花瓣缺或不明显，子房下位，4 室，花柱 4，很短，偏于一侧，柱头羽毛状，向外反转，具 4 胚珠；大苞片矩圆形，全缘或有细锯齿，较花瓣短，小苞片近圆形，边缘有锯齿。分果广卵形或卵状椭圆形，长 2 ～ 3 mm，具 4 纵深沟，沟缘表面光滑。春季至秋季陆续开花，4 ～ 9 月陆续结果。

| 生境分布 | 生于池塘、河沟、沼泽中。分布于新疆哈密市及哈巴河县、库尔勒市、洛浦县、莎车县、沙雅县等。

| 资源情况 | 野生资源较少。药材来源于野生。

| 采收加工 | 夏、秋季采收全草，洗净，晾干。

| 功能主治 | 消毒，活血，清凉，解毒，止痢。用于慢性泻痢。

小二仙草科 Haloragaceae 狐尾藻属 Myriophyllum

狐尾藻 *Myriophyllum verticillatum* L.

| 药 材 名 | 狐尾藻（药用部位：全草）。

| 形态特征 | 多年生水生草本。根茎生于泥中。茎直立，圆柱形，光滑，无毛，高 20 ～ 40 cm。叶常 4 轮生，长 1 ～ 2 cm，羽状全裂；出水叶裂片狭披针形，长约 3 mm；沉水叶裂片呈丝状，长可达 1.5 cm，无叶柄。花单性或杂性，雌雄同株，单生于出水叶的叶腋内，上部为雄花，下部为雌花，有时中部为两性花；雌花花萼与子房合生，先端 4 裂，裂片较小，长不及 1 mm，卵状三角形，花瓣椭圆形，长 2 ～ 3 mm；雄蕊 8，花药椭圆形，长 2 mm，花丝丝状，花开后伸出花冠外。果实卵球形，具 4 浅沟。花期 8 ～ 9 月。

| **生境分布** | 生于水池、沼泽、湖边。新疆各地均有分布。

| **资源情况** | 野生资源丰富。药材来源于野生。

| **采收加工** | 夏、秋季采收全草，洗净，晾干。

| **功能主治** | 消毒，活血。

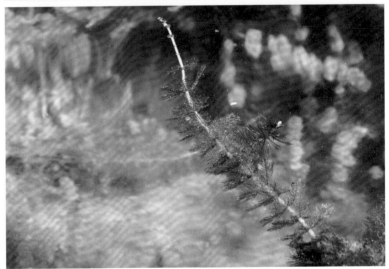

杉叶藻 *Hippuris vulgaris* L.

| 药 材 名 | 杉叶藻（药用部位：全草）。

| 形态特征 | 多年生水生草本。全体光滑，无毛。根茎匍匐，生于泥中。茎圆柱形，直立，不分枝，高 20 ～ 60 cm，有节。叶 6 ～ 12 轮生，条形，长 6 ～ 13 mm，宽约 1 mm，全缘；茎下部的叶较短小。花小，两性，稀单性，无花梗，单生于叶腋；花萼与子房大部分合生；无花瓣；雄蕊 1，生于子房之上，略偏向一侧，花药椭圆形，长约 1 mm；子房下位，椭圆形，花柱丝状，稍长于花丝。核果矩圆形，长 1.5 ～ 2 mm，光滑，无毛，棕褐色。花果期 6 ～ 7 月。

| 生境分布 | 生于水池、沼泽、苇湖及河湾浅水中。新疆各地均有分布。

| **资源情况** | 野生资源丰富。药材来源于野生。

| **采收加工** | 采收后晾干。

| **功能主治** | 清热，凉血，祛瘀，润肺。用于肺、肝陈旧性热，浊热症，咳嗽，肺脓肿，衄血，骨伤，骨蒸劳热。

锁阳科 Cynomoriaceae 锁阳属 Cynomorium

锁阳

Cynomorium songaricum Rupr.

| **药材名** | 锁阳（药用部位：全草）。

| **形态特征** | 多年生肉质寄生草本。高 10 ~ 36 cm，大部分埋藏于土中。茎圆柱状，暗紫红色或褐色，直立，直径 2 ~ 6 cm，基部膨大，有散生的鳞片，鳞片在中部或基部较密集，向上渐稀。鳞片状叶呈卵状三角形，长 5 ~ 10 mm，宽 5 ~ 7 mm，先端尖。肉穗花序生于茎顶，伸出地面，棒状、矩圆形或狭椭圆形，长 3 ~ 13 cm，直径 2 ~ 4 cm，生密集的小花，散生鳞片状叶；花杂性，有香气；雄花长 3 ~ 6 mm，花被片 4，离生或稍合生，倒披针形或匙形，长 2.5 ~ 3.5 mm，宽 0.8 ~ 1.2 mm，下部白色，上部紫红色，蜜腺近倒圆锥形，长 2 ~ 3 mm，先端牙齿 4 ~ 5，亮鲜黄色，雄蕊 1，盛花时长达 6 mm；雌花长约

3 mm，花被片 5 ~ 6，条状披针形，子房半下位；两性花少见。果实小坚果状，近球形或椭圆形，长约 1 mm，先端有宿存的浅黄色花柱。花期 5 ~ 7 月，果期 6 ~ 7 月。

| 生境分布 | 生于海拔 500 ~ 2 700 m 的含盐碱的沙地，寄生于白刺、柽柳等植物的根上。分布于新疆哈密市及奇台县、沙湾市、焉耆回族自治县、若羌县、库车市、阿克陶县、乌恰县、叶城县等。

| 资源情况 | 野生资源一般。药材来源于野生。

| 采收加工 | 春、秋季采收，除去花序，切片，晒干。

| 功能主治 | 补肾壮阳，益肠通便。用于肾虚阳痿，遗精早泄，下肢痿软，体虚便秘。

伞形科 Umbelliferae 羊角芹属 Aegopodium

克什米尔羊角芹 *Aegopodium kashmiricum* (R. R. Stewart ex Dunn) Pimenov

| 药 材 名 | 羊角芹（药用部位：根）。

| 形态特征 | 多年生草本。高 10 ~ 40 cm。茎直立，单一，稀上部有 1 ~ 2 分枝。基生叶有长柄，叶柄基部扩展成披针状鞘，叶片宽三角形，长 3 ~ 5 cm，宽 4 ~ 6 cm，三出式 1 ~ 2 回羽状分裂，羽片有短柄至无柄，末回裂片菱形，边缘具三角状齿，齿端有小尖头，两面无毛；茎生叶 2 ~ 3，向上渐小，简化，叶鞘长圆状，稍膨大，边缘膜质。复伞形花序生于茎先端，直径在花期 2 ~ 3 cm，在果期达 5 cm，伞幅 9 ~ 14（~ 17），不等长，稍粗糙；无总苞片；小伞形花序有花 10 ~ 20；花梗不等长；无小总苞片；花白色；萼齿不明显；花瓣外面有多条纵脉，先端微凹，具内折的小舌片；花柱基圆锥状，花柱

长于花柱基，外弯。果实长卵形，长 2 ~ 3 mm，宽约 2 mm。花期 7 月，果期 8 月。

| **生境分布** | 生于海拔 1 700 ~ 2 300 m 的山地草甸、水沟边、疏林下或云杉林下。分布于新疆昌吉市、托里县、乌鲁木齐县、沙湾市、霍城县、尼勒克县、新源县、和静县等。

| **资源情况** | 野生资源一般。药材来源于野生。

| **采收加工** | 夏季采收，晒干或鲜用。

| **功能主治** | 祛风止痛。用于流行性感冒，风湿痹痛，眩晕。

伞形科 Umbelliferae 羊角芹属 Aegopodium

羊角芹
Aegopodium podagraria L.

| 药 材 名 |

羊角芹（药用部位：根）。

| 形态特征 |

多年生草本。高 50 ~ 120 cm。根茎长，较粗，匍匐。茎中空，直立，有细棱槽，近无毛或有短柔毛，上部稍分枝。叶上面绿色，无毛，下面色淡，沿脉粗糙，有短毛；基生叶早枯萎；茎下部的叶有长柄，叶柄长于叶片，叶片宽三角形，三出式 2 回分裂或全裂，一回羽片具长柄，末回裂片卵状披针形，长 4 ~ 8 cm，先端渐尖，基部偏斜，不等长，边缘具尖锯齿，有短柄；茎上部的叶与下部的叶同形，但较小和简化，叶片直接生于扩展的鞘上。复伞形花序生于茎枝先端，茎端的花序结实，枝端的花序常不结实，伞幅 10 ~ 20，长约 6 cm，粗糙，被短毛；无总苞片；小伞形花序有花 15 ~ 20，直径 1 ~ 1.5 cm；无小总苞片；花白色；萼齿不明显；花瓣倒卵形，长约 1.5 mm，先端微缺，具内折的小舌片；花柱基圆柱状，花柱斜升，果实成熟时细长，向外反折。果实长圆形，长 3 ~ 4 mm，两侧压扁，无毛，果棱丝状凸起，棱间和合生面的油管在成熟的果实中不明显或消失。花期 6 ~ 7 月，果期 7 ~ 8 月。

| **生境分布** | 生于海拔 1 300 ～ 1 600 m 的山坡林下、林缘或山谷水边。分布于新疆额敏县、塔城市、托里县、博乐市、乌鲁木齐县、呼图壁县、阿勒泰市、叶城县、和静县、伊宁市等。 |

| **采收加工** | 夏季采收，晒干或鲜用。 |

| **功能主治** | 祛风止痛。用于流行性感冒，风湿痹痛，眩晕。 |

伞形科 Umbelliferae 羊角芹属 Aegopodium

塔什克羊角芹

Aegopodium tadshikorum Schischk.

药材名

羊角芹（药用部位：根）。

形态特征

多年生草本。高 40 ～ 100 cm。根茎细，匍匐。茎中空，直立，直径达 1 cm，有细棱槽，中上部分枝，分枝常 2 ～ 3，近无毛。基生叶有长柄，叶柄长于叶片，基部扩展成宽叶鞘，叶鞘边缘宽膜质，叶片宽三角形或宽菱形，三出式 1 ～ 2 回羽状全裂，一回羽片的柄较长，长 2 ～ 6 cm，二回羽片的柄极短或无，末回裂片近卵形，先端渐尖，基部楔形或宽楔形，两面粗糙，有短毛，下面色淡，不分裂或 2 ～ 3 裂，边缘有锯齿或重锯齿，齿端具刺尖；茎生叶向上渐小，简化；最上部的叶仅 3 裂，裂片卵状披针形或披针形，边缘具尖齿，叶鞘短而宽。复伞形花序生于茎枝先端，直径 5 ～ 8 cm，枝端的花序较小，伞幅 11 ～ 25，有棱，不等长，上端粗糙，有短毛；无总苞片；小伞形花序有花 10 ～ 20；花梗不等长，粗糙；无小总苞片；花白色；萼齿不明显；花瓣倒卵形，外面有 8 近平行的脉，先端微凹，具内折的小舌片；花柱基圆锥状，花柱延长，在果期长于花柱基并外弯反折。果实长圆形或椭圆形，长 4 ~ 6 mm，宽约 3 mm，果棱丝状凸起，棱间和合生面的油管在果实成熟时不明显或消失。花期 6 ~ 7 月，果期 7 ~ 8 月。

| 生境分布 | 生于海拔 1 000 ~ 2 000 m 的山地林下、林间空地、山坡草丛、山地灌丛湿润处。分布于新疆奇台县、阜康市、乌鲁木齐县、玛纳斯县、沙湾市、霍城县、新源县、巩留县、昭苏县、裕民县等。

| 资源情况 | 野生资源一般。药材来源于野生。

| 采收加工 | 夏季采收，晒干或鲜用。

| 功能主治 | 祛风止痛。用于流行性感冒，风湿痹痛，眩晕。

伞形科 Umbelliferae 莳萝属 Anethum

莳萝 *Anethum graveolens* L.

| 药 材 名 |

莳萝子（药用部位：果实）。

| 形 态 特 征 |

一年生草本。高 50 ~ 100 cm，全体无毛，有强烈的香味。根圆柱形。茎单一，直立，有细棱槽，棱白色，从中部向上分枝。基生叶、茎下部的叶有柄，叶柄基部扩展成鞘，叶片卵形，3 ~ 4 回羽状全裂，末回裂片丝状，长达 2 cm，宽不及 0.5 mm；茎中部和上部的叶简化，叶片小，分裂次数少，无叶柄，仅有叶鞘，叶鞘长圆形，边缘宽膜质。复伞形花序生于茎枝先端，直径 3 ~ 15 cm，伞幅 10 ~ 25，不等长；无总苞片；小伞形花序有花 15 ~ 25；无小总苞片；花黄色；无萼齿；花瓣椭圆形，先端小舌片钝，向内卷曲；花柱基扁平，圆锥状，花柱短，花后外弯。果实宽椭圆形或卵形，长 3 ~ 4 mm，宽 1.5 ~ 3 mm，棕褐色，边缘淡黄色，背棱和中棱稍凸起，侧棱增宽成窄翅，每棱槽内有油管 1，合生面有油管 2。花期 6 ~ 7 月，果期 7 ~ 8 月。

| 生 境 分 布 |

栽培种。新疆和田地区（墨玉县、于田县、

皮山县、洛浦县）、伊犁哈萨克自治州、昌吉回族自治州等有栽培。

| **资源情况** | 药材来源于栽培。

| **采收加工** | 夏、秋季果实成熟时采收地上部分，晒干，打下果实，除去杂质，贮于阴凉处。

| **功能主治** | 消肿止痛，除腹胀，止腹痛，调经利尿。用于关节肿痛，腹胀腹痛，闭经，小便不利等。

白芷
Angelica dahurica (Fisch. ex Hoffm.) Benth. & Hook. f. ex Franch. & Sav.

| **药 材 名** | 白芷（药用部位：根）。

| **形态特征** | 多年生高大草本。高 1 ~ 2.5 m。根圆柱形，有分枝，直径 3 ~ 5 cm，外表皮黄褐色至褐色，有浓烈气味。茎基部直径 2 ~ 5 cm，有时 7 ~ 8 cm，通常带紫色，中空，有纵长沟纹。基生叶 1 回羽状分裂，有长柄，叶柄下部有管状抱茎、边缘膜质的叶鞘；茎上部的叶 2 ~ 3 回羽状分裂，叶片卵形至三角形，长 15 ~ 30 cm，宽 10 ~ 25 cm，叶柄长达 15 cm，下部为囊状膨大的膜质叶鞘，无毛，稀有毛，常带紫色，末回裂片长圆形、卵形或线状披针形，多无柄，长 2.5 ~ 7 cm，宽 1 ~ 2.5 cm，先端急尖，边缘有不规则的白色软骨质粗锯齿，基部两侧常不等大，沿叶轴下延成翅状；花序下方的叶简化成无叶的

显著膨大的囊状叶鞘，外面无毛。复伞形花序顶生或侧生，直径 10 ~ 30 cm；花序梗长 5 ~ 20 cm，花序梗、伞幅和花梗均有短糙毛；伞幅 18 ~ 40，中央主伞有时伞幅多至 70；总苞片通常缺或 1 ~ 2，呈长卵形膨大的鞘；小总苞片 5 ~ 10 或更多，线状披针形，膜质；花白色；无萼齿；花瓣倒卵形，先端内曲成凹头状；子房无毛或有短毛，花柱比短圆锥状花柱基长 2 倍。果实长圆形至卵圆形，黄棕色，有时带紫色，长 4 ~ 7 mm，宽 4 ~ 6 mm，无毛，背棱扁，厚而钝圆，近海绵质，较棱槽宽，侧棱翅状，较果体狭，棱槽内有油管 1，合生面有油管 2。花期 7 ~ 8 月，果期 8 ~ 9 月。

| **生境分布** | 栽培种。新疆乌鲁木齐县、阿勒泰市、巩留县等有栽培。

| **采收加工** | 春播者当年寒露时采收，秋播者翌年秋季叶黄时采收，除去须根，洗净泥土，晒干或趁鲜切片后晒干。

| **功能主治** | 散风除湿，通窍止痛，消肿排脓。用于感冒头痛，眉棱骨痛，鼻塞，鼻渊，牙痛，带下，疮疡肿痛。

伞形科 Umbelliferae 当归属 Angelica

多茎当归 Angelica multicaulis Pimenov

| 药 材 名 | 多茎当归（药用部位：根）。

| 形态特征 | 多年生草本。高 60 ~ 150 cm。根粗壮，圆柱形，分叉；支根粗长，淡棕色或土黄色；根颈分叉，残存少数枯叶鞘。茎直立，中空，通常单一，有细棱槽，无毛，从中上部向上分枝，上部分枝近对生或近轮生。基生叶有长柄，叶柄基部扩展成卵状披针形鞘，有时带紫红色，无毛，叶片卵形或三角状卵形，三出式 2 ~ 3 回羽状全裂，一回羽片有柄，末回裂片椭圆形或长圆状卵形，先端渐尖，有小尖头，基部楔形，稀截形、圆形或微心形，两面无毛，边缘有不规则的大锯齿，齿端有小尖头；茎生叶向上简化，无叶柄，有叶鞘，中部以下的叶互生，上部的叶近对生或近轮生。复伞形花序生于茎枝

先端，直径 10 ～ 18 cm，伞幅 10 ～ 15，不等长，茎端的长 6 ～ 11 cm，枝端的长 3 ～ 6 cm，直立或稍弯曲；总苞片 1 ～ 7，三角形、三角状披针形或披针形，边缘白色，膜质；小伞形花序有花 18 ～ 25；花梗长 5 ～ 10 mm，在果期长达 15 mm；小总苞片多数，线状披针形，边缘白色，膜质；花白色或绿色；萼齿不明显；花瓣倒卵形，先端微凹，具内折的小舌片；花柱基扁平，短圆锥状，花柱在果期略长于花柱基，斜升或外弯。果实椭圆形，长 6 ～ 10 mm，宽 5 ～ 8 mm，淡褐色或麦秆黄色，背棱和中棱圆钝，凸起，侧棱有宽翅，每棱槽内有油管 1，合生面有油管 2。花期 6 ～ 7 月，果期 7 ～ 8 月。

| **生境分布** | 生于海拔 1 500 ～ 2 250 m 的山地河谷水边。分布于新疆吐鲁番市及玛纳斯县、尼勒克县、新源县、库车市、拜城县、阿克苏市等。

| **资源情况** | 野生资源一般。药材来源于野生。

| **采收加工** | 栽种翌年 10 月下旬采挖，抖净泥土，除去残留的叶柄，待水分稍蒸发后，扎把，熏干。

| **功能主治** | 补血活血，调经止痛，润肠通便。用于血虚萎黄，眩晕心悸，月经不调，经闭痛经，虚寒腹痛，肠燥便秘，风湿痹痛，跌打损伤，痈疽疮疡。

伞形科 Umbelliferae 当归属 Angelica

三小叶当归

Angelica ternata Regel & Schmalh.

|药材名|

三小叶当归（药用部位：根）。

|形态特征|

多年生草本。高 20 ～ 50 cm，有浓烈的香
气，全体无毛。根粗壮，长圆柱形，直径约
1 cm；根颈分叉，残存暗褐色枯叶鞘。茎直
立，单一或少数，有细棱槽，中空，从下向
上稍有分枝。基生叶无柄或有短柄，叶鞘长
卵形，膨大，叶片近革质，暗绿色，有光泽，
宽三角形，三出式 2 ～ 3 回全裂或三出式羽
状全裂，末回裂片广卵形或近宽椭圆形，长
2 ～ 5 cm，宽 1.5 ～ 2.5 cm，边缘有不整齐
的尖齿，基部楔形或心形；茎上部无叶，仅
有长圆形叶鞘。复伞形花序生于茎枝先端，
直径 6 ～ 12 cm，伞幅 7 ～ 23，不等长；总
苞片 3 ～ 5，线状披针形，边缘窄膜质，早落；
小伞形花序有花 15 ～ 25，直径约 10 mm；
花梗不等长；小总苞片多数，与总苞片同形，
但不脱落，在果期常反折；花淡绿色或淡黄
绿色；无萼齿；花瓣广卵形，先端向内弯曲；
花柱基短圆锥状，基部增宽似垫，边缘波状，
花柱延长，在果期外弯或反折。果实长圆状
椭圆形，长 8 ～ 10 mm，宽约 5 mm，淡褐色，
果棱具翅，侧棱翅较宽，每棱槽内有油管 1，

合生面有油管 2。花期 6 ～ 7 月，果期 7 ～ 8 月。

| **生境分布** | 生于海拔 2 850 ～ 3 300 m 的高山河谷的碎石质或砾石质山坡、河谷阶地阴湿处。分布于新疆哈密市及尼勒克县、拜城县、阿克陶县、阿图什市、乌恰县、塔什库尔干塔吉克自治县等。

| **资源情况** | 野生资源较少。药材来源于野生。

| **采收加工** | 秋季采挖，洗净，晾干。

| **功能主治** | 祛风除湿，散寒止痛。

伞形科 Umbelliferae 峨参属 Anthriscus

峨参
Anthriscus sylvestris (L.) Hoffm.

| 药 材 名 | 峨参（药用部位：根）。

| 形态特征 | 二年生或多年生草本。高 50 ~ 150 cm。根较粗，纺锤状。茎直立，粗壮，多分枝，下部粗糙，被短硬毛，向上近光滑，无毛。叶广卵圆形，3 回羽状分裂或三出式 2 回羽状分裂，背面疏生短硬毛，一回裂片卵形或广卵形，有长柄，二回裂片卵状披针形，有短柄，三回裂片披针形，先端尖，基部下延，边缘羽状、缺刻状或齿裂，长 1 ~ 3 cm，宽 5 ~ 15 mm，无柄；基生叶、茎下部的叶有长柄，粗糙，被短硬毛；茎上部的叶较小，简化，有短柄或无柄；所有叶柄基部扩大成鞘，长圆状卵形或披针形，长 1 ~ 4 cm，被白色长柔毛。复伞形花序生于茎枝先端，直径 2.5 ~ 8 cm，伞幅 4 ~ 15，不

等长，无毛；无总苞片；小伞形花序有花 4 ~ 15；花梗不等长；小总苞片 5 ~ 8，卵状披针形，先端尖锐，有缘毛，反折；萼齿明显；花瓣白色，有时带绿色或黄色，倒卵形，外缘 1 花瓣增大，长约 2.5 mm。果实长卵形至线状长圆形，长 5 ~ 10 mm，宽 1 ~ 1.5 mm，先端渐狭成喙状，光滑，无毛，稀生小瘤点，有光泽，基部被一圈稍明显的刚毛环绕；分生果横切面近圆形，果棱和油管不明显；胚乳腹面有深槽。花期 6 ~ 7 月，果期 7 ~ 8 月。

| 生境分布 | 生于海拔 1 500 ~ 2 700 m 的山坡林下、林间空地、山间谷地、河谷草甸。分布于新疆阿勒泰市、青河县、富蕴县、哈巴河县、博乐市、塔城市、托里县、和布克赛尔蒙古自治县、木垒哈萨克自治县、奇台县、沙湾市、巩留县、昭苏县等。

| 资源情况 | 野生资源一般。药材来源于野生。

| 采收加工 | 栽后 2 ~ 3 年春、秋季采挖，剪去须尾，刮去外皮，置沸水中烫，晒干或炕干。

| 功能主治 | 补中益气，化瘀生肌。用于跌打损伤，腰痛，肺虚咳嗽，咯血，脾虚腹胀，四肢无力，老人尿频，水肿。

旱芹

Apium graveolens L.

| 药 材 名 | 芹菜子（药用部位：果实）。

| 形态特征 | 一年生或二年生草本。全株无毛，具强烈的气味。根圆锥形，有多数支根，褐色。茎中空，表面有棱槽，中部以上分枝。基生叶有长柄，叶柄的基部略扩大成鞘，叶片长圆形至倒卵形，1 ~ 2 回羽状全裂或三出式全裂，裂片近菱形，边缘有圆齿或锯齿，两面叶脉隆起；茎生叶有短柄，叶片为宽三角形，三出式全裂，裂片楔形，上部全缘或边缘浅裂，有齿和缺刻，叶鞘边缘白色膜质。复伞形花序顶生或与叶对生；花序梗短或无，伞幅 3 ~ 16，长达 2.5 cm，不等长；总苞片无；小伞形花序有花 7 ~ 29，花梗长 1 ~ 1.5 mm，小总苞片无；花白色或黄绿色，萼齿小或不明显；花瓣近圆形，先端微凹，

具内折的小舌片；花柱基短圆锥状或扁压，花柱短，成熟时向外反曲。果实近圆形至椭圆形，两侧稍扁压，长约 1.5 mm，宽 1.5 ~ 2 mm；果棱凸起，尖锐；油管在每个棱槽中单一，合生面油管 2。花期 6 ~ 7 月，果期 7 ~ 8 月。

| 生境分布 | 栽培种。新疆各地均有栽培。

| 采收加工 | 夏季果实成熟时，割取果枝，晒干后打下果实，晒干。

| 功能主治 | **中医** 清肝息风，祛风利湿。用于眩晕头痛，面红目赤，湿疹，疮肿。

藏医 清热和胃化痰，生津止渴。用于培根病，肺中热痰症，紫痰症，口干欲饮。

| 用法用量 | 内服煎汤，9 ~ 15 g，鲜品 30 ~ 60 g；或绞汁；或入丸剂。外用适量，捣敷；或煎汤洗。

伞形科 Umbelliferae 古当归属 Archangelica

短茎球序当归

Archangelica brevicaulis (Rupr.) Rchb.

| 药 材 名 | 短茎独活（药用部位：根）。

| 形态特征 | 多年生草本。高 20 ~ 100 cm。根粗壮，纺锤形，直径 2 ~ 3 cm。茎单一，直立，中空，有细棱槽，粗糙，有短硬毛，通常在中上部稍有分枝，在干旱环境下，茎短缩，从基部分枝。叶淡绿色，下面颜色较淡，两面被短硬毛；基生叶有短柄，叶柄基部扩展为广椭圆形膨大的鞘，外面沿脉有短硬毛，叶片广椭圆形或广卵形，2 ~ 3回羽状全裂，一回羽片有柄，末回裂片椭圆形、卵形或近圆形，长 3 ~ 5 cm，宽 1 ~ 3 cm，有短柄或无柄，下延，边缘有不规则的锯齿，齿端有短尖头；茎生叶与基生叶相似，但简化，无柄，叶鞘长椭圆形膨大，有短毛。复伞形花序生于茎枝先端，直径 6 ~ 15 cm，

伞幅 20 ～ 40（～ 55），粗糙，有短硬毛，近等长；总苞片 1 ～ 2，早落或无；小伞形花序有花 24 ～ 25；花梗有短硬毛，不等长；小总苞片 8 ～ 17，线状钻形，粗糙，有短毛；花白色或淡绿色；无萼齿；花瓣倒卵形，先端略向内弯曲；花柱基近扁平，边缘略呈波状，花柱细，外弯。果实椭圆形，长 6 ～ 8 mm，宽 3 ～ 5 mm，背棱和中棱有窄翅，侧棱有较宽的翅，每棱槽内有油管 3，合生面有油管 6。花期 6 ～ 7 月，果期 7 ～ 8 月。

| 生境分布 | 生于海拔 2 000 ～ 3 680 m 的高山干山谷、草甸、林缘、林下、山坡及河谷草甸中。分布于新疆奇台县、乌鲁木齐县、玛纳斯县、沙湾市、霍城县、察布查尔锡伯自治县、新源县、昭苏县、乌恰县等。

| 资源情况 | 野生资源一般。药材来源于野生。

| 采收加工 | 春、秋季采挖，洗净，切片，晒干。

| 功能主治 | 祛风除湿，止痛。用于风寒湿痹，腰膝冷痛，头痛，牙痛等。

伞形科 Umbelliferae 古当归属 *Archangelica*

下延叶球序当归 *Archangelica decurrens* Ledeb.

| **药材名** | 古当归（药用部位：根）。

| **形态特征** | 多年生草本。高1～2 m。根粗壮，圆柱形，棕褐色。茎直立，圆筒形，中空，粗壮，基部直径2～6 cm，有棱槽，无毛，从中部向上有分枝。叶大，上面深绿色，下面淡绿色，无毛，有时沿脉粗糙而有稀疏的短毛；基生叶有长柄，叶柄基部扩展为兜状膨大的鞘，叶片宽三角形，2～3回羽状全裂，先端的末回裂片宽菱形，3深裂，边缘有锯齿，无柄，侧面的末回裂片椭圆形或长圆状卵形，全缘或有锯齿，有柄或无柄，有柄的裂片基部楔形，无柄的裂片基部沿叶柄下延；茎生叶渐小，简化；最上部的叶仅有卵状膨大、基部抱茎的叶鞘。复伞形花序生于茎枝先端，直径7～15 cm，伞幅20～50，粗

糙，有短硬毛，近等长，排列成圆球形；总苞片无或有数片而早落；小伞形花序有花 30 ~ 50；花梗有短毛；小总苞片 5 ~ 10，线状钻形，有缘毛，短于或近等长于花梗；花白色或淡绿色；萼齿不明显；花瓣倒卵形，先端微凹，具内折的小舌片；花柱基扁平，短圆锥状，边缘波状，花柱延长，外弯。果实椭圆形，长 5 ~ 10 mm，宽 3 ~ 5 mm，果棱线形，背棱和中棱龙骨状凸起或有窄翅，侧棱有宽翅，油管多数，围绕胚乳排列。花期 6 ~ 7 月，果期 7 ~ 8 月。

| **生境分布** | 生于海拔 1 100 ~ 2 100 m 的山地林下、山坡阴湿处、山地河谷草甸和水边。分布于新疆青河县、富蕴县、阿勒泰市、哈巴河县、额敏县、塔城市、裕民县等。

| **资源情况** | 野生资源一般。药材来源于野生。

| **采收加工** | 春、秋季采挖，洗净，切片，晒干。

| **功能主治** | 补血调经，润燥通便，养血润肤，祛风化斑。用于过敏性皮肤病，白癜风。

伞形科 Umbelliferae 柴胡属 Bupleurum

金黄柴胡 *Bupleurum aureum* Fisch.

| 药 材 名 |

柴胡（药用部位：根、鳞茎、枝条）。

| 形态特征 |

多年生草本。高 50 ~ 120 cm。根茎匍匐，
棕色。茎通常单一，稀 2 ~ 3，有细棱槽，
淡黄绿色，有时带淡紫红色，不分枝或上部
稍分枝，无毛，有光泽。叶大，表面绿色，
背面有白霜，呈粉绿色，光滑，无毛；茎下
部的叶广卵形或近圆形，有时长倒卵形，长
4 ~ 6.5 cm，宽 3 ~ 5 cm，先端圆钝或钝尖，
基部渐狭成长柄；茎中部以上叶被茎贯穿，
无叶柄，大提琴状、长圆状卵形或卵形，长
12 ~ 20 cm，宽 3 ~ 5.5 cm，先端钝尖，基
部呈耳形至圆形抱茎。复伞形花序生于茎端
或茎枝先端，直径 3 ~ 10 cm，伞幅 6 ~ 10，
不等长；总苞片 3 ~ 5，卵形或近圆形，
不等大；小伞形花序有花 15 ~ 20；花梗长
1.5 ~ 3 mm；小总苞片 5，稀 6 ~ 7，广卵
形或椭圆形，长 5 ~ 12 mm，宽 7 ~ 9 mm，
等大，质薄，金黄色；花黄色；萼齿不明显；
花瓣中脉颜色较深，小舌片大，长方形；花
柱基淡黄色，扁盘形，花柱较长，果时外
弯。果实长圆形至椭圆形，长 4 ~ 6 mm，
宽 2.5 ~ 3 mm，深褐色，果棱显著凸起，

每棱槽内有油管 3，合生面有油管 4。花期 7 ～ 8 月，果期 8 ～ 9 月。

| **生境分布** | 生于海拔 1 000 ～ 2 500 m 的山坡林缘、灌丛中、有树林的草地和河岸边。分布于新疆福海县、阿勒泰市、布尔津县、哈巴河县、乌鲁木齐县、额敏县、裕民县、托里县、霍城县等。

| **资源情况** | 野生资源一般。药材来源于栽培。

| **采收加工** | 播种后翌年 9 ～ 10 月植株开始枯萎时采收，除去泥土、茎叶，晒干。

| **功能主治** | 解热消炎，疏散退热，疏肝解郁，升举阳气，祛湿镇痛，强心安神。用于烫伤，感冒发热，寒热往来，胸胁胀痛，月经不调，子宫脱垂，脱肛。

伞形科 Umbelliferae 柴胡属 *Bupleurum*

短苞金黄柴胡 *Bupleurum aureum* Fisch. var. *breviinvolucratum* Tractuv.

| 药 材 名 | 柴胡（药用部位：根、鳞茎、枝条）。

| 形态特征 | 本种与金黄柴胡的区别在于本种小总苞片小，长卵形或线状披针形，长 2 ~ 3 mm，宽 0.7 ~ 2 mm，有 3 脉，先端渐尖或短渐尖，基部变狭，在花期短于小伞形花序或与其等长。花期 6 ~ 7 月，果期 7 ~ 8 月。

| **生境分布** | 生于海拔 1 100 m 以下的山坡林下或灌丛中。分布于新疆新源县、裕民县等。

| **资源情况** | 野生资源较少。药材来源于野生。

| **采收加工** | 播种后翌年 9 ~ 10 月植株开始枯萎时采挖，除去泥土、茎叶，晒干。

| **功能主治** | 解热消炎，疏散退热，疏肝解郁，升举阳气，祛湿镇痛，强心安神。用于烫伤，感冒发热，寒热往来，胸胁胀痛，月经不调，子宫脱垂，脱肛。

傘形科 Umbelliferae 柴胡属 Bupleurum

密花柴胡

Bupleurum densiflorum Rupr.

| **药 材 名** | 柴胡（药用部位：根）。

| **形态特征** | 多年生草本。高（3 ~ ）10 ~ 20（~ 30）cm。根茎匍匐，较短，向上分叉。根颈略增粗，残存棕褐色枯叶鞘。茎少数，通常 2 ~ 3，直立或弧曲，基部木质化，不分枝或具 1 ~ 2 短枝。基生叶较多，线形至窄披针形，长 1 ~ 13 cm，宽 1 ~ 8 mm，表面绿色，背面粉绿色，有 3 ~ 5 脉，先端钝或多少渐尖，下部渐狭成柄，叶柄基部略增宽成鞘状；茎生叶 1 ~ 3，披针形，有 5 ~ 7 脉，先端渐尖，基部收缩抱茎。复伞形花序生于茎或茎枝先端，直径 2 ~ 5 cm，伞幅 2 ~ 3，稀 4 ~ 6，不等长，长 1 ~ 6 cm；总苞片 1 ~ 3，披针形或长圆状卵形，有 5 ~ 7 脉，不等大，长 5 ~ 15 mm，宽 3 ~ 5 mm，

先端渐尖或微钝，基部常扩大，呈耳状抱茎；小伞形花序有花 10 ~ 20，密集；花梗长 1.5 ~ 2 mm；小总苞片 3 ~ 5，淡绿色或黄绿色，有时带紫红色，椭圆形、卵形或圆状倒卵形，先端圆钝，有小突尖，在果期变薄，近膜质，长于小伞形花序；花瓣黄色或黄褐色；花柱基黄褐色或暗褐色。果实长圆形，长约 3.5 mm，深棕色，果棱窄翅状，每棱槽内有油管 1，合生面有油管 2。花期 6 ~ 7 月，果期 7 ~ 8 月。

| **生境分布** | 生于海拔 2 100 ~ 2 800 m 的高山草甸、森林带向阳的砾石质和石质山坡。分布于新疆乌鲁木齐县、玛纳斯县、沙湾市、巴里坤哈萨克自治县、和静县等。

| **资源情况** | 野生资源一般。药材来源于栽培。

| **采收加工** | 播种后翌年 9 ~ 10 月植株开始枯萎时采挖，除去泥土、茎叶，晒干。

| **功能主治** | 解热镇痛，消炎，疏肝解郁，疏散退热，升举阳气。用于感冒发热，寒热往来，疟疾，胸胁腹痛，肝炎，胆囊炎，月经不调，子宫下垂，脱肛等。

新疆柴胡
Bupleurum exaltatum M. Bieb.

| 药 材 名 | 柴胡（药用部位：根）。

| 形态特征 | 多年生草本。高40～70（～100）cm。主根粗壮，木质化；根颈增粗，多分枝，残存枯叶鞘。茎多数，稀单一，直立，较细，稍有棱槽，基部常木质化，多从中部向上分枝；枝短，常单一，稀较长，2回分枝。基生叶密集丛生，线形，稀线状披针形，长8～12 cm，宽2～4 mm，有3～5脉，先端渐尖或钝，基部渐狭，抱茎，与叶柄无显著的区别；茎生叶与基生叶相似，较小，稀疏，中部的叶最长达9 cm，有5～9脉，上部的叶更小，长5～10 mm，宽1～2 mm，有7脉。复伞形花序生于茎、枝和小枝先端，伞幅3～9，不等长，长5～22 mm，通常彼此较靠近而略开展；总苞片（1～）3～5，披针形，不等大，

长 1 ~ 6 mm，宽 1 mm，与最上部的叶相似，有 5 ~ 7 脉；小伞形花序有 5 ~ 10
（~ 15）花；花梗近等长，长约 1 mm；小总苞片 5，长圆状椭圆形，等大，长
1 ~ 3 mm，宽 0.5 ~ 1 mm，有 3 ~ 5 脉，先端短渐尖，基部楔形，在花期等长
于或略长于小伞形花序，在果期明显短于小伞形花序；花瓣淡绿色至淡黄色，
内折小舌片先端 2 浅裂；花柱基棕黄色。果实长圆形，长约 3 mm，深棕色，果
棱凸起，呈窄翅状，每棱槽内有油管 3，合生面有油管 4 ~ 6。花期 6 ~ 7 月，
果期 8 ~ 9 月。

| 生境分布 | 生于海拔 1 300 ~ 2 200 m 的森林草原带的砾石质山坡及亚高山带的石隙中。分
布于新疆哈巴河县、木垒哈萨克自治县、奇台县、乌鲁木齐县、玛纳斯县、额敏县、
托里县、沙湾市、察布查尔锡伯自治县、霍城县、特克斯县、昭苏县、阿克苏市等。

| 资源情况 | 野生资源一般。药材来源于栽培。

| 采收加工 | 播种后翌年 9 ~ 10 月植株开始枯萎时采挖，除去泥土、茎叶，晒干。

| 功能主治 | 解热镇痛，消炎，疏肝解郁，疏散退热，升举阳气。用于感冒发热，寒热往来，
疟疾，胸胁腹痛，肝炎，胆囊炎，月经不调，子宫下垂，脱肛等。

伞形科 Umbelliferae 柴胡属 Bupleurum

阿尔泰柴胡
Bupleurum krylovianum Schischk. ex Krylov

| 药 材 名 |

柴胡（药用部位：根）。

| 形态特征 |

多年生草本。高 20 ~ 70 cm。根粗，主根明显，圆柱形，棕色；根颈分叉，木质化。茎通常少数，直立，有细棱槽，上部分枝，略呈"之"字形弯曲，无毛。叶近革质，表面绿色，背面淡绿色或蓝绿色；基生叶、茎下部的叶披针形，连叶柄长 10 ~ 20 cm，宽 1 ~ 2 cm，有 5 ~ 7 脉，脉在背面明显凸起，先端渐尖或圆钝，有小尖头，基部渐狭成长柄，叶柄基部略扩展成鞘；茎中部的叶、茎上部的叶与茎下部的叶同形，但茎中部的叶较宽大，上部的叶明显较小，有短柄至无柄，基部抱茎。复伞形花序生于茎枝先端，伞幅 8 ~ 15（~ 20），不等长，长 2 ~ 6 cm；总苞片 4 ~ 6，披针形，不等大，长 5 ~ 20 mm，宽 1 ~ 4 mm，有 3 ~ 5 脉在背面突出，先端渐尖，基部楔形，质较坚硬，常向下反折；小伞形花序有花 15 ~ 22；花梗不等长，长 1 ~ 2.5 mm；小总苞片 5 ~ 7，绿色或淡黄绿色，卵状披针形或披针形，不等大，长 3 ~ 9 mm，有 3 脉在背面突出，先端渐尖或急尖，基部楔形，明显长于、短于或等长于小伞形花序；花瓣黄色，先端反折处无弯缺，圆形，内折小舌片方形，先端2浅裂。果实长圆状椭圆形，长 2.5 ~ 3.5 mm，宽 1 ~ 2.5 mm，深棕褐色，果棱明显或呈龙骨状凸起，每棱槽内有油管 1，稀 2，合生面有油管 2。花期 7 ~ 8月，果期 8 ~ 9月。

| 生境分布 | 生于海拔 1 000 ~ 2 500 m 的山坡林下、河谷、山地灌丛中及高山岩石缝中。分布于新疆吐鲁番市及富蕴县、福海县、阿勒泰市、布尔津县、哈巴河县、木垒哈萨克自治县、奇台县、阜康市、玛纳斯县、新源县、昭苏县等。

| 资源情况 | 野生资源一般。药材来源于栽培。

| 采收加工 | 播种后翌年 9 ~ 10 月植株开始枯萎时采挖，除去泥土、茎叶，晒干。

| 功能主治 | 解热镇痛，消炎，疏肝解郁，疏散退热，升举阳气。用于感冒发热，寒热往来，疟疾，胸胁腹痛，肝炎，胆囊炎，月经不调，子宫下垂，脱肛等。

天山柴胡
Bupleurum thianschanicum Freyn.

| 药 材 名 | 柴胡（药用部位：根）。

| 形 态 特 征 | 多年生草本。高 30 ~ 50（ ~ 70）cm。主根明显，较粗；支根须状，深棕褐色，向上分叉；根颈残存棕褐色枯叶鞘。茎多数，直立，有细棱槽，无毛，有光泽，淡绿色或蓝绿色，多从中部向上有稀疏的分枝；枝短，长 2.5 ~ 7 cm，有时从基部分枝，略短于主茎，并有 2 回分枝的小枝。叶草质，质较厚，淡绿色或蓝绿色，有极窄的膜质边缘，边缘常略向下卷；基生叶线形或窄披针形，连叶柄长 9 ~ 12 cm，宽 1.5 ~ 3（ ~ 4）mm，有 5 ~ 7 凸起的叶脉，先端渐尖，基部渐狭成长柄，叶柄基部逐渐扩展成窄披针形的鞘；茎生叶向上渐小，线形至披针形，长 5 ~ 10 cm，宽 2 ~ 5 mm，有 5 ~ 9

脉，先端渐尖，下部渐狭，至基部略扩展，半抱茎；最上部的叶明显较短，长 1 ～ 4 cm，宽 5 ～ 8 mm，有 9 ～ 11 脉，先端长渐尖，下部 1/3 处扩大，至基部收缩抱茎。复伞形花序生于茎、枝和小枝先端，伞幅（3 ～）5 ～ 9（～ 15），近等长或明显不等长，长 1 ～ 5 cm，微呈弧形弯曲；总苞片 2 ～ 3，披针形，不等大，长 5 ～ 17 mm，宽 2 ～ 4 mm，与最上部的叶相似，有时脱落；小伞形花序有花 15 ～ 22（～ 30），密集；花梗不等长，长 1 ～ 2 mm；小总苞片 7 ～ 9，草质，蓝绿色或淡绿色，披针形，近等大，稀长圆状卵形或倒披针形，长 4 ～ 7 mm，宽 1.5 ～ 2 mm，3 脉凸起，先端渐尖，基部楔形，与小伞形花序近等长；花瓣暗棕褐色，边缘和小舌片黄色；花柱基棕黄色。果实长椭圆形，深棕色，长 3 ～ 4 mm，直径约 2 mm，果棱凸起，多少呈翅状，色淡，每棱槽内有油管 1，合生面有油管 2。花期 7 ～ 8 月，果期 8 ～ 9 月。

| 生境分布 | 生于海拔 1 500 ～ 2 300 m 的亚高山和森林带的砾石质山坡。分布于新疆乌什县、和布克赛尔蒙古自治县、托里县、博乐市、温泉县、特克斯县、昭苏县、温宿县等。

| 资源情况 | 野生资源一般。药材来源于栽培。

| 采收加工 | 播种后翌年 9 ～ 10 月植株开始枯萎时采挖，除去泥土、茎叶，晒干。

| 功能主治 | 解热镇痛，消炎，疏肝解郁，疏散退热，升举阳气。用于感冒发热，寒热往来，疟疾，胸胁腹痛，肝炎，胆囊炎，月经不调，子宫下垂，脱肛等。

三辐柴胡 *Bupleurum triradiatum* Adams ex Hoffm.

|药材名|

柴胡（药用部位：根）。

|形态特征|

多年生草本。高 15 ~ 25 cm。主根明显，向上分叉；根颈残存有枯叶柄。茎单一或 2 ~ 3，圆形，有浅棱槽，灰蓝色，不分枝或有 1 ~ 2 短分枝。叶灰蓝色或淡蓝色，叶缘有淡黄白色窄边；基生叶线形或线状披针形，长 2.5 ~ 10 cm，宽 3 ~ 4 mm，有 3 ~ 5 脉，先端钝或急尖，下部渐狭成柄，叶柄基部扩展成鞘；茎生叶披针形或长圆状卵形，明显短于基生叶，但较基生叶宽，有 5 ~ 15 脉，具短柄至无柄，先端渐尖或急尖，基部圆形或微心形，多少抱茎。复伞形花序生于茎或茎枝先端，直径 1 ~ 3 cm，伞幅 2 ~ 3，近等长，长 1 ~ 2.5 cm；总苞片 1 ~ 3，长圆状卵形或椭圆形，不等大，长 5 ~ 10 mm，草质，与茎上部的叶相似，有 7 ~ 19 脉，先端钝、渐尖或急尖；小伞形花序有花 15 ~ 25；花梗短，长 1 ~ 2 mm；小总苞片 5 ~ 8，倒卵形或近圆形，长 4 ~ 8 mm，宽 4 ~ 7 mm，草质，灰蓝色或灰黄绿色，有 5 ~ 7 脉，先端圆钝或急尖，稍长于小伞形花序；花瓣卵形，灰黑色或灰蓝色，有时具黄色窄边，先端向内弯曲；花柱基褐色或带灰蓝色。果实长圆状椭圆形，长 2.5 ～ 3 mm，棕色，果棱呈丝状凸起，边缘有窄翅，每棱槽内有油管 1 ～ 3，合生面有油管 2 ～ 4。花期 7 ～ 8 月，果期 8 ～ 9 月。

| 生境分布 | 生于海拔 2 350 ～ 3 500 m 的高山带和亚高山带草甸的砾石质山坡及带砾石的冲积平原上。分布于新疆且末县、和硕县、和静县、乌恰县等。

| 资源情况 | 野生资源较少。药材来源于栽培。

| 采收加工 | 播种后翌年 9 ～ 10 月植株开始枯萎时采挖，除去泥土、茎叶，晒干。

| 功能主治 | 解热镇痛，消炎，疏肝解郁，疏散退热，升举阳气。用于感冒发热，寒热往来，疟疾，胸胁腹痛，肝炎，胆囊炎，月经不调，子宫下垂，脱肛等。

| 伞形科 | Umbelliferae | 葛缕子属 | *Carum*

田葛缕子 *Carum buriaticum* Turcz.

| **药 材 名** | 藏茴香（药用部位：果实）。

| **形态特征** | 多年生草本。高 50 ~ 80 cm。根圆柱形，长达 18 cm，直径 0.5 ~ 2 cm。茎通常单生，稀 2 ~ 5，基部有叶鞘纤维残留物，茎中、下部以上分枝。基生叶及茎下部的叶有柄，叶柄长 6 ~ 10 cm，叶片长圆状卵形或披针形，长 8 ~ 15 cm，宽 5 ~ 10 cm，3 ~ 4 回羽状分裂，末回裂片线形，长 2 ~ 5 mm，宽 0.5 ~ 1 mm；茎上部的叶通常 2 回羽状分裂，末回裂片细线形，长 5 ~ 10 mm，宽约 0.5 mm。总苞片 2 ~ 4，线形或线状披针形；伞幅 10 ~ 15，长 2 ~ 5 cm；小总苞片 5 ~ 8，披针形；小伞形花序有花 10 ~ 30；无萼齿；花瓣白色。果实长卵形，长 3 ~ 4 mm，宽 1.5 ~ 2 mm，每棱槽内有油

管 1，合生面有油管 2。花果期 5 ～ 10 月。

| **生境分布** | 生于田边、路旁、河岸、林下及山地草丛中。分布于新疆哈密市及乌鲁木齐县、和静县、叶城县等。

| **资源情况** | 野生资源较少。药材来源于野生。

| **采收加工** | 7 ～ 8 月采收，晒干。

| **功能主治** | 芳香健胃，理气止痛。用于胃痛，腹痛，小肠气痛。

| 伞形科 | Umbelliferae | 葛缕子属 | Carum

葛缕子 *Carum carvi* L.

| 药 材 名 |

藏茴香（药用部位：果实）。

| 形态特征 |

二年生或多年生草本。高 30 ～ 70 cm，全体无毛。根纺锤形或圆柱形。茎直立，通常单一，稀 2 ～ 8，有细棱槽，中空，分枝。基生叶、茎下部的叶有长柄，叶柄与叶片近等长或略短于叶片，叶柄基部扩展成鞘，鞘边缘白色或淡红色，膜质；叶片长圆状披针形，2 ～ 3 回羽状分裂，通常一回羽片 5 ～ 7 对，卵状披针形，无柄，末回裂片线形或线状披针形，长 3 ～ 5 mm，宽约 1 mm；茎中部和上部的叶与基生叶同形，较小，有短柄或无柄。复伞形花序顶生和腋生，直径 3 ～ 5 cm，伞幅 5 ～ 13，不等长；通常无总苞片，有时有 1 ～ 2；小伞形花序有花 5 ～ 15，直径约 1 cm；花梗不等长；无小总苞片；花杂性；萼齿不明显；花瓣白色或带淡红色；花柱细长，长于花柱基约 2 倍。果实长卵形，长 3 ～ 4 mm，宽约 1.5 mm，成熟后黄褐色，果棱钝，凸起，每棱槽内有油管 1，合生面有油管 2。花期 6 ～ 7 月，果期 7 ～ 8 月。

| 生境分布 | 生于海拔 1 200 ~ 3 520 m 的山地草坡、山谷水边、山地草甸、河滩草甸、林缘、路旁等。分布于新疆阿勒泰市、青河县、富蕴县、布尔津县、哈巴河县、和布克赛尔蒙古自治县、托里县、伊吾县、奇台县、乌鲁木齐县、呼图壁县、玛纳斯县、沙湾市、和静县、阿合奇县、阿图什市、乌恰县、阿克陶县、塔什库尔干塔吉克自治县等。

| 资源情况 | 野生资源丰富。药材来源于野生。

| 采收加工 | 7 ~ 8 月采收，晒干。

| 功能主治 | 芳香健胃，理气止痛。用于胃痛，腹痛，小肠气痛。

伞形科 Umbelliferae 空棱芹属 Cenolophium

空棱芹
Cenolophium denudatum (Hornem.) Tutin

| 药 材 名 |

空茎芹（药用部位：根茎）。

| 形态特征 |

多年生草本。高 50 ～ 150 cm。根粗长，圆柱形；根颈有残存的枯叶鞘纤维。茎单一，直立，有细棱槽，中部以上分枝，基部常带紫色，无毛。基生叶有长柄，叶柄基部扩展成鞘，鞘边缘白色，膜质，叶片广卵形或卵形，3 回羽状全裂，一回羽片有柄，常向下膝曲，末回裂片线形或线状披针形，长 1.5 ～ 6 cm，宽 1 ～ 6 mm，无毛；茎生叶向上渐小，2 ～ 3 回羽状分裂，无叶柄，有短的披针形叶鞘。复伞形花序生于茎枝先端，直径 5 ～ 10 cm，伞幅 15 ～ 25，不等长或近等长，无毛或稍粗糙；总苞片无或 1 ～ 2，线形，早落；小伞形花序有花 12 ～ 16，直径 1 ～ 1.5 cm；小总苞片多数，线状披针形或线形，不等长，常带紫色，无毛；花白色；萼齿不明显或小，短三角形，先端渐尖；花瓣广卵形，先端微凹，具内折的小舌片；花柱基扁平，圆锥状，花柱延长，外弯。果实卵形，长 3.5 ～ 5 mm，宽 1.5 ～ 2.5 mm，果棱有翅，棱内中空，每棱槽内有油管 1，合生面有油管 2。花期 7 月，果期 8 月。

| 生境分布 | 生于海拔 420 ~ 1 800 m 的河边草地、泛滥地的林下和山地草原中。分布于新疆托里县、青河县、阿勒泰市、布尔津县、哈巴河县、和布克赛尔蒙古自治县、塔城市等。

| 资源情况 | 野生资源一般。药材来源于野生。

| 采收加工 | 春、秋季采收，洗净，晾干。

| 功能主治 | 拔毒，祛瘀。外用于化脓性骨髓炎。

毒芹 *Cicuta virosa* L.

| 药 材 名 |

毒芹根（药用部位：根茎）。

| 形 态 特 征 |

多年生草本。高 50 ~ 100 cm，全体无毛。根茎块根状，节间短，内有横隔膜形成若干腔室，节上生多数须根，通常肉质。茎中空，粗壮，单一，直立，有棱槽，从中上部分枝，枝条斜升开展。基生叶、茎下部的叶有长柄，柄中空，基部扩展成鞘，叶片三角状卵形或三角状披针形，2 ~ 3 回羽状分裂，一回羽片 4 ~ 5 对，近卵形，有柄，二回羽片 1 ~ 2 对，无柄，末回裂片披针形，长 3 ~ 6 cm，宽 3 ~ 10 mm，先端尖，边缘有不整齐的锯齿或缺刻；茎中部和上部的叶渐小，无柄，叶鞘窄披针形，边缘膜质。复伞形花序顶生和腋生，直径 4 ~ 10 cm，伞幅 6 ~ 25，近等长，开展，通常无总苞片；小伞形花序有 15 ~ 35 花，直径 1 ~ 1.5 cm；小总苞片多数，线形或线状披针形，短于花梗；花白色；萼齿明显，卵状三角形；花瓣长 1.5 ~ 2 mm，宽 1 ~ 1.5 mm；花柱长约 1 mm，向外反折。果实近球形，长 1.5 ~ 2 mm，基部心形；果棱圆钝，凸起。花期 6 ~ 7 月，果期 7 ~ 8 月。

| 生境分布 | 生于海拔 600 ~ 2 000 m 的沼泽湿地、河滩及池沼、河湖、沟渠水边。分布于新疆乌鲁木齐市、哈密市，以及富蕴县、阿勒泰市、哈巴河县、玛纳斯县、温泉县、霍城县、伊宁县、库尔勒市等。

| 资源情况 | 野生资源一般。药材来源于野生。

| 采收加工 | 春、秋季采挖，鲜用。

| 功能主治 | 拔毒，祛瘀。用于化脓性骨髓炎。

伞形科 Umbelliferae 山芎属 Conioselinum

鞘山芎

Conioselinum vaginatum (Spreng.) Thell.

| **药 材 名** | 新疆藁本（药用部位：根茎）。

| **形态特征** | 多年生草本。全体无毛。根茎短，环节状，表面有圆盘状的茎基痕，节上生多数索状根，有强烈的气味。茎单一，稀具数茎，直立，圆柱形，有棱槽，中空，从上部分枝。基生叶及茎下部的叶有长柄，柄的基部扩展成鞘，叶片三角状卵形，羽状全裂，末回羽片长卵形至披针形，再羽状深裂；茎中部的叶和上部的叶渐小，无柄，有窄披针形的鞘。复伞形花序生于茎枝先端；花白色；花瓣倒卵形，具小舌片；花柱基扁平，圆锥状；花柱短，外弯。果实卵形，背腹略压扁，果棱窄翅状，侧棱较宽。花期 7 ~ 8 月，果期 8 ~ 9 月。

| **生境分布** | 生于海拔 1 100 ~ 2 300 m 的山地草甸、林缘、草原山坡、河谷及山

地灌丛中。分布于新疆布尔津县、哈巴河县、裕民县、托里县、伊宁县、察布查尔锡伯自治县、尼勒克县、新源县、巩留县、昭苏县等。

| 资源情况 | 野生资源一般。药材来源于野生和栽培。

| 采收加工 | 春、秋季采收，洗净，切片，晒干。

| 功能主治 | 祛风除湿，散寒止痛。用于风寒感冒，头痛，风寒湿痹，寒湿腹痛，泄泻，疥癣，痤疮。

| 用法用量 | 内服煎汤，6 ~ 10 g；或入散剂。外用适量，研末调搽。

伞形科 Umbelliferae 孜然芹属 Cuminum

孜然 *Cuminum cyminum* L.

| **药 材 名** | 孜然（药用部位：果实）。

| **形态特征** | 一年生草本。高 20 ~ 40 cm。茎光滑，从基部开始分枝。叶片 2 回羽状分裂，裂片线形，长 3 ~ 4 cm，无毛，有扩张未抱茎的鞘。复伞形花序有 3 ~ 5 伞幅；总苞片与叶的裂片相似，2 裂或 3 裂，与花序近等长；小总苞片刚毛状，几乎与小伞形花序等长；小伞形花序通常具 6 ~ 8 花；花萼具 5 明显尖锐的齿；花冠紫红色，花瓣椭圆形。果实两侧压扁，长椭圆形，长 4 ~ 6 mm，密生短柔毛；果棱线形；花柱基圆锥形，花柱稍外倾；胚乳肾形，腹面稍凹；油管在果棱间单生，合生面有油管 2。花期 4 ~ 5 月，果期 6 月。

| 生境分布 | 栽培种。新疆和田地区（洛浦县、墨玉县、皮山县）、吐鲁番市有栽培。

| 采收加工 | 夏季果实成熟后，割取全株，打下果实，除去杂质，簸净，晒干。

| 功能主治 | 温热开胃，通气止痛，燥湿止泻，通经利尿。用于湿寒性胃虚，胃胀，腹痛，肠虚，腹泻，闭尿，小儿疝气。

| 用法用量 | 内服，2～6 g。外用适量。可入消食膏剂、散剂、蜜膏剂、敷剂等。

伞形科 Umbelliferae 绒果芹属 Eriocycla

新疆绒果芹

Eriocycla pelliotii (H. Boissieu) H. Wolff

| 药 材 名 | 绒果芹（药用部位：全草）。

| 形态特征 | 多年生草本。茎单一，有细条纹，被短毛。基生叶基部的卵形叶鞘互相环抱；叶片羽状分裂，末回裂片卵形，厚膜质，先端尖，边缘有浅细锯齿，两面均有短毛；茎上部几无叶；顶部的叶简化成先端3裂的苞片。总苞片长钻形，先端尖，草质，边缘膜质；伞幅不等长，有细条纹，直立，被糙毛；小伞形花序有花 10 ~ 20；小总苞片4 ~ 7；萼齿短，线状披针形，有长柔毛；花瓣卵形，黄白色，先端稍反折，背面密生长柔毛；花柱基短圆锥状；花柱长而叉开；花盘边缘波状。分生果长卵形，密生长柔毛，横剖面近五角形，每棱槽内有油管1，合生面有油管2。花期7 ~ 9月，果期9 ~ 10月。

| 生境分布 | 生于海拔 1 800～3 200 m 的石质山坡、砾石质山坡、洪积扇上及河谷石隙中。分布于新疆库车市、拜城县、阿克苏市、阿合奇县、阿克陶县、阿图什市、乌恰县、塔什库尔干塔吉克自治县、策勒县、皮山县等。

| 资源情况 | 野生资源一般。药材来源于野生。

| 采收加工 | 夏季采收，洗净，晾干。

| 功能主治 | 祛痰止咳。用于支气管炎。

伞形科 Umbelliferae 刺芹属 Eryngium

扁叶刺芹
Eryngium planum L.

| 药 材 名 |

刺芹（药用部位：全草）。

| 形态特征 |

多年生直立草本。茎灰白色、淡紫灰色至深紫色，上部叉状分枝，基部常残留枯死的叶或成纤维状。基生叶长椭圆状卵形，边缘有粗锯齿，齿端具刺尖，基部心形至深心形，表面绿色，背面淡绿色，掌状；茎下部的叶有短柄，茎上部的叶无柄，浅裂至深裂，裂片披针形，边缘疏生刺状齿，表面及边缘略带浅蓝色。头状花序着生于分枝的先端，卵圆形；总苞片线形或披针形，边缘疏生刺毛，先端尖锐；小总苞片线形；花浅蓝色；萼齿卵形，花瓣与萼片互生，膜质，透明，向内弯曲，在弯曲处的两侧呈耳形并有不明显的睫毛；花丝上部扭曲。果实长椭圆形，背腹压扁，外面被鳞片，无心皮柄。花果期 7 ~ 8 月。

| 生境分布 |

生于海拔 640 ~ 1 400 m 的林缘、低山干山坡、荒地、农田边和田间、沙丘及河岸阶地上。分布于新疆青河县、福海县、阿勒泰市、布尔津县、和布克赛尔蒙古自治县、塔城市、特克斯县、拜城县等。

| **资源情况** | 野生资源丰富。药材来源于野生。

| **采收加工** | 夏季采收，去杂，晾干。

| **功能主治** | 祛痰止咳。用于支气管炎。

伞形科 Umbelliferae 阿魏属 Ferula

山地阿魏 *Ferula akitschkensis* B. Fedtsch. ex K. Pol.

| **药 材 名** | 阿魏（药用部位：树脂）、阿魏子（药用部位：种子）。

| **形态特征** | 多年生草本。茎较细，从中上部向上分枝成圆锥状，下部枝互生，上部枝轮生。基生叶有长柄，叶柄基部有叶鞘，叶片为宽菱形，羽状全裂，末回裂片为广椭圆形至长圆状披针形，再羽状深裂，小裂片全缘或具齿，叶淡绿色，上面光滑，下面被稀疏的短硬毛，不早枯；茎生叶向上简化，至上部无叶片，叶鞘披针形。复伞形花序生于茎枝先端；总苞片披针形，残存；伞幅近等长，开展或半球形；中央花序近无梗或有短梗，侧生花序对生或轮生，花序梗长；伞形花序小，披针形；萼齿三角形；花瓣黄色，椭圆形，先端渐尖，向内弯曲；花柱基扁圆锥形，边缘增宽，果时向上直立；花柱延长，柱头稍增粗。

分生果椭圆形，背腹扁压，背部凸起，背棱丝状，侧棱呈狭翅状，每棱槽内有油管 1，合生面油管 2。花期 6 月，果期 7 月。

| 生境分布 | 生于海拔 1 200 ~ 2 100 m 的山谷林下、山坡草地和灌丛中、山地荒漠的冲沟边。分布于新疆青河县、富蕴县、阿勒泰市、哈巴河县、裕民县、托里县、博乐市、霍城县等。

| 资源情况 | 野生资源一般，栽培资源较少。药材来源于野生。

| 采收加工 | 阿魏：夏季采挖根，取出根分泌的树脂，晒干。
阿魏子：6 ~ 7 月果实成熟时采收，晾干。

| 功能主治 | 阿魏：化癥消积，杀虫，截疟。用于癥瘕积聚，虫积，食积，胸腹胀满，冷痛，疟疾，痢疾。
阿魏子：生干生热，强筋健肌，祛风止痛，增强记忆，温补胃脘，祛寒退热，燥湿利水，通利经水，消除黄疸，消炎退肿。用于瘫痪，面瘫，关节疼痛，记忆减退，胃脘寒虚，黏液质性发热，各种水肿，小便不利，经水不畅，寒性炎肿，痔疮不退等。

| 用法用量 | 阿魏：内服入丸、散剂，1 ~ 1.5 g。外用适量，熬膏贴；或研末入膏药，敷贴。
阿魏子：内服煎汤，1 ~ 2 g。外用适量。

伞形科 Umbelliferae 阿魏属 Ferula

多伞阿魏 *Ferula feruloides* (Steudel) Korovin

| 药 材 名 |

阿魏（药用部位：树脂）、阿魏子（药用部位：种子）。

| 形态特征 |

根纺锤形。茎被疏柔毛。枝多轮生。基生叶有柄，叶柄基部扩展成鞘，叶片为广卵形，三出式4回羽状全裂，末回裂片卵形，叶淡绿色，密被短柔毛，叶鞘卵状披针形。复伞形花序生于茎枝先端，无总苞片，伞幅近等长，侧枝上的花序为单伞形花序，串珠状；小伞形花序有花；小总苞片鳞片状，脱落；花瓣黄色，卵形；花柱基扁圆锥形，边缘增宽，花后期向上直立；花柱延长，柱头增粗为头状。分生果椭圆形，侧棱为狭翅状。5月开花，6月结果。

| 生境分布 |

生于海拔 430 ~ 1 100 m 的沙丘、沙地、覆沙的砾石戈壁中。分布于新疆石河子市、富蕴县、福海县、阿勒泰市、奇台县、额敏县、裕民县、托里县、霍城县等。

| 资源情况 |

野生资源较少。药材来源于野生。

| 采收加工 | **阿魏**：夏季采挖根，取出根分泌的树脂，晒干。

阿魏子：6 ～ 7 月果实成熟时采收，晾干。

| 功能主治 | **阿魏**：化癥消积，杀虫，截疟。用于癥瘕积聚，虫积，食积，胸腹胀满，冷痛，疟疾，痢疾。

阿魏子：生干生热，强筋健肌，祛风止痛，增强记忆，温补胃脘，祛寒退热，燥湿利水，通利经水，消除黄疸，消炎退肿。用于瘫痪，面瘫，关节疼痛，记忆减退，胃脘寒虚，黏液质性发热，各种水肿，小便不利，经水不畅，寒性炎肿，痔疮不退等。

| 用法用量 | **阿魏**：内服入丸、散剂，1 ～ 1.5 g。外用适量，熬膏贴；或研末入膏药，敷贴。

阿魏子：内服煎汤，1 ～ 2 g。外用适量。

伞形科 Umbelliferae 阿魏属 Ferula

阜康阿魏 *Ferula fukanensis* K. M. Shen

| 药 材 名 | 阿魏（药用部位：树脂）、阿魏子（药用部位：种子）。

| 形态特征 | 多年生草本。茎有棱槽，被短柔毛，从近基部向上分枝成圆锥状，下部枝互生，上部枝轮生，枝上有多次互生、对生和轮生的侧枝。叶淡绿色或灰绿色，表面无毛，背面有柔毛；基生叶有短柄，柄的基部扩展成披针形的鞘，叶片广卵形，羽状全裂，末回裂片长圆形，基部下延，再深裂为基部下延、上部浅裂或具齿的小裂片；茎生叶向上渐小，至上部无叶片，仅有披针形叶鞘，半抱茎。复伞形花序生于茎、枝和小枝先端，无总苞片，中央花序有梗；花黄色；萼齿小；花瓣长圆状披针形，沿中脉向里微凹，外面有疏毛；花柱基扁平，圆锥状，边缘增宽，浅裂或波状，果实成熟时向上直立；花柱延长，

柱头头状。果实椭圆形，果棱凸起，侧棱有较宽的边，每棱槽内有油管 4～5，合生面有油管 10～12。花期 4～5 月，果期 5～6 月。

| **生境分布** | 生于海拔约 700 m 的准噶尔沙漠南缘有黏质土壤的冲沟边。分布于新疆阜康市等。

| **资源情况** | 野生资源较少。药材来源于野生。

| **采收加工** | 阿魏：春末夏初盛花期至初果期，分次由茎上部向下斜割，收集渗出的乳状树脂，阴干。

阿魏子：4～6 月果实成熟时采收，洗净，晒干。

| **功能主治** | **中医** 阿魏：化癥消积，杀虫，截疟。用于癥瘕积聚，虫积，食积，胸腹胀满，冷痛，疟疾，痢疾。

阿魏子：生干生热，强筋健肌，祛风止痛，增强记忆，温补胃脘，祛寒退热，燥湿利水，通利经水，消除黄疸，消炎退肿。用于瘫痪，面瘫，关节疼痛，记忆减退，胃脘寒虚，黏液质性发热，各种水肿，小便不利，经水不畅，寒性炎肿，痔疮不退等。

蒙医 阿魏：抑赫依，祛巴达干，调胃火，消食开胃，杀虫，止痛。用于赫依引起的呵欠频作，寒栗，腰膝关节疼痛，游走性疼痛，干呕，心悸，心慌意乱，头晕耳鸣，失眠，心脏赫依病，肝脏赫依病，头赫依病，头虫病等。

藏医　阿魏：祛风除湿，杀虫，化食，生"赤巴"，止痛。用于寒症，虫病，消化不良，胃腹胀痛等。

|用法用量|　中医　阿魏：内服入丸、散剂，1～1.5g。外用适量，熬膏贴；或研末入膏药，敷贴。

阿魏子：内服煎汤，1～2g。外用适量。

蒙医　阿魏：内服，煮散剂，3～5g；或入丸剂。

藏医　阿魏：内服研末，1～1.5g；或入丸、散剂。

伞形科 Umbelliferae 阿魏属 *Ferula*

新疆阿魏 *Ferula sinkiangensis* K. M. Shen

| 药 材 名 | 阿魏（药用部位：树脂）、阿魏子（药用部位：种子）。

| 形态特征 | 多年生草本。根纺锤形或圆锥形，根颈上残存枯萎叶鞘纤维。茎有柔毛，从近基部向上分枝成圆锥状，下部枝互生，上部枝轮生，通常带紫红色。基生叶有短柄，柄的基部扩展成鞘，叶片为三角状卵形，三出式 3 回羽状全裂，末回裂片广椭圆形，浅裂或上部具齿，基部下延，灰绿色，上表面有疏毛，下表面被密集的短柔毛；茎生叶叶鞘卵状披针形。复伞形花序生于茎枝先端，伞幅被柔毛，中央花序近无梗，侧生花序较小，在枝上对生或轮生，稀单生；萼齿小；花瓣黄色，椭圆形，先端渐尖，向内弯曲，沿中脉色暗，向里微凹，外面有毛；花柱基扁圆锥形，边缘增宽，波状，柱头头状。分生果

椭圆形，背腹扁压，有疏毛，果棱凸起，每棱槽内有油管 3 ~ 4，合生面有油管 12 ~ 14。花期 4 ~ 5 月，果期 5 ~ 6 月。

| 生境分布 | 生于海拔 700 ~ 850 m 的黏质黄土或带砾石的黏土坡上。分布于新疆玛纳斯县(黑良湾)、沙湾市、伊宁县、尼勒克县等。

| 资源情况 | 野生资源较少。药材来源于野生。

| 采收加工 | 阿魏：春末夏初盛花期至初果期，分次由茎上部向下斜割，收集渗出的乳状树脂，阴干。

阿魏子：4 ~ 6 月果实成熟时采收，洗净，晒干。

| 功能主治 | 中医　阿魏：化癥消积，杀虫，截疟。用于癥瘕积聚，虫积，食积，胸腹胀满，冷痛，疟疾，痢疾。

阿魏子：生干生热，强筋健肌，祛风止痛，增强记忆，温补胃脘，祛寒退热，燥湿利水，通利经水，消除黄疸，消炎退肿。用于瘫痪，面瘫，关节疼痛，记忆减退，胃脘寒虚，黏液质性发热，各种水肿，小便不利，经水不畅，寒性炎肿，痔疮不退等。

蒙医　阿魏：抑赫依，祛巴达干，调胃火，消食开胃，杀虫，止痛。用于赫依引起的呵欠频作，寒栗，腰膝关节疼痛，游走性疼痛，干呕，心悸，心慌意乱，头晕耳鸣，失眠，心脏赫依病，肝脏赫依病，头赫依病，头虫病等。

| 用法用量 | **中医** **阿魏：** 内服入丸、散剂，1 ~ 1.5 g。外用适量，熬膏贴；或研末入膏药，敷贴。

阿魏子： 内服煎汤，1 ~ 2 g。外用适量。

蒙医 **阿魏：** 内服，煮散剂，3 ~ 5 g；或入丸剂。

荒地阿魏 *Ferula syreitschikowii* Koso-Pol.

| 药 材 名 | 阿魏（药用部位：树脂）。

| 形态特征 | 多年生草本。根圆柱形。茎细，被密集的短毛。枝互生。基生叶近无柄或无柄，生于鞘上，叶片菱形，2～3回羽状全裂，末回裂片椭圆形，再深裂为有角状齿的小裂片，灰绿色，两面被短柔毛；茎生叶至上部有叶鞘，叶鞘披针形，被短柔毛。复伞形花序生于茎枝先端，无总苞片，伞幅近等长；伞形花序小；小总苞片披针形，被密集的白色长柔毛；萼齿三角状披针形；花瓣淡黄色，倒卵形，先端渐尖，向内弯曲，外面有疏柔毛；花柱基扁圆锥形，边缘增宽，波状，柱头头状。分生果椭圆形，背腹扁压，背棱丝状，侧棱狭窄，灰白色，每棱槽内有油管 1，合生面有油管 2。花期 5 月，果期 6 月。

生境分布	生于海拔 540 ~ 1 000 m 的农田荒地、田边、沙地、水渠边、砾石质且干旱的低山坡上。分布于新疆乌鲁木齐市、昌吉回族自治州，以及博乐市、沙湾市、奎屯市等。
资源情况	野生资源较少。药材来源于野生。
采收加工	春末夏初盛花期至初果期，分次由茎上部向下斜割，收集渗出的乳状树脂，阴干。
功能主治	消积，化癥，散痞，杀虫。用于肉食积滞，瘀血癥瘕，腹中痞块，虫积腹痛。
用法用量	内服入丸、散剂，1 ~ 1.5 g。外用适量，熬膏贴；或研末入膏药，敷贴。

伞形科 Umbelliferae 茴香属 *Foeniculum*

茴香
Foeniculum vulgare Mill.

| 药 材 名 | 小茴香（药材部位：果实）。

| 形态特征 | 一年生草本。高 0.5 ~ 1.5 m，全体无毛。茎直立，圆柱形，上部分枝，表面有细而纵直的浅沟纹，被白霜，呈灰绿色。茎生叶互生，有长柄；叶柄长 3 ~ 5 cm，由下而上渐短，近基部呈鞘状，宽大抱茎，边缘有膜质、波状的狭翅；叶片 3 ~ 4 回羽状分裂，末回裂片呈线形或丝状。复伞形花序顶生，伞幅多不等长，长 5 ~ 25 cm；无总苞和小总苞；小伞形花序有花 5 ~ 30，小伞梗纤细，长 4 ~ 10 mm；花萼无；花瓣 5，金黄色，广卵形，长约 1.5 mm，宽约 1 mm，先端渐尖，内折；雄蕊 5，与花瓣互生，花药卵形；雌蕊 1，子房下位，2 室，花柱 2，花柱基圆锥形。双悬果长卵形，有 5 隆起的纵棱，每棱间有油管 1，合生面有油管 2。花期 5 ~ 8 月，果期 7 ~ 10 月。

| **生境分布** | 栽培种。新疆昌吉回族自治州（阜康市）、阿勒泰地区、喀什地区及铁门关市、昆玉市等有栽培。 |

| **采收加工** | 8～10月果实呈黄绿色并有淡黑色纵线时，选晴天割取地上部分，脱粒，扬净杂质，收集，亦可采摘成熟果实，晒干。 |

| **功能主治** | 健胃，明目，通络。用于胃液过多引起的胃纳不佳、胃寒腹胀、恶心、呃逆，脑虚、肝虚引起的视力下降，肾虚引起的尿道不通等。 |

| **用法用量** | 内服煎汤，3～6g。外用适量。可入蜜膏剂、消食膏剂、糖浆剂、汤剂、散剂、洗剂、油剂等。 |

伞形科 Umbelliferae 独活属 Heracleum

兴安独活

Heracleum dissectum Ledeb.

| 药 材 名 | 兴安独活（药用部位：根）。

| 形态特征 | 多年生草本。茎被粗毛，具棱槽。基生叶有长柄，被粗毛，基部成鞘状，叶片羽状分裂，有广卵形小叶，小叶有柄，基部心形，小裂片卵状长圆形，常成羽状缺刻，边缘有锯齿，表面被微细伏毛，背面密生灰白色毛；茎上部的叶叶柄全部成宽鞘状。复伞形花序顶生或侧生，无总苞片，伞幅无毛；小总苞片数片，线状披针形；萼齿三角形；花瓣白色，二型；花柱基短圆锥形。果实椭圆形或倒卵形，背部每棱槽内有油管1，合生面有油管2。花期7～8月，果期8～9月。

| 生境分布 | 生于海拔 900～2 800 m 的山地草甸、河谷草甸、林间空地、林缘

及山地灌丛中。分布于新疆伊州区、青河县、富蕴县、阿勒泰市、布尔津县、哈巴河县、吉木乃县、木垒哈萨克自治县、奇台县、玛纳斯县、和布克赛尔蒙古自治县、额敏县、塔城市、沙湾市、精河县、尼勒克县、新源县、巩留县、特克斯县、昭苏县、阿克苏市等。

| **资源情况** | 野生资源丰富。药材来源于栽培。

| **采收加工** | 春末秋初采挖，除去茎叶，洗净，晒干。

| **功能主治** | 祛风除湿，止痛。用于风寒湿痹，腰膝酸痛，头痛。

| **用法用量** | 内服煎汤，3 ~ 9 g；或浸酒。

伞形科 Umbelliferae 斑膜芹属 Hyalolaena

柴胡状斑膜芹
Hyalolaena bupleuroides (Schrenk ex Fisch. & C. A. Mey.) Pimenov & Kljuykov

| 药 材 名 | 斑膜芹（药用部位：根）。

| 形态特征 | 多年生草本。高 40 ～ 70 cm。根胡萝卜状增粗；根颈上残存枯叶鞘纤维。茎单一，上部稍有分枝，略呈伞房状，光滑，无毛。基生叶早枯萎，有叶柄，叶柄长 5 ～ 10 cm，基部扩展成鞘状，叶片长圆形，长 8 ～ 15 cm，宽 1.5 ～ 3 cm，3 回羽状全裂，末回裂片披针状线形，先端锐尖，光滑或粗糙，长 2 ～ 3 mm，宽约 1 mm；茎上部的叶较小，叶的末回裂片线形，长 1 ～ 4 cm，无柄，有短鞘。复伞形花序生于茎枝先端，直径 2 ～ 4 cm，伞幅 10 ～ 15，不等长，无毛；总苞片 5，椭圆形，边缘宽膜质；小伞形花序有花 10 ～ 15；花梗不等长；小总苞片倒卵形或椭圆形，几乎全部膜质，有 5 ～ 8 紫红色脉纹，

初花时长于花梗；花白色；花萼无齿；花瓣椭圆形，先端微凹，具内折的小舌片，沿中脉有明显的暗纹。果实长圆形，两侧略压扁，长约 3 mm，宽约 1 mm，果棱丝状凸起，每棱槽内有油管 3 ~ 4，合生面有油管 6 ~ 10。花期 5 月，果期 6 月。

| **生境分布** | 生于海拔 640 ~ 1 050 m 的荒地、田边、河滩旱地及河谷草甸中。分布于新疆石河子市、塔城市、伊宁县、巩留县等。

| **资源情况** | 野生资源较丰富。药材主要来源于野生。

| **采收加工** | 秋季茎叶枯萎时采挖，除去地上部分及须根，洗净泥土，晒干或烘干。

| **功能主治** | 祛风除湿，止痛。

斑膜芹
Hyalolaena trichophyllum (Schrenk) Korov.

| 药 材 名 | 斑膜芹（药用部位：根）。

| 形态特征 | 多年生草本。高 30 ~ 70 cm，全株光滑或近光滑。块根纺锤状或长圆状，灰褐色，长 2 ~ 5 cm，直径 1 ~ 2 cm；根颈上残存枯叶鞘纤维。茎单一，稀 2，直径 2 ~ 4 mm，从中部以上分枝，呈伞房状。基生叶早枯萎，有叶柄，叶柄长 2.5 ~ 4 cm，基部增宽成鞘，叶片卵形，长 6 ~ 7 cm，宽 3 ~ 4 cm，3 回羽状全裂，一回羽片长圆形，无柄，末回裂片丝状或窄线形，长 3 ~ 5 mm，宽 0.2 mm，先端锐尖，有小尖头；茎上部的叶无柄，着生于鞘上，叶片分裂次数减少，末回裂片长 2 ~ 3 cm。复伞形花序顶生或侧生，直径 1.5 ~ 3.5 cm，伞幅 8 ~ 15，不等长；总苞片 5，长圆形，先端钝，边缘宽膜质，短

于伞幅；小伞形花序有花 8～15；花梗不等长；小总苞片 5，椭圆形，几乎全部膜质，黄白色，有 3 明显的脉纹，初花时短于花梗；无萼齿；花瓣白色，广卵形，先端微凹，内折，长约 1 mm；花柱基圆锥形。分生果长 1～3 mm，宽 1～1.5 mm，褐色，果棱明显，丝状凸起，每棱槽内有油管 1，合生面有油管 2。花期 6 月，果期 7 月。

| 生境分布 | 生于海拔约 1 700 m 的山地灌丛和草原的砾石质山坡上。分布于新疆木垒哈萨克自治县、奇台县、玛纳斯县、裕民县、察布查尔锡伯自治县、塔城市等。

| 资源情况 | 野生资源较丰富。药材主要来源于野生。

| 采收加工 | 秋季茎叶枯萎时采挖，除去地上部分及须根，洗净泥土，晒干或烘干。

| 功能主治 | 祛风除湿，止痛。

伞形科 Umbelliferae **岩风属** *Libanotis*

绵毛岩风 *Libanotis eriocarpa* Schrenk

| **药 材 名** | 岩风（药用部位：根）。

| **形态特征** | 多年生草本。高 20 ~ 40 cm。根茎粗壮，木质化，长 2 ~ 10 cm，直径 5 ~ 10 mm，分叉，灰褐色或略带黄色，存留枯萎叶鞘；有数茎，下部圆柱形，直径 1.5 ~ 3 mm，有细条纹，微凸起，光滑，近无毛，中部以上有少数分枝并散生极短柔毛。基生叶数片或多数，具叶柄，基部叶鞘卵状披针形，叶片长圆形，长 4 ~ 12 cm，宽 1.5 ~ 4 cm，2 回羽状分裂，末回裂片线形或线状披针形，全缘或先端 3 裂，长 5 ~ 20 mm，宽 1 ~ 3 mm，边缘反卷，灰绿色，质厚；茎生叶小，1 回羽状分裂或不裂，无柄，仅有叶鞘。伞形花序直径 1 ~ 3.5 cm，伞幅 4 ~ 8，密生柔毛；总苞片 4 ~ 7，披针形，边缘白色，外部有

毛，基部连合，不等长；小伞形花序有花 10 ~ 20 或更多，近无花梗，花密集着生；小总苞片 5 ~ 8，披针形，与花梗近等长或较花梗长；花瓣倒卵形，白色，外部有毛；花柱长为花柱基的 4 ~ 5 倍，叉开，常带紫色，花柱基圆锥形。分生果长圆形，长 5 ~ 6 mm，宽 3.5 mm，密生灰白色毡毛，背棱和中棱粗，侧棱较宽，每棱槽内有油管 1，合生面有油管 2；胚乳腹面平直。花果期 7 ~ 9 月。

| **生境分布** | 生于海拔 1 600 ~ 1 800 m 的砾石质或石质干山坡。分布于新疆阜康市、和硕县、焉耆回族自治县等。

| **资源情况** | 野生资源较丰富。药材主要来源于野生。

| **采收加工** | 夏季采挖，除去地上部分及须根，洗净泥土，切片，晾干或晒干。

| **功能主治** | 止咳化痰，发汗退热。

伞形科 Umbelliferae 岩风属 *Libanotis*

伊犁岩风 *Libanotis iliensis* (Lipsky) Korovin

| 药 材 名 | 岩风（药用部位：根）。

| 形态特征 | 多年生草本。高 0.5 ~ 1（~ 2）m。根颈粗壮，直径 2 ~ 3 cm，上端密集残留叶鞘粗纤维；根圆柱形，木质化。茎圆柱形，有明显的条纹凸起，并有浅纵沟槽，密生短毛，基部直径 0.5 ~ 2 cm，近木质化，中间有髓，茎下部或上部有延长、开展的分枝，分枝处略膨大，并有宽阔三角状叶鞘抱茎。基生叶多数，有长柄，叶柄长 5 ~ 8 cm，棱角状，基部有宽阔叶鞘，边缘白色，膜质，密生短柔毛，叶片呈阔三角状卵形，2 ~ 3 回羽状全裂，一回羽片 8 ~ 9 对，下部羽片有柄，上部者无柄，末回裂片线形或丝线形，长 1 ~ 4 cm，宽 0.5 ~ 1 mm，有稀疏的短柔毛或近光滑无毛，边缘反卷；茎生叶与基生叶相似，

但羽片较少，叶鞘短而宽，呈三角状卵形，最上部仅有短而宽的叶鞘而无叶片。复伞形花序多数，呈圆锥状分枝；总苞片 6 ～ 10，卵状披针形，长 3 ～ 5 mm，宽 1 ～ 1.2 mm，外面具白色柔毛；伞形花序直径 2 ～ 4 cm，伞幅 10 ～ 20，不等长，长 1 ～ 2 cm，有毛；每小伞形花序有花 10 ～ 20，花梗很短，长 1 ～ 3 mm，常密集成簇状；小总苞片约 10，卵状披针形，与花等长或较花长，边缘白色，膜质，外部多毛；萼齿锥形或披针形，多毛；花瓣白色，长圆形，小舌片内曲，外部多白色长毛；花柱基圆锥形，花柱叉开，弯曲。分生果长圆形或椭圆形，稍两侧压扁，长 3 ～ 4 mm，宽 1 mm，密生柔毛，横剖面略呈五角形，每棱槽内有油管 1，合生面有油管 2。花期 6 ～ 7 月，果期 8 ～ 9 月。

| **生境分布** | 生于海拔约 1 000 m 的砾石山坡或山沟、路旁。分布于新疆乌鲁木齐市及玛纳斯县、精河县、察布查尔锡伯自治县、巩留县、特克斯县等。

| **资源情况** | 野生资源较丰富。药材主要来源于野生。

| **采收加工** | 夏季采挖，除去地上部分及须根，洗净泥土，切片，晾干或晒干。

| **功能主治** | 止咳化痰，发汗退热。

伞形科 Umbelliferae 岩风属 Libanotis

坚挺岩风 Libanotis schrenkiana C. A. Mey. ex Schischk.

| 药 材 名 | 岩风（药用部位：根）。

| 形态特征 | 多年生草本。高 50 ~ 100 cm。根颈粗短，存留多数越年叶鞘纤维；根圆柱形、不规则分叉或结成块状，棕色，木质化。有数茎或单茎，茎基部近圆柱形，中上部有明显棱角状突起，髓部充实，颈直，中部以上有少数分枝，有短柔毛。基生叶有长柄，叶柄长 13 ~ 30 cm，呈半圆形，基部有卵状披针形的宽阔叶鞘，叶轴有宽槽，叶片长圆状卵形，长 10 ~ 20 cm，宽 4 ~ 7 cm，2 回羽状全裂或深裂，一回羽片 5 ~ 7 对，无柄，末回裂片线形或线状披针形，长约 10 mm，宽 1.2 mm，有时呈卵状菱形，长约 15 mm，宽 7 mm，有 1 ~ 3 细齿裂，边缘反曲，粉绿色，两面散生短柔毛；茎生叶与基部叶相

似，叶柄向上逐渐缩短以至无柄，叶片短小，裂片较少。花序梗长而粗壮，先端有柔毛；复伞形花序直径 3 ~ 6 cm，伞幅 15 ~ 25，不等长；总苞片少数或无，呈钻形或线形，不等长，长 15 mm；小伞形花序具多花；小总苞片 12 ~ 15，线形，先端渐尖或呈钻形，短于花梗，有柔毛；花瓣倒卵状长圆形，小舌片狭长，内曲，外面光滑无毛，长约 1 mm，白色；萼齿三角形；花柱长，稍弯曲，花柱基扁圆形。分生果椭圆形，长 3 mm，幼时密生柔毛，成熟时毛较稀疏，横剖面略呈五角形，果棱线形凸起，每棱槽内有油管 1，合生面有油管 2，油管较粗大。花期 8 月，果期 9 月。

| **生境分布** | 生于海拔 1 700 ~ 2 600 m 的山坡草地、石隙中、灌丛林缘和路边。分布于新疆托里县、尼勒克县、新源县、昭苏县、特克斯县等。

| **资源情况** | 野生资源较丰富。药材主要来源于野生。

| **采收加工** | 夏季采挖，除去地上部分及须根，洗净泥土，切片，晾干或晒干。

| **功能主治** | 止咳化痰，发汗退热。

伞形科 Umbelliferae 藁本属 Ligusticum

短尖藁本

Ligusticum mucronatum (Schrenk) Leute

| 药 材 名 |

藁本（药用部位：根）。

| 形 态 特 征 |

多年生草本。高 15 ~ 80 cm。根多分叉；根颈密被纤维状枯萎叶鞘。茎单生或多条簇生。基生叶具长柄，叶柄长 4 ~ 15 cm，基部扩大成鞘，叶片长圆形，长 5 ~ 12 cm，宽 1.5 ~ 5 cm，羽片 5 ~ 7 对，长圆状卵形，长 1 ~ 4 cm，宽 0.5 ~ 1.5 cm，边缘及背面脉上具糙毛，羽片浅裂至深裂，裂片具短尖头；茎生叶少数，向上渐简化。复伞形花序顶生或侧生，直径 2 ~ 7 cm；总苞片少数，线形，长约 5 mm，边缘白色，膜质，常早落；伞幅 15 ~ 32，长 1.5 ~ 3 cm，果期常外曲；小总苞片 5 ~ 10，线状披针形，长 4 ~ 5 mm，边缘白色，膜质；萼齿不明显；花瓣白色，倒卵形，先端具内折的小舌片；花柱基圆锥形，花柱长，果期向下反曲。分生果背腹压扁，长圆状卵形，长约 3 mm，宽约 2 mm，背棱凸起，侧棱扩大成翅，每棱槽内有油管 1 ~ 2，合生面有油管 4；胚乳腹面平直。花期 7 ~ 9 月，果期 8 ~ 10 月。

| 生境分布 | 生于海拔 1 500 ～ 3 200 m 的山区的山坡草甸、林下、谷地湿地、水沟边及岩石缝隙中。分布于新疆乌鲁木齐市、哈密市，以及奇台县、呼图壁县、温泉县、尼勒克县、新源县、特克斯县、昭苏县、和静县、阿克苏市、阿克陶县、阿图什市等。

| 资源情况 | 野生资源较丰富。药材主要来源于野生。

| 采收加工 | 7 ～ 9 月采挖，除去地上部分，洗净，切片，晾干或晒干。

| 功能主治 | 祛风除湿，止痛。

| 用法用量 | 内服煎汤，3 ～ 9 g。外用适量，研末调搽。

| 伞形科 | Umbelliferae | 棱子芹属 | *Pleurospermum* |

红花棱子芹
Pleurospermum roseum (Korov.) K. M. Shen

| **药 材 名** | 棱子芹（药用部位：根、果实）。

| **形态特征** | 多年生草本。高 10 ~ 25 cm，全体无毛。根圆柱形，木质化；根颈分叉，残存有暗褐色的枯叶鞘。茎单一或少数，直立或短缩，从基部分枝，枝少数，斜升。基生叶多数，长 4 ~ 7 cm，莲座状，有长柄，柄的基部扩展成宽披针形的鞘，叶鞘在花果期呈淡黄白色，几乎全部膜质，叶片长圆状卵形或卵形，1 ~ 2 回羽状全裂，羽片再羽状深裂，末回裂片披针形，长约 3 mm，先端急尖；茎生叶少而小，向上逐渐简化，上部仅有窄披针形的鞘。复伞形花序生于茎枝先端，直径 3 ~ 15 cm，伞幅 4 ~ 5，不等长，长 1 ~ 10 cm；总苞片 4 ~ 5，线状披针形或窄披针形，不等长，全缘，稀先端 2 裂，

边缘膜质；小伞形花序有花 6 ~ 12，花梗不等长；小总苞片 5 ~ 6，与总苞片同形，长于花梗；花白色或带淡红色，稀紫色；萼齿小，三角形；花瓣宽椭圆形或近圆形，沿中脉略凹或平直，先端小舌状，圆钝，向内弯曲；花柱基扁平，垫状，蓝绿色，花柱短，果期短于花柱基半径或与其等长。果实卵形或椭圆形，长 3 ~ 4.5 mm，果棱有宽翅，翅具钝齿状的边缘，与棱间的槽均有稀疏的小泡状突起，每棱槽内有油管 1，窄，合生面有油管 2。花期 6 ~ 7 月，果期7 ~ 8 月。

| 生境分布 | 生于海拔 3 000 ~ 3 500 m 的高山草甸、砾石质山坡及河谷潮湿的石隙中。分布于新疆昭苏县、乌恰县等。

| 资源情况 | 野生资源较丰富。药材主要来源于野生。

| 采收加工 | 根，秋季茎叶枯萎时采挖，除去地上部分及须根，洗净泥土，晒干或烘干。果实，秋季成熟时采收。

| 功能主治 | 温中散寒。用于心悸，气短，咳嗽。

伞形科 Umbelliferae 西归芹属 Seselopsis

西归芹
Seselopsis tianschanica Schischk.

| 药 材 名 | 土当归（药用部位：根）。

| 形态特征 | 多年生草本。高 40 ~ 90 cm。根增粗成纺锤状。茎单一，基部直径 4 ~ 6 mm，下部带紫色，中空；表面有纵细条纹，无毛，从中部或中下部向上分枝。基生叶早枯萎；茎下部叶有长柄，叶柄基部扩展成披针形叶鞘，叶片卵形，三出式 2 ~ 3 回羽状全裂，一回羽片 3 对，有柄，末回裂片披针状线形，长 2 ~ 9 cm，宽 1 ~ 5 mm，无毛；茎上部叶较小，叶片 1 回羽状全裂，裂片较短，披针状线形，无柄，着生于披针形叶鞘上。复伞形花序顶生或侧生，直径 5 ~ 9 cm，伞幅 6 ~ 18，不等长，有棱，内侧粗糙或有白色短毛；无总苞片；小伞形花序多花，花梗不等长；小总苞片窄线形，多数，不等长，反折；

花瓣白色或淡紫红色，外面的 1 瓣稍长。分生果卵形或椭圆形，长 3 ～ 4 mm，宽 2 mm，果棱翅状凸起，侧棱较宽，每棱槽内有油管 1，粗大，合生面有油管 2。花期 7 月，果期 8 月。

| 生境分布 |　生于海拔 1 500 ～ 2 500 m 的草原灌丛中和草坡上。分布于新疆乌鲁木齐市及奇台县、阜康市、玛纳斯县、尼勒克县、新源县、特克斯县、昭苏县等。

| 资源情况 |　野生资源较丰富。药材主要来源于野生。

| 采收加工 |　秋季茎叶枯萎时采挖，除去地上部分，洗净泥土，切片，晾干、烘干或用棉线捆紧后晒干。

| 功能主治 |　用于跌打损伤，贫血等。

伞形科 Umbelliferae 泽芹属 Sium

中亚泽芹 Sium medium Fisch. & C. A. Mey.

| 药 材 名 | 泽芹（药用部位：根）。

| 形态特征 | 多年生草本。高 45 ~ 60 cm，光滑。根多数，细圆柱形，成束状，棕褐色。茎直立，中空，上部有分枝，有棱及沟槽。基生叶、茎下部叶的叶柄长 6 ~ 15 cm，具叶鞘，抱茎，叶片为长圆形或卵形，长 12 ~ 20 cm，宽 5 ~ 13 cm，坚纸质，羽状全裂，有羽片 3 ~ 5 对，彼此疏离，侧生羽片披针状长圆形，长 2.5 ~ 6 cm，宽 0.5 ~ 1 cm，基部圆楔形，先端尖锐，边缘具锐锯齿；茎上部的叶与基生叶相似，但较小，具叶鞘。复伞形花序顶生或侧生；花序梗长 7 ~ 10 cm；总苞片 8 ~ 9，线形或披针形，长 5 ~ 13 mm，先端尖锐，全缘，反折；小总苞片 9 ~ 10，线形至狭披针形，长 3 ~ 4.5 mm，先端尖锐，

全缘；伞幅 15 ~ 23，直立，开展，不等长；花白色；花梗长 4 ~ 5 mm；萼齿细小；花柱基短圆锥形。果实卵形，长 3 mm，宽 2 mm，每棱槽内有油管 1 ~ 2，合生面有油管 2 ~ 6；分生果横剖面近五边形；胚乳腹面平直。花期 8 月。

| **生境分布** | 生于海拔 500 ~ 1 430 m 的沼泽苇塘边、湿草甸、湿地及河谷滩地。分布于新疆青河县、玛纳斯县、额敏县、塔城市、察布查尔锡伯自治县、新源县、巩留县、昭苏县等。

| **资源情况** | 野生资源较丰富。药材主要来源于野生。

| **采收加工** | 秋季茎叶枯萎时采挖，除去地上部分，洗净泥土，切片，晾干或烘干。

| **功能主治** | 散风寒，止头痛，降血压。

伞形科 Umbelliferae 泽芹属 Sium

拟泽芹

Sium sisaroideum DC.

| 药 材 名 | 泽芹（药用部位：全草）。

| 形态特征 | 多年生草本。高 50 ~ 80 cm，全体无毛。根茎短，具绳索状须根。茎中空，直立，有尖的纵棱，上半部分枝。基生叶早枯萎，稀为单叶，不分裂，叶片卵状心形；茎下部的叶有长柄，无横隔膜，叶柄基部扩展成鞘，叶片长圆形或卵状长圆形，1 回羽状全裂，羽片 4 ~ 5 对，宽披针形，长 4 ~ 5 cm，宽 1 ~ 2 cm，先端渐尖，基部圆形，两边不对称，边缘具尖锯齿；茎中部、上部的叶与茎下部的叶同形，但中部的叶较大，羽片 2 ~ 3 对，长达 7 cm；茎上部的叶三出分裂，羽片窄披针形，叶鞘边缘膜质。复伞形花序生于茎枝先端，直径 3 ~ 5 cm，伞幅 10 ~ 15（~ 20），不等长；总苞片 5 ~ 7，披

针状线形或钻形，不等长；小伞形花序有花 10 ～ 20；花梗不等长；小总苞片
与总苞片相似；花白色；萼齿不明显；花瓣倒卵形，先端凹缺，具内折的小舌片；
花柱基扁平，圆锥状，花柱外弯。果实卵形，长约 3.5 mm，宽约 2 mm，果棱
丝状凸起，每棱槽内有油管 3 ～ 4，合生面有油管 4 ～ 6（～ 8），心皮柄 2 裂
至基部。花期 6 ～ 7 月，果期 7 ～ 8 月。

| 生境分布 | 生于海拔 500 ～ 2 200 m 的河岸水边、池沼边和水渠边。分布于新疆吐鲁番市
及富蕴县、哈巴河县、阜康市、玛纳斯县、塔城市、阿克苏市等。

| 资源情况 | 野生资源较丰富。药材主要来源于野生。

| 采收加工 | 夏、秋季采收，洗净，晾干或烘干。

| 功能主治 | 散风寒，止头痛，降血压。

伞形科 Umbelliferae 迷果芹属 Sphallerocarpus

迷果芹

Sphallerocarpus gracilis (Besser) Koso Pol.

| 药 材 名 |

迷果芹（药用部位：全草或根）。

| 形态特征 |

多年生草本。高 50 ~ 120 cm。根块状或圆锥形。茎圆形，多分枝，有细条纹，下部密被或疏生白毛，上部无毛或近无毛。基生叶早落或凋存；茎生叶 2 ~ 3 回羽状分裂，二回羽片卵形或卵状披针形，长 1.5 ~ 2.5 cm，宽 0.5 ~ 1 cm，先端长尖，基部有短柄或近无柄，末回裂片边缘具羽状缺刻或裂齿，通常表面绿色，背面淡绿色，无毛或疏生柔毛，叶柄长 1 ~ 7 cm，基部有阔叶鞘，鞘棕褐色，边缘膜质，被白色柔毛，脉 7 ~ 11；托叶的柄呈鞘状，裂片细小。复伞形花序顶生或侧生，伞幅 6 ~ 13，不等长，有毛或无毛；小总苞片通常 5，长卵形至广披针形，长 1.5 ~ 2.5 mm，宽 1 ~ 2 mm，常向下反曲，边缘膜质，有毛；小伞形花序有花 15 ~ 25；花梗不等长；萼齿细小；花瓣倒卵形，长约 1.2 mm，宽 1 mm，先端有内折的小舌片；花丝与花瓣等长或较花瓣稍长，花药卵圆形，长约 0.5 mm。果实椭圆状长圆形，长 4 ~ 7 mm，宽 1.5 ~ 2 mm，两侧微扁，背部有 5 凸起的棱，棱略呈波状，棱槽内有油管 2 ~ 3，合生面有油管 4 ~ 6；胚乳腹面内凹。花果期 7 ~ 10 月。

| **生境分布** | 生于海拔 1 700 ~ 2 800 m 的山坡路旁、村庄附近、菜园地以及荒草地上。分布于新疆伊吾县、巴里坤哈萨克自治县等。

| **资源情况** | 野生资源一般。药材主要来源于野生。

| **采收加工** | 夏、秋季采收全草，秋季采挖根，除去杂质，晒干。

| **功能主治** | **中医** 用于风湿性关节炎等。
　　　　　　　藏医 祛肾寒，敛黄水。用于黄水病，肾寒隆病。

| **用法用量** | 内服煎汤，6 ~ 9 g。

刺果芹
Turgenia latifolia (L.) Hoffm.

| 药 材 名 | 刺果芹（药用部位：全草）。

| 形态特征 | 一年生草本。高约30 cm。茎叉状分枝，密被短柔毛和开展的灰白色刺毛。叶长圆形，1回羽状全裂，羽片狭长圆形，长1 ~ 2.5 cm，宽0.5 ~ 1 cm，无柄或仅下部1对羽片有短柄，表面沿脉被短柔毛，背面密被短柔毛，沿脉被刺毛，边缘锯齿状或有不规则的齿。复伞形花序，伞幅2 ~ 5，长3 ~ 4 cm；总苞片4 ~ 5，披针形，有白色膜质边缘；小伞形花序有3 ~ 4两性结实花和3 ~ 4单性不孕花；小总苞片通常5，阔卵形，有白色膜质边缘，与花梗等长或较花梗稍长；两性花的1花瓣特别大，呈倒肾形。果实卵形，长7 ~ 9 mm，宽4 ~ 5 mm。花期7月，果期8月。

| 生境分布 | 生于海拔 700 ~ 1 500 m 的山坡草地、荒地、冲沟、路旁、田间和果园中。分布于新疆乌鲁木齐市及塔城市、霍城县、伊宁县、新源县等。 |

| 资源情况 | 野生资源一般。药材主要来源于野生。 |

| 采收加工 | 夏、秋季采收，洗净，晾干或烘干。 |

| 功能主治 | 祛风湿，强筋骨，止血，止痢。 |

鹿蹄草科 Pyrolaceae 鹿蹄草属 Pyrola

圆叶鹿蹄草 *Pyrola rotundifolia* L.

药材名

鹿蹄草（药用部位：全草）。

形态特征

常绿草本状小半灌木。高 15 ~ 25（~ 30）cm。根茎细长，横生，斜升，有分枝。叶 4 ~ 7，基生，革质，稍有光泽，圆形或卵圆形，长（2 ~）3 ~ 6 cm，宽（1.5 ~）2.5 ~ 5.5 cm，先端圆钝，基部圆形至圆截形，有时稍心形，近全缘或有不明显的疏圆齿，上面绿色，下面色稍淡；叶柄长约为叶片的 2 倍或与叶片近等长。花葶有 1 ~ 2 褐色的鳞片状叶，长椭圆状卵形，长 8 ~ 10（~ 12）mm，宽 3 ~ 5 mm，先端急尖，基部稍抱花葶；总状花序长 6 ~ 13（~ 16）cm，有（6 ~）8 ~ 15（~ 18）花；花倾斜，稍下垂；花冠广开，直径 1.5 ~ 2 cm，白色；花梗长 4.5 ~ 5 mm，腋间有膜质苞片；苞片披针形，长 4.6 ~ 5 mm，宽 1.8 ~ 2.1 mm，与花梗近等长或较花梗稍长；萼片狭披针形，长 3.5 ~ 5.5 mm，长为宽的 3 ~ 3.5 倍，约为花瓣的 1/2，先端渐尖或长渐尖，全缘；花瓣倒卵圆形，长 6 ~ 10 mm，宽 4 ~ 6 mm，先端圆钝；雄蕊 10，花丝无毛，花药具小角，黄色；花柱长 7.5 ~ 10 mm，倾斜，上部向上弯曲，伸出花冠外，先端有明显的环状突起，柱头 5 浅裂。蒴果扁球形，高（4 ~）4.5 ~ 5 mm，直径（6 ~）7 ~ 8 mm。花期 6 ~ 7 月，果期 8 ~ 9 月。

| 生境分布 | 生于海拔 1 000 ~ 2 000 m 的山地针叶林、针阔叶混交林或阔叶林下、山地草原、河谷、林缘、灌丛中。分布于新疆乌鲁木齐市及哈巴河县、布尔津县、奇台县、玛纳斯县、独山子区、托里县、霍城县、尼勒克县、巩留县、昭苏县、和静县等。

| 资源情况 | 野生资源丰富。药材主要来源于野生。

| 采收加工 | 夏、秋季采收，除去杂质和泥土，晾干或烘干。

| 功能主治 | 清热解毒，祛风除湿，强筋骨，止血，止痢。

黑果越橘 *Vaccinium myrtillus* L.

| 药 材 名 |　黑果越橘（药用部位：花、果实）。

| 形态特征 |　落叶灌木。茎和枝无毛，淡灰绿色。叶椭圆形或卵圆形，先端急尖
或钝形，边缘具细锯齿，基部卵圆形。花单一，生于当年生枝的叶腋，

下垂；花下面不具苞片；花萼 4 ～ 5 裂，裂片近全缘，不明显；花冠坛状球形，淡绿色，口部 4 ～ 5 浅裂；雄蕊 8 ～ 10，花丝上部窄，基部宽，不具毛，花药具 2 长芒；子房下位，5 室。浆果直径 0.5 ～ 0.9 cm，球形，黑色，具蓝色粉霜，果汁淡红色。花期 6 ～ 8 月，果期 7 ～ 9 月。

| 生境分布 |　生于海拔 1 300 ～ 2 400 m 的阿尔泰山山地草甸、针叶林及针阔叶混交林下。分布于新疆布尔津县、阿勒泰市、哈巴河县、富蕴县、福海县等。

| 采收加工 |　5 ～ 6 月花开时采收，鲜用或阴干；秋季果实成熟时采收果实，晒干。

| 功能主治 |　散风止痛，解毒利尿，通经活络。用于尿道炎，膀胱炎，肾炎，肠炎，痢疾。

| 用法用量 |　内服煎汤，5 ～ 10 g。

报春花科 Primulaceae 点地梅属 *Androsace*

大苞点地梅 *Androsace maxima* L.

| **药 材 名** | 点地梅（药用部位：全草或花序）。

| **形态特征** | 一年生草本。主根细长，具少数支根。莲座状叶丛单生；叶片狭倒卵形、椭圆形或倒披针形，长 5 ~ 15 mm，宽 2 ~ 5 mm，先端锐尖或稍钝，基部渐狭，无明显的叶柄，中上部边缘有小牙齿，质较厚，两面近无毛或疏被柔毛。花葶 2 ~ 4，自叶丛中抽出，高 2 ~ 7.5 cm，被白色卷曲的柔毛和短腺毛；伞形花序多花，被短柔毛和腺毛；苞片大，椭圆形或倒卵状长圆形，长 5 ~ 7 mm，宽 1 ~ 2.5 mm，先端钝或微尖；花梗直立，长 1 ~ 1.5 cm；花萼杯状，长 3 ~ 4 mm，果时增大，长可达 9 mm，分裂约达全长的 2/5，被稀疏柔毛和短腺毛，裂片三角状披针形，先端渐尖，质稍厚，老时黄褐色；花

冠白色或淡粉红色，直径 3 ～ 4 mm，筒部长约为花萼的 2/3，裂片长圆形，长
1 ～ 1.8 mm，先端钝圆。蒴果近球形，与宿存花萼等长或较宿存花萼稍短。果
期 8 月。

| 生境分布 | 生于海拔 900 ～ 4 500 m 的高山、亚高山草原、森林草甸、山坡林缘，以及洪
积平原、山前沟口、林间空地、山坡荒地、河漫滩。分布于新疆富蕴县、哈巴
河县、奇台县、阜康市、米东区、和布克赛尔蒙古自治县、精河县、额敏县、
裕民县、沙湾市、博乐市、温泉县、巩留县、昭苏县、阿克陶县、乌恰县等。

| 资源情况 | 野生资源丰富。药材主要来源于野生。

| 采收加工 | 夏、秋季采收，除去杂质，晒干。

| 功能主治 | 利水消肿。用于胆囊炎，胆结石。

报春花科 Primulaceae 点地梅属 Androsace

绢毛点地梅
Androsace nortonii Ludlow ex Stearn

| 药 材 名 | 喉咙草（药用部位：全草）。

| 形态特征 | 多年生草本，植株由着生于根出条上的莲座状叶丛形成疏丛。根出条枣红色，初被柔毛，渐变无毛，节间长 0.5 ~ 2.5 cm。莲座状叶丛直径 1 ~ 2 cm，基部具残存的枯叶；叶 3 型，外层叶线状长圆形，长 4 ~ 5 mm，宽约 1.5 mm，早枯，褐色，近先端及边缘被毛；中层叶匙形至线状倒披针形，长 4 ~ 7.5 mm，宽 0.75 ~ 1.5 mm，先端钝，绿色，除渐狭的膜质基部外，密被长 1.5 ~ 2.5 mm 的白色绢丝状长毛；内层叶具柄，叶片椭圆形至卵状椭圆形，长 3.5 ~ 6 mm，宽 2 ~ 4 mm，先端钝，基部短渐狭，下延，两面被短硬毛；叶柄等长于或稍长于叶片；着生于新枝端的叶 2 ~ 4 对，长 4 ~

5 mm，卵圆形，被短柔毛。花葶细弱，高 2 ～ 6 cm，被开展的长柔毛；伞形花序 2 ～ 6 花；苞片线形，长 2 ～ 3.5 mm，被柔毛；花梗被柔毛，初花期甚短，约与苞片等长，至果期长可达 9 mm；花萼杯状，长约 3 mm，密被柔毛，分裂达中部，裂片狭卵形，先端稍钝；花冠紫红色，直径 6 ～ 9 mm，筒部长 2.5 ～ 2.75 mm，裂片阔倒卵形，全缘或先端微具小齿。花期 6 月。

| 生境分布 | 生于海拔 1 700 ～ 3 100 m 的亚高山至高山草甸。分布于新疆吐鲁番市及布尔津县、奇台县、昌吉市、霍城县、新源县、巩留县、昭苏县、和静县、拜城县等。

| 资源情况 | 野生资源较丰富。药材主要来源于野生。

| 采收加工 | 夏、秋季采收，除去杂质，晾干或晒干。

| 功能主治 | 有毒。清热解毒，消肿。

报春花科 Primulaceae 点地梅属 Androsace

天山点地梅

Androsace ovczinnikovii Schischk. et Bobrov

| 药 材 名 | 点地梅（药用部位：全草或果实）。

| 形态特征 | 多年生草本。植株由根出条上着生的莲座状叶丛形成疏丛。根出条细，节间长 1.5 ~ 3 cm，幼时红褐色，疏被白色长柔毛，老时深紫褐色，变无毛。莲座状叶丛直径 1.5 ~ 2.5 cm，灰绿色；叶为不明显的二型；外层叶线形或狭舌形，长 5 ~ 7 mm，宽 1 ~ 1.5 mm，黄褐色，先端钝，腹面近无毛，背面中、上部和边缘被柔毛；内层叶线形至线状倒披针形，长 1 ~ 1.7 cm，宽 1.5 ~ 2.5 mm，先端稍钝，腹面近无毛，背面中部以上和边缘具长柔毛。花葶 1 ~ 3，自叶丛中抽出，细瘦，高 1.5 ~ 4（~ 10）cm，被长柔毛；伞形花序具 3 ~ 5（~ 8）花；苞片椭圆形至卵状披针形，长 3 ~ 5 mm，疏

被柔毛；花梗近等长，长 5 ～ 8 mm，与花萼同被白色长柔毛；花萼杯状或阔钟状，长 2.5 ～ 3 mm，分裂约达中部，裂片卵形，先端钝；花冠白色至粉红色，直径 4.5 ～ 6 mm，裂片倒卵形，先端近全缘或微凹。花期 6 月。

| **生境分布** | 生于海拔 1 400 ～ 3 700 m 的高山至亚高山草甸、山沟阳坡、山地草原、河漫滩。分布于新疆吐鲁番市及吉木乃县、奇台县、阜康市、米东区、和布克赛尔蒙古自治县、精河县、博乐市、温泉县、巩留县、昭苏县、和静县、拜城县、阿克陶县、乌恰县等。

| **资源情况** | 野生资源较丰富。药材主要来源于野生。

| **采收加工** | 夏、秋季采收全草，秋季采收果实，除去杂质，晾干或晒干。

| **功能主治** | 利水消肿。用于眼疾。

垫状点地梅 *Androsace tapete* Maxim.

| 药 材 名 | 点地梅（药用部位：全草）。

| 形态特征 | 多年生草本。植株为半球形的坚实垫状体，由多数根出短枝紧密排列而成；根出短枝被枯叶覆盖，呈棒状。当年生莲座状叶丛叠生于老叶丛上，通常无节间，直径 2 ~ 3 mm；叶二型；外层叶卵状披针形或卵状三角形，长 2 ~ 3 mm，较肥厚，先端钝，背部隆起，微具脊；内层叶线形或狭倒披针形，长 2 ~ 3 mm，中、上部绿色，先端具密集的白色画笔状毛，下部白色，膜质，边缘具短缘毛。花葶近无或极短；花单生，无梗或具极短的梗，包藏于叶丛中；苞片线形，膜质，有绿色细肋，与花萼近等长；花萼筒状，长 4 ~ 5 mm，具稍明显的 5 棱，棱间通常白色，膜质，分裂达全长的 1/3，裂片三角形，

先端钝，上部边缘具绢毛；花冠粉红色，直径约 5 mm，裂片倒卵形，边缘微呈波状。花期 6 ~ 7 月。

| **生境分布** | 生于海拔 2 800 ~ 4 300 m 的高山带石缝中、山谷河边、山坡。分布于新疆若羌县、阿克陶县、塔什库尔干塔吉克自治县、和田县等。

| **资源情况** | 野生资源较丰富。药材主要来源于野生。

| **采收加工** | 夏、秋季采收，除去杂质，晾干或晒干。

| **功能主治** | 利水消肿。

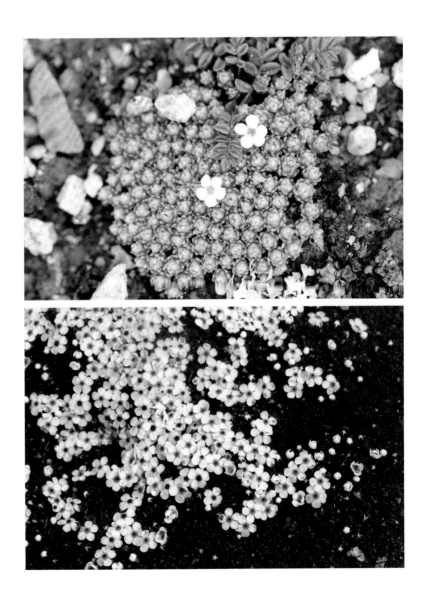

报春花科 Primulaceae 假报春属 Cortusa

假报春
Cortusa matthioli Linnaeus

| 药 材 名 | 假报春（药用部位：全草）。

| 形态特征 | 多年生草本。高 17 ~ 25（~ 38）cm。叶柄长于叶片 1.5 ~ 3 倍，被疏柔毛；叶片圆肾形，基部深心形，直径 4 ~ 5（~ 8）cm，裂片具浅圆齿，上面近无毛，边缘和下面被长柔毛。花葶高超过叶 1 倍，被微毛；伞形花序通常偏向一侧，有花 5 ~ 8（~ 10）；总苞片掌状，长 6 ~ 8（~ 10）mm，先端齿状分裂；花梗不等长，长 1 ~ 3（~ 5）cm，纤细；花萼长 5 ~ 6 mm，萼齿三角状披针形，无毛；花冠红紫色，漏斗状，直径 1.2 cm，长 1.2 cm，裂片长圆形，先端钝。蒴果长圆状卵形，长于花萼。

| 生境分布 | 生于海拔 1 200 ~ 3 800 m 的高山和亚高山草甸、山谷阳坡草地、

山坡石缝中、林缘、林间空地、河滩灌丛下。分布于新疆吐鲁番市、乌鲁木齐市，以及新源县、和静县等。

| **资源情况** | 野生资源较丰富。药材主要来源于野生。

| **采收加工** | 夏、秋季采收，除去杂质，晾干或晒干。

| **功能主治** | 祛风消肿，清热解毒。

报春花科 Primulaceae 金钟花属 Kaufmannia

金钟花 *Kaufmannia semenovii* (Herd.) Rgl.

| **药 材 名** | 金钟花（药用部位：果实）。

| **形态特征** | 多年生草本。叶全部基生，具长柄；叶柄长 8 ~ 17 cm；叶片圆肾形，直径 5 ~ 9 cm，边缘齿状浅裂，两面沿脉被柔毛，其余部分近无毛；苞叶宽倒卵状楔形，具掌状脉，长 9 ~ 13 mm，上部齿状浅裂。花葶比叶长，有时长 1 倍，被平展的短柔毛；伞形花序；花梗近等长；花梗长 1 ~ 3（~ 4）cm，疏被腺毛；花萼管状钟形，5 裂，萼齿披针形，先端急尖，与萼筒近等长；花冠淡黄色，漏斗状或狭钟状，花冠筒与花萼等长，冠檐 5 裂，花冠裂片长圆形，先端钝圆，明显长于花冠筒；雄蕊 5，着生于花冠喉部之下，花丝基部合生，稍增厚成环状，花药 2 室，披针状长圆形，基部心形，先端渐尖，藏于

花冠内；花柱丝状，直伸，明显长于花冠。蒴果卵形，长于花萼，上部 5 瓣裂；
种子多数。

| 生境分布 | 生于亚高山草甸阴坡石缝中、河谷、针叶林下。分布于新疆精河县、察布查尔锡伯自治县、尼勒克县、新源县、昭苏县等。

| 资源情况 | 野生资源较丰富。药材主要来源于野生。

| 采收加工 | 秋季采收成熟果实，晾干或晒干。

| 功能主治 | 止咳平喘，止泻镇痛。

報春花科 Primulaceae　珍珠菜属 Lysimachia

海乳草
Lysimachia maritima (L.) Galasso, Banfi & Soldano

| 药 材 名 | 海乳草（药用部位：全草）。

| 形态特征 | 多年生草本。茎高 3 ~ 25 cm，直立或下部平卧，节间短，通常有分枝。叶近无柄，交互对生或互生，间距极短，仅 1 mm，有时稍疏离，相距可达 1 cm；近茎基部 3 ~ 4 对叶鳞片状，膜质；上部叶肉质，线形、线状长圆形或近匙形，长 4 ~ 15 mm，宽 1.5 ~ 3.5（~ 5）mm，先端钝或稍锐尖，基部楔形，全缘。花单生于茎中上部叶腋；花梗长可达 1.5 mm，有时极短，不明显；花萼钟状，白色或粉红色，近花冠状，长约 4 mm，分裂达中部，萼齿倒卵状长圆形，宽 1.5 ~ 2 mm，先端圆形；雄蕊 5，稍短于花萼；子房卵球形，上半部密被小腺点，花柱与雄蕊等长或稍短。蒴果卵状球形，长 2.5 ~ 3 mm，先端尖，

略呈喙状。花期 6 月，果期 7 ~ 8 月。

| **生境分布** | 生于平原荒漠、潮湿草地、河边渠沿、湖岸。新疆各地均有分布。

| **资源情况** | 野生资源较丰富。药材主要来源于野生。

| **采收加工** | 夏、秋季采收，除去杂质，晾干或晒干。

| **功能主治** | 祛风消肿，清热解毒。

報春花科 Primulaceae 報春花属 Primula

寒地报春 *Primula algida* Adams

| 药 材 名 | 报春（药用部位：全草或外果皮）。

| 形态特征 | 多年生草本。具极短的根茎和多数纤维状长根。叶丛高 1.5 ~ 5
（~ 7）cm，基部无芽鳞；叶片倒卵状矩圆形至倒披针形，连柄长
1.5 ~ 5 cm，稀长达 7 cm，宽 0.5 ~ 1.5 cm，极少宽达 2.5 cm，先
端圆形或钝，基部渐狭窄，边缘具锐尖小牙齿，很少近全缘，上面
绿色，无粉，下面通常被粉，较少无粉，粉黄色或白色，极密或较
稀薄，中肋和侧脉在下面明显；叶柄通常很短，不明显，具宽翅，
很少长达叶片的 1/2。花葶高 3 ~ 20 cm，果期长可达 35 cm，先端
被粉或无粉；伞形花序近头状，具 3 ~ 12 花；苞片线形至线状披针
形，长 3 ~ 11 mm，宽 1 ~ 2 mm，先端渐尖，基部稍呈囊状或耳状，

花后反折；初花期花梗甚短，长 1.5 ～ 3 mm，后渐伸长；花萼钟状，长 6 ～ 8（～ 10）mm，具 5 棱，外面无粉或微被粉，内面通常被粉，分裂达全长的 1/3 ～ 1/2，裂片矩圆形或披针形，先端锐尖或钝，常带紫色；花冠堇紫色，稀白色，冠檐直径 8 ～ 15 mm，筒部带黄色或白色，长 6 ～ 10 mm，与花萼近等长，喉部具环状附属物，花冠裂片倒卵形，先端 2 深裂；长花柱花的雄蕊着生于花冠筒中下部，花柱长约为花冠筒的 2/3；短花柱花的雄蕊着生于近花冠筒中部，花柱长约为花冠筒的 1/3。蒴果长圆状，稍长于花萼；果柄长可达 15 mm，被粉或无粉。花期 5 ～ 6 月，果期 7 月。

| 生境分布 | 生于海拔 1 350 ～ 4 700 m 的高山草原、林下、河湖边、沼泽地。分布于新疆乌鲁木齐市及奇台县、吉木萨尔县、昌吉市、和布克赛尔蒙古自治县、托里县、博乐市、霍城县、伊宁县、察布查尔锡伯自治县、新源县、巩留县、昭苏县、和静县、叶城县、塔什库尔干塔吉克自治县、和田县等。

| 资源情况 | 野生资源较丰富。药材主要来源于野生。

| 采收加工 | 夏、秋季采收全草，秋季采收成熟果实的外果皮，除去杂质，晾干或晒干。

| 功能主治 | 补肾涩精，杀虫，活血化瘀，止痛。

天山报春 *Primula nutans* Georgi

| 药 材 名 | 报春（药用部位：全草）。

| 形态特征 | 多年生草本。全体无粉。根茎短，具多数须根。叶莲座状；叶片长圆状倒卵形至近匙形，长 1～5（～10）cm，宽 0.4～1.5（～2）cm，先端钝，具稍缺刻状牙齿或全缘，基部渐狭成纤细的叶柄，叶片通常与叶柄等长。花葶高 20～40（～50）cm，直径 1.5～2（～3）mm；伞形花序具（2～）4～10（～12）花；苞片长圆状披针形，长 4～5（～7）mm，先端尖，基部下延成明显的耳垂状，绿色；花梗长 2～3（～3.5）cm，长短不等，明显长于苞片；花萼瓶状柱形，分裂至全长的 1/3 处，萼齿披针形，先端尖，绿色，开展；花冠白色或淡红色，花冠筒长于花，喉部黄色，冠檐直径

0.5 ~ 0.7 cm，裂片倒卵形，先端深裂。蒴果椭圆形，褐色，与花萼近等长，先端开裂，裂齿直立。花期 6 ~ 7 月，果期 7 ~ 8 月。

| **生境分布** | 生于海拔 1 800 ~ 2 000 m 的山地草甸草原、河谷。分布于新疆特克斯县、昭苏县、温宿县等。

| **资源情况** | 野生资源一般。药材主要来源于野生。

| **采收加工** | 夏、秋季采收，除去杂质，晾干或晒干。

| **功能主治** | 活血化瘀，止痛。

白花丹科 Plumbaginaceae 彩花属 Acantholimon

刺叶彩花 *Acantholimon alatavicum* Bunge

| 药 材 名 | 彩花（药用部位：全株）。

| 形态特征 | 垫状小灌木。新枝长 5 ~ 15（~ 25）mm。叶常为灰绿色，针状或线状锥形，夏叶长 1.5 ~ 4 cm，宽 1 ~ 1.5 mm，横切面扁三棱形，刚硬，两面无毛而常有钙质颗粒，先端钝尖，春叶常较夏叶略短。花序有明显的花序轴，高 3 ~ 6（~ 9）cm，不分枝，多少被密短毛，上部（1 ~）5 ~ 8 小穗排成 2 列，组成穗状花序，小穗含 1 花；外苞和第 1 内苞无毛，外苞长 5 ~ 6 mm，通常长圆状卵形，先端渐尖，第 1 内苞长 7 ~ 8 mm，先端钝或急尖；花萼长 10 ~ 12 mm，漏斗状，萼筒长 6 ~ 7 mm，脉间或上半部被稀疏的短茸毛，萼檐宽 4 ~ 5 mm，白色，无毛或下部沿脉有毛，先端有 5 或 10 不明显的浅圆裂片，脉

紫褐色，伸达萼檐顶缘；花冠淡紫红色。花期 9 ~ 10 月。

| **生境分布** | 生于海拔 900 ~ 3 000 m 的山前洪积扇、砾石荒漠、高山草原。分布于新疆木垒哈萨克自治县、奇台县、昌吉市、托里县、博乐市、温泉县、巴里坤哈萨克自治县、库车市、拜城县、温宿县、阿克苏市、乌什县、乌恰县、喀什市、叶城县等。

| **资源情况** | 野生资源较丰富。药材主要来源于野生。

| **采收加工** | 夏、秋季采收，除去杂质，晾干或晒干。

| **功能主治** | 止痛消炎，活血补血。

白花丹科 Plumbaginaceae 彩花属 Acantholimon

彩花
Acantholimon hedinii Ostenf.

| 药 材 名 | 彩花（药用部位：全株）。

| 形态特征 | 紧密垫状小灌木。小枝上端每年增长极短，只有几层紧密贴伏的新叶。叶淡灰绿色，披针形至线形，长 4 ~ 8 mm，宽通常不足 1 mm，横切面扁三棱形或近扁平，先端急尖或渐尖，常有短锐尖，两面无毛。花序无花序轴，仅具（1 ~ ）2 ~ 3 小穗，直接簇生于新枝基部的叶腋，全部露于枝端叶外，小穗含 1 ~ 2 花；外苞和第 1 内苞被密毛或近无毛，外苞长约 3 mm，宽卵形，先端渐尖，第 1 内苞长约 6 mm，先端渐尖；花萼长 7 ~ 8.5 mm，漏斗状，萼筒脉上和脉棱间常被密短毛，萼檐白色，脉呈紫褐色，有时下部脉上被毛，先端有 10 不明显的浅圆裂片或近截形，脉伸达萼檐顶缘或略伸出顶缘外；花冠粉

红色。花期 6 ~ 8 月，果期 7 ~ 9 月。

| **生境分布** | 生于海拔 3 000 ~ 4 000 m 的高山草原带。分布于新疆和静县、乌什县、乌恰县、阿合奇县、叶城县等。

| **资源情况** | 野生资源一般。药材主要来源于野生。

| **采收加工** | 夏、秋季采收，除去杂质，晾干或晒干。

| **功能主治** | 止痛消炎，活血补血。

白花丹科 Plumbaginaceae 彩花属 *Acantholimon*

天山彩花 *Acantholimon tianschanicum* Czerniak.

| **药 材 名** | 彩花（药用部位：全株）。

| **形态特征** | 紧密垫状小灌木。小枝上端每年增长极短，只有几层紧密贴伏的新叶。叶通常淡灰绿色，披针形至线形，长 3 ～ 7 mm，宽约 1 mm，横切面扁三棱形至近扁平，先端通常渐尖，有明显短锐尖，两面无毛，常有细小的钙质颗粒。花序无花序轴，通常仅具单个小穗，直接着生于新枝基部的叶腋，全部露于枝端叶外，小穗含 1 ～ 3 花；外苞和第 1 内苞无毛，外苞长约 3 mm，宽卵形，先端急尖，第 1 内苞长 5 ～ 6 mm，先端急尖；花萼长 7 ～ 8 mm，漏斗状，萼筒脉上被疏短毛或几无毛，萼檐暗紫红色，无毛，先端有 10 不明显的浅圆裂片或近截形，脉伸达萼檐边缘；花冠淡紫红色或淡红色。花期 6 ～ 9

月，果期 7 ～ 10 月。

| **生境分布** | 生于海拔 1 700 ～ 3 500 m 的石质荒漠、干旱砾石山坡。分布于新疆阿合奇县、拜城县、乌恰县等。

| **资源情况** | 野生资源一般。药材主要来源于野生。

| **采收加工** | 夏、秋季采收，除去杂质，晾干或晒干。

| **功能主治** | 止痛消炎，活血补血。

| 白花丹科 | Plumbaginaceae | 驼舌草属 | *Goniolimon*

驼舌草
Goniolimon speciosum (L.) Boiss.

| **药 材 名** | 驼舌草（药用部位：全草）。

| **形态特征** | 多年生草本。高 10 ~ 50 cm。叶基生，倒卵形、长圆状倒卵形至卵状倒披针形或披针形，长 2.5 ~ 6 cm，宽 1 ~ 3 cm，少有更大的叶，先端常短渐尖或急尖，基部渐狭而下延成两侧具绿色边带的宽扁叶柄，两面具明显的钙质颗粒，尤以下表面为多，网脉通常不明显。花序呈伞房状或圆锥状；花序轴下部圆柱状，上半部通常 2 ~ 3 回分枝，主轴在分枝以上以及各分枝上有明显的棱或窄翅，呈二棱形或三棱形；穗状花序列于各级分枝的上部和先端，由 5 ~ 9（ ~ 11）小穗排列而成；小穗含 2 ~ 4 花；外苞长 7 ~ 8 mm，宽卵形至椭圆状倒卵形，先端具一宽厚、渐尖的草质硬尖头，第 1 内苞与外苞相

似，但先端常具 2 ～ 3 硬尖头；花萼长（6 ～）7 ～ 8 mm，萼筒直径约 1 mm，全部或仅下半部被毛，萼檐裂片无牙齿，先端钝或近急尖，有时具不明显的间生小裂片，脉常紫褐色，有时变为褐色或黄褐色；花冠紫红色。花期 6 ～ 7 月，果期 7 ～ 8 月。

| **生境分布** | 生于海拔 1 800 ～ 2 800 m 的针叶林阳坡、山地草原、干旱山坡。分布于新疆乌鲁木齐市、吐鲁番市，以及青河县、富蕴县、福海县、布尔津县、哈巴河县、昌吉市、玛纳斯县、和布克赛尔蒙古自治县、塔城市、托里县、奎屯市、精河县、博乐市、霍城县、新源县、巴里坤哈萨克自治县、和静县等。

| **资源情况** | 野生资源一般。药材主要来源于野生。

| **采收加工** | 夏、秋季采收，除去杂质，晾干或晒干。

| **功能主治** | 祛风湿，强筋骨，清热解毒，抗肿瘤。

白花丹科 Plumbaginaceae 补血草属 *Limonium*

簇枝补血草

Limonium chrysocomum (Kar. et Kir.) Kuntze

| **药 材 名** | 补血草（药用部位：全草或种子）。

| **形态特征** | 多年生草本至草本状半灌木。茎基肥大，木质，先端丛出短的木质分枝，枝端具 1 顶芽或再由多芽簇集成为头状，其上端密被白色膜质鳞片和残存的叶柄基部。叶由每芽发出数片，线状披针形至长圆状匙形，长 5 ~ 20（~ 25）mm，宽 0.5 ~ 1.5（~ 4）mm，先端渐尖至钝圆，下部渐狭成柄。花序顶生，头状；花序轴细弱，高 7 ~ 20（~ 25）cm，略有棱角，多少具疣状突起，各节的膜质鳞片于腋部簇生，具（1 ~）3 ~ 5 针状不育枝，不育枝长 1 ~ 1.5（~ 3）cm，开张，细而直，简单或具 1 短分枝；穗状花序由（3 ~）5 ~ 7（~ 9）小穗组成，单生或 2 ~ 3 集于花序轴先端，呈紧密头状团簇；小穗

含 2 ~ 3（~ 5）花；外苞长（3.5 ~）4 ~ 5 mm，宽卵形，先端急尖或钝，无毛或局部有短毛，毛长约 0.5 mm，第 1 内苞长（7 ~）8 ~ 10 mm，先端圆，无毛或局部有短毛；花萼长 9 ~ 12 mm，漏斗状，萼筒直径约 1.5 mm，沿脉与脉间被毛，萼檐鲜黄色，裂片先端钝或有短尖头，脉伸至裂片基部而消失，有时具间生裂片；花冠橙黄色。花期 6 ~ 7 月，果期 7 ~ 8 月。

| **生境分布** | 生于海拔 1 200 ~ 1 800 m 的山地荒漠草原和石质山坡。分布于新疆乌鲁木齐市及和布克赛尔蒙古自治县、塔城市、伊吾县、托克逊县等。

| **资源情况** | 野生资源一般。药材主要来源于野生。

| **采收加工** | 全草，夏、秋季采收，除去地上部分，洗净，切片，鲜用。种子，秋季采收。

| **功能主治** | 清热祛湿，散瘀止血，活血散寒，通经健脑。

| **用法用量** | 内服煎汤，4 ~ 6 g。外用适量。

白花丹科 Plumbaginaceae 补血草属 Limonium

珊瑚补血草 *Limonium coralloides* (Tausch) Lincz.

| 药 材 名 | 补血草（药用部位：全草）。

| 形态特征 | 多年生草本。高 25 ~ 50 cm，具常被白色毛簇的疣状突起。叶基生，长圆状倒卵形至长圆状匙形，长 1 ~ 3.5 cm，宽 5 ~ 20 mm，先端通常圆，基部渐狭成宽扁的柄，早凋。花序大型，圆锥状；花序轴常多数，圆柱状，节上常有大的褐色鳞片，由下部向上成 5 ~ 7 回分枝，下部分枝形成多数不育枝；小枝细短而繁多；穗状花序排列于细弱分枝的上部至先端，由 3 ~ 7 小穗疏松排列而成；小穗含 1 或 2 花；外苞长约 1 mm，宽卵形或近圆形，先端钝或微尖，除下部 1/3 ~ 1/2 外，余均为膜质，有时略有微毛，第 1 内苞长约 2 mm，先端圆或近截形，草质部与外苞近等长或略长；花萼长 2.5 ~ 3 mm，

倒圆锥形或近漏斗状，萼筒全部或下半部沿脉和脉间密被长毛，萼檐白色，裂片先端钝或急尖，脉不达裂片基部；花冠蓝紫色。花期 7 ～ 8 月，果期 8 ～ 9 月。

| 生境分布 | 生于盐性土质的荒滩与河岸阶地上。分布于新疆阜康市及阿勒泰市周边山区等。

| 资源情况 | 野生资源一般。药材主要来源于野生。

| 采收加工 | 春季开花前采收，晒干或鲜用。

| 功能主治 | 清热祛湿，散瘀止血，解毒。用于便血，脱肛，血淋，月经过多，带下，痈肿疮毒。

| 用法用量 | 内服煎汤，15 ～ 30 g，鲜品可用至 60 g。外用适量，捣敷；或水煎坐浴。

白花丹科 Plumbaginaceae 补血草属 Limonium

大叶补血草

Limonium gmelinii (Willd.) Kuntze

| 药 材 名 | 补血草（药用部位：全草）。

| 形态特征 | 多年生草本。高 30 ～ 100 cm。叶基生，较厚硬，长圆状倒卵形、长椭圆形或卵形，宽大，长 10 ～ 30 cm，宽 3 ～ 10 cm，先端通常钝或圆，基部渐狭成柄，下表面常带灰白色，开花时叶不凋落。花序呈大型伞房状或圆锥状；花序轴常单生，圆柱状，光滑，节部具大的褐色鳞片，通常由中部以上成 3 ～ 4 回分枝；小枝细而直，无不育枝或仅在分叉处具 1 简单不育枝；穗状花序多少有梗，密集在末级分枝的上部至先端，由 2 ～ 7 小穗紧密排列而成；小穗含 1 ～ 2 花；外苞长 1 ～ 1.5 mm，宽卵形，先端急尖或钝，有窄膜质边缘，第 1 内苞长 2 ～ 2.5 mm，先端有极窄的膜质边缘而常钝或圆，两侧

的膜质边缘与草质部近等宽或略宽；花萼长 3 ~ 3.5 mm，倒圆锥形，萼筒基部和内方 2 脉被毛，萼檐淡紫色至白色，裂片先端钝，脉不达裂片基部，间生裂片有时略明显；花冠蓝紫色。花期 7 ~ 9 月，果期 8 ~ 9 月。

| 生境分布 | 生于海拔 1 000 ~ 2 000 m 的山地草原带盐碱地，平原盐渍化洼地，山地河岸、湖岸的盐土地上。分布于新疆玛纳斯县、伊宁县、石河子市、布尔津县、呼图壁县、塔城市、托里县、新源县、巩留县等。

| 资源情况 | 野生资源一般。药材来源于野生和栽培。

| 采收加工 | 夏、秋季采收，晒干。

| 功能主治 | 生干生热，补心壮阳，肥体填精，爽心悦志，燥湿固精，温宫生辉。用于心悸阳痿，精少，早泄，遗精，滑精，心烦意乱，宫寒面暗等。

| 用法用量 | 内服煎汤，4 ~ 6 g。外用适量。

白花丹科 Plumbaginaceae 补血草属 *Limonium*

喀什补血草

Limonium kaschgaricum (Rupr.) Ikonn. Gal.

| **药 材 名** | 补血草（药用部位：全草）。

| **形态特征** | 多年生草本。高 5 ~ 25 cm，全体无毛。根粗壮，皮黑褐色，不开
裂。茎基木质，肥大而具多头，被多数白色膜质芽鳞和残存的叶柄
基部。叶基生，长圆状匙形至长圆状倒披针形或线状披针形，小，
长 1 ~ 2.5 cm，宽（1 ~）2 ~ 6 mm，先端圆或渐尖，基部渐狭成
扁柄。花序伞房状，花序轴常多数，由下部或中下部成数回叉状分枝，
多少呈"之"字形曲折，其中多数分枝不具花；穗状花序位于部分
小枝的先端，由 3 ~ 7 小穗组成；小穗含 2 ~ 3 花；外苞长 1 ~ 3 mm，
宽卵形，先端圆、钝或急尖，第 1 内苞长 5.5 ~ 6.5 mm，有时略被
短毛；花萼长 6 ~ 10.5 mm，漏斗状，萼筒直径 1 ~ 1.3 mm，全部

沿脉密被长毛，萼檐淡紫红色，干后逐渐变白，裂片先端尖，脉伸达裂片先端或略突出成 1 小尖，沿脉被毛，常有间生小裂片；花冠淡紫红色。花期 6 ~ 7 月，果期 7 ~ 8 月。

| 生境分布 | 生于海拔 1 300 ~ 3 000 m 的荒漠地区的石质山坡和山麓。分布于新疆乌恰县、和静县、库车市、拜城县、乌什县、塔什库尔干塔吉克自治县等。

| 资源情况 | 野生资源一般。药材主要来源于野生。

| 采收加工 | 夏、秋季采收，晒干。

| 功能主治 | 补心壮阳，肥体填精，爽心悦志，燥湿固精，温宫生辉。用于心悸阳痿，精少，早泄，遗精，滑精，心烦意乱，宫寒面暗等。

| 用法用量 | 内服煎汤，4 ~ 6 g。外用适量。

白花丹科 Plumbaginaceae 补血草属 Limonium

繁枝补血草
Limonium myrianthum (Schrenk) Kuntze

| 药 材 名 | 补血草（药用部位：全草）。

| 形态特征 | 多年生草本。高 40 ~ 100 cm。叶基生，较厚硬，匙形或倒卵状匙形，长 5 ~ 25 cm，宽 2 ~ 6（~ 15）cm，先端通常近截形或半圆形，基部渐狭成扁平的柄，开花时通常有叶。花序大型，圆锥状，花序轴 1 至数条，圆柱状，节部鳞片通常小，常由中部以上成 3 ~ 5 回分枝，下部分枝形成多数不育枝；小枝细短而繁多，平滑或有疣状突起，有时被白色的微小毛簇；穗状花序排列于细弱分枝的上部至先端，由 3 ~ 9 小穗疏松排列而成；小穗含 1 或 2 花；外苞长约 1 mm，宽卵形或近圆形，先端通常钝或急尖，除下部 1/3 ~ 1/2 外，余均为膜质，第 1 内苞长约 2 mm，先端通常圆，草质部与外苞近等长或略长；花

萼长 2.5 ~ 3 mm，狭漏斗状，在萼檐不完全开张时呈倒圆锥形，萼筒常于一侧的脉上被长毛，有时完全无毛，萼檐白色，裂片先端急尖或钝，脉不达裂片基部；花冠蓝紫色。花期 6 ~ 8 月，果期 7 ~ 8 月。

| **生境分布** | 生于海拔 600 ~ 950 m 的盐渍化的荒滩和湖边阶地上。分布于新疆阿勒泰市、呼图壁县、玛纳斯县、石河子市、塔城市、托里县、沙湾市、精河县及乌鲁木齐市、克拉玛依市等。

| **资源情况** | 野生资源一般。药材来源于野生和栽培。

| **采收加工** | 夏、秋季采收，洗净，切片，鲜用。

| **功能主治** | 爽心悦志，温宫生辉。用于月经不调，功能失调性子宫出血，痔疮出血，胃溃疡，脾虚浮肿。

| **用法用量** | 内服煎汤，15 ~ 32 g。

白花丹科 Plumbaginaceae 补血草属 Limonium

耳叶补血草

Limonium otolepis (Schrenk) Kuntze

| 药 材 名 | 补血草（药用部位：全草）。

| 形态特征 | 多年生草本。高 30 ~ 120 cm，全体无毛。有暗红褐色而上部通常直立的根茎，上端成肥大的茎基。叶基生并在花序轴上互生；基生叶倒卵状匙形，长 3 ~ 8 cm，宽 1 ~ 3 cm，先端钝或圆，基部渐狭成细扁的柄，开花时凋落，花序轴下部 5 ~ 7 节和侧枝下部 2 ~ 3 节上有阔卵形至肾形抱茎的叶，花期开始凋落，在花序轴上留下环状痕迹。花序圆锥状；花序轴单生或数条分别从不同的叶丛间伸出，圆柱状，平滑或小枝上略具疣，常由中部向上成 4 ~ 7 回分枝，下方分枝形成多数不育枝；小枝细短而繁多；穗状花序排列于细弱分枝的上部至先端，由 2 ~ 7 小穗略疏松排列而成；小穗含 1 或 2 花；

外苞长约 1 mm，宽卵形，先端通常钝或圆，除基部外，余均为膜质，第 1 内苞长约 2 mm，草质部与外苞近等大；花萼长 2.2 ~ 2.5 mm，倒圆锥形，萼筒无毛或在一侧近基部的脉上略被毛，萼檐白色，裂片先端钝，脉不达裂片基部；花冠淡蓝紫色。花期 6 ~ 7 月，果期 7 ~ 8 月。

| 生境分布 | 生于海拔 600 ~ 1 350 m 的平原地区的盐渍化土壤上。分布于新疆克拉玛依市及沙湾市、呼图壁县、玛纳斯县、石河子市、精河县、阿克苏市、喀什市等。

| 资源情况 | 野生资源一般。药材主要来源于野生。

| 采收加工 | 夏、秋季采收，晒干。

| 功能主治 | 爽心悦志，温宫生辉。用于月经不调，功能失调性子宫出血，痔疮出血，胃溃疡，脾虚浮肿。

| 用法用量 | 内服煎汤，15 ~ 32 g。

木本补血草

Limonium suffruticosum (L.) Kuntze

| 药 材 名 | 补血草（药用部位：全株）。

| 形态特征 | 矮小半灌木。由基部丛生分枝；枝每年生长 1 ~ 3.5 cm，老枝上被叶柄基部残存的膜鞘。叶在枝的上部互生或由去年生枝的腋芽发出而成簇状，肥厚，长圆状匙形至披针状匙形，长 1 ~ 4.5 cm，宽 2 ~ 7 mm，先端圆，基部渐狭成柄；叶柄基部扩张成半抱茎而有宽膜质边缘的鞘，鞘端有 2 直立的耳状膜片。花序轴由当年生枝的叶腋伸出，高 5 ~ 35 cm，圆柱状，无毛，具少数 1 ~ 2 级分枝，无不育枝，节间长；穗状花序由 2 ~ 7 小穗组成，单生、2 ~ 3 成簇状或小形头状着生于花序分枝的各节和先端；小穗含 2 ~ 5 花；外苞长 1 ~ 1.5 mm，宽卵形，先端钝或圆，无毛，第 1 内苞长 2 ~ 3 mm，

宽卵形至近圆形，先端圆，无毛；花萼长 3 ~ 4 mm，倒圆锥状，筒部多少被毛至完全无毛，萼檐白色，裂片卵状三角形，脉伸达裂片基部，间生裂片通常明显；花冠淡紫色至蓝紫色。花期 8 ~ 10 月，果期 9 ~ 10 月。

| **生境分布** | 生于海拔 600 ~ 800 m 的山前平原、盐化沙地、戈壁盐碱地、草甸盐土上。分布于新疆青河县、福海县、布尔津县、奇台县、米东区、塔城市、察布查尔锡伯自治县等。

| **资源情况** | 野生资源一般。药材主要来源于野生。

| **采收加工** | 夏、秋季采收，晒干。

| **功能主治** | 爽心悦志，温宫生辉。用于月经不调，功能失调性子宫出血，痔疮出血，胃溃疡，脾虚浮肿。

| **用法用量** | 内服煎汤，15 ~ 32 g。

白花丹科 Plumbaginaceae 鸡娃草属 Plumbagella

鸡娃草
Plumbagella micrantha (Ledeb.) Spach

| 药 材 名 | 鸡娃草（药用部位：全草）。

| 形态特征 | 一年生草本。高 5 ~ 55 cm，多少被细小钙质颗粒。茎直立，通常有 6 ~ 9 节，基节以上均可分枝，具条棱，沿棱有稀疏的细小皮刺。叶长 2 ~ 7 cm，宽 1 ~ 2.6 cm，中部叶最大，下部叶片的上部最宽，匙形至倒卵状披针形，有略明显的宽扁柄状部，叶片向茎的上部渐变为中部最宽至基部最宽、狭披针形至卵状披针形、无明显的柄部至完全无柄、先端急尖至渐尖、基部无耳至有耳抱茎而沿棱下延，边缘常有细小皮刺。花序长 0.7 ~ 2 cm，通常含 4 ~ 12 小穗；穗轴被灰褐色至红褐色绒毛，果时略延长；小穗含 2 ~ 3 花；苞片下部者较花萼长，上部者与花萼近等长或较短，通常呈宽卵形，先端渐尖，

小苞片膜质，通常呈披针状长圆形，远比苞片小；花萼绿色，长 4 ~ 4.5 mm，筒部具 5 棱角，先端有 5 与筒部等长的狭长三角形裂片，裂片两侧有具柄的腺，果时萼筒的棱脊上生出鸡冠状突起，萼也同时略增大而变硬；花冠淡蓝紫色，长 5 ~ 6 mm，狭钟状，先端有 5 卵状三角形裂片，裂片长约 1 mm；雄蕊与花冠筒近等长或略短，花药淡黄色，长约 0.5 mm，花丝白色，长约 3 mm；子房卵状，上端渐细成花柱。蒴果暗红褐色，有 5 淡色条纹；种子红褐色，长达 3.3 mm，直径达 1.7 mm。花期 7 ~ 8 月，果期 7 ~ 9 月。

| 生境分布 | 生于海拔 1 200 ~ 2 400 m 的山地草原、针叶林阳坡。分布于新疆奇台县、阜康市、乌苏市、博乐市及乌鲁木齐市等。

| 资源情况 | 野生资源一般。药材来源于野生和栽培。

| 采收加工 | 7 ~ 8 月采收，晒干或鲜用。

| 功能主治 | 杀虫止痒，腐蚀疣痣。用于神经性皮炎，牛皮癣，头癣，手癣，足癣，疣状痣。

| 用法用量 | 外用适量，捣敷；或浸酒；或研末，制成油膏涂敷。

龙胆科 Gentianaceae 喉毛花属 Comastoma

镰萼喉毛花

Comastoma falcatum (Turcz. ex Kar. & Kir.) Toyok.

| 药 材 名 | 喉毛花（药用部位：全草）。

| 形态特征 | 一年生草本。高 4 ~ 25 cm。茎从基部分枝，分枝斜升，基部节间短缩，上部节间伸长，花葶状，四棱形，常带紫色。叶大部分基生；基生叶矩圆状匙形或矩圆形，长 5 ~ 15 mm，宽 3 ~ 6 mm，先端钝或圆形，基部渐狭成柄，叶脉 1 ~ 3，叶柄长达 20 mm；茎生叶无柄，矩圆形，稀呈卵形或矩圆状卵形，长 8 ~ 15 mm，宽 3 ~ 4（~ 6）mm，先端钝。花 5 基数，单生于分枝先端；花梗常紫色，四棱形，一般长 4 ~ 6 cm，长者可达 12 cm；花萼绿色或带蓝紫色，长为花冠的 1/2，稀达 2/3 或较短，深裂至近基部，裂片不整齐，形状多变，常为卵状披针形，弯曲成镰状，有时为宽卵形或矩圆形至

狭披针形，先端钝或急尖，边缘平展，稀外反，近皱波状，基部有浅囊，背部中脉明显；花冠蓝色、深蓝色或蓝紫色，有深色脉纹，高脚杯状，长 9 ～ 25 mm，花冠筒筒状，喉部突然膨大，直径达 9 mm，裂达中部，裂片矩圆形或矩圆状匙形，长 5 ～ 13 mm，宽达 7 mm，先端钝圆，偶有小尖头，全缘，开展，喉部具 1 圈副冠，副冠白色，10 束，长达 4 mm，流苏状裂片的先端圆或钝，宽约 0.5 mm，花冠筒基部具 10 小腺体；雄蕊着生于花冠筒中部，花丝白色，长 5 ～ 5.5 mm，基部下延于花冠筒，形成狭翅，花药黄色，矩圆形，长 1.5 ～ 2 mm；子房无柄，披针形，连同花柱长 8 ～ 11 mm，柱头 2 裂。蒴果狭椭圆形或披针形；种子褐色，近球形，直径约 0.7 mm，表面光滑。花果期 7 ～ 9 月。

| 生境分布 | 生于海拔 2 100 ～ 5 300 m 的河滩、山坡草地、林下、灌丛、高山草甸。分布于新疆塔什库尔干塔吉克自治县、和田县、策勒县、阿勒泰市、奇台县、沙湾市、塔城市、托里县、伊宁县、昭苏县、巴里坤哈萨克自治县、轮台县、拜城县等。

| 资源情况 | 野生资源一般。药材主要来源于野生。

| 采收加工 | 秋季采收，除去杂质，洗净泥土，晒干，切段。

| 功能主治 | 利胆，退黄，清热，健胃，愈伤。用于黄疸，肝热，胆热，胃热，金疮。

| 用法用量 | 内服煎汤，1.5 ～ 3 g；或入丸、散剂。

| 龙胆科 | Gentianaceae | 喉毛花属 | Comastoma

柔弱喉毛花 *Comastoma tenellum* (Rottb.) Toyok.

| **药 材 名** | 喉毛花（药用部位：全草）。

| **形态特征** | 一年生草本。高 5 ～ 12 cm。主根纤细。茎从基部有多数分枝至不分枝，分枝纤细，斜升。基生叶少，匙状矩圆形，长 5 ～ 8 mm，宽 2 ～ 3 mm，先端圆形，全缘，基部楔形；茎生叶无柄，矩圆形或卵状矩圆形，长 4 ～ 11 mm，宽 2 ～ 4 mm，先端急尖，全缘，基部略狭缩，叶质薄，干时有明显网脉。花常 4 基数，单生于枝顶；花梗长达 8 cm；花萼深裂，裂片 4 ～ 5，不整齐，2 大 2 小或 2 大 3 小，大者卵形，长 6 ～ 7 mm，宽 2.5 ～ 3 mm，先端急尖或稍钝，全缘，小者狭披针形，短而窄，先端急尖；花冠淡蓝色，筒形，长 7 ～ 11 mm，宽约 3 mm，浅裂，裂片 4，矩圆形，长 2 ～ 3 mm，

先端稍钝，呈覆瓦状排列，互相覆盖，喉部具 1 圈白色副冠，副冠 8 束，长约 1.5 mm，花冠筒基部具 8 小腺体；雄蕊 4，着生于花冠筒中下部，花药黄色，卵形，长 0.5 ～ 0.7 mm，花丝钻形，长约 2 mm，基部宽约 1 mm，向上略狭；子房狭卵形，长约 7 mm，先端渐狭，无明显的花柱，柱头 2 裂，裂片长圆形。蒴果略长于花冠，先端 2 裂；种子多数，卵球形，扁平，表面光滑，边缘有乳突。花果期 6 月。

| 生境分布 | 生于海拔 2 600 ～ 2 900 m 的亚高山至高山草原。分布于新疆阿勒泰市、裕民县、额敏县、塔城市、巴里坤哈萨克自治县、轮台县、乌恰县、和田县、塔什库尔干塔吉克自治县等。

| 资源情况 | 野生资源一般。药材主要来源于野生。

| 采收加工 | 秋季采收，除去杂质，洗净泥土，晒干，切段。

| 功能主治 | 祛风除湿，清热解毒。用于黄疸，肝热，胆热，胃热，创伤等。

| 用法用量 | 内服煎汤，9 ～ 15 g。

龙胆科 Gentianaceae 龙胆属 Gentiana

高山龙胆 *Gentiana algida* Pall.

| 药 材 名 | 龙胆（药用部位：根）。

| 形态特征 | 多年生草本。高 8 ~ 20 cm，基部被黑褐色、枯老、膜质的叶鞘包围。根茎短缩，直立或斜伸，具多数略肉质的须根。枝 2 ~ 4 丛生，其中有 1 ~ 3 营养枝和 1 花枝；花枝直立，黄绿色，近圆形，中空，光滑。叶大部分基生，常对折，线状椭圆形或线状披针形，长 2 ~ 5.5 cm，宽 0.3 ~ 0.5 cm，先端钝，基部渐狭，叶脉 1 ~ 3，在两面均明显，并在下面稍凸起，叶柄膜质，长 1 ~ 3.5 cm；茎生叶 1 ~ 3 对，叶片狭椭圆形或椭圆状披针形，长 1.8 ~ 2.8 cm，宽 0.4 ~ 0.8 cm，两端钝，叶脉 1 ~ 3，在两面均明显，并在下面稍凸起，叶柄短，长 0.6 cm，向茎上部叶渐小，柄渐短。花常 1 ~ 3，稀 5，顶生；

无花梗或具短花梗；花萼钟形或倒锥形，长 2 ～ 2.2 cm，萼筒膜质，不开裂或一侧开裂，萼齿不整齐，线状披针形或狭矩圆形，长 5 ～ 8 mm，先端钝，弯缺狭窄，截形；花冠黄白色，具多数深蓝色斑点，尤以冠檐为多，筒状钟形或漏斗形，长 4 ～ 5 cm，裂片三角形或卵状三角形，长 5 ～ 6 mm，先端钝，全缘，褶偏斜，截形，全缘或有不明显的细齿；雄蕊着生于花冠筒中下部，整齐，花丝线状钻形，长 13 ～ 16 mm，花药狭矩圆形，长 2.5 ～ 3.2 mm；子房线状披针形，长 13 ～ 15 mm，两端渐狭，柄长 10 ～ 15 mm，花柱细，连同柱头长 4 ～ 6 mm，柱头 2 裂，裂片外反，线形。蒴果内藏或外露，椭圆状披针形，长 2 ～ 3 cm，先端急尖，基部钝，柄细长，长至 4.5 cm；种子黄褐色，有光泽，宽矩圆形或近圆形，长 1.4 ～ 1.6 mm，表面具海绵状网隙。花果期 7 ～ 9 月。

| 生境分布 | 生于海拔 1 700 ～ 3 500 m 的山地草甸、亚高山草甸至高山草原。分布于新疆哈巴河县、布尔津县、富蕴县、奇台县、阜康市、昌吉市、玛纳斯县、塔城市、博乐市、新源县、尼勒克县、昭苏县、巴里坤哈萨克自治县、和静县等。

| 资源情况 | 野生资源一般。药材主要来源于野生。

| 采收加工 | 春、秋季采挖，一般在 10 月中、下旬晒干。

| 功能主治 | 泻火解毒，镇咳，利湿。用于感冒发热，肺热咳嗽，咽痛，目赤，小便淋痛，阴囊湿疹。

| 用法用量 | 内服煎汤，3 ～ 9 g。

龙胆科 Gentianaceae 龙胆属 Gentiana

达乌里秦艽

Gentiana dahurica Fischer

| 药 材 名 | 秦艽（药用部位：根）。

| 形态特征 | 多年生草本。高 10 ~ 25 cm，全体光滑无毛，基部被枯存的纤维状叶鞘包裹。须根多条，向左扭结成一圆锥形的根。枝多数丛生，斜升，黄绿色或紫红色，近圆形，光滑。莲座丛叶披针形或线状椭圆形，长 5 ~ 15 cm，宽 0.8 ~ 1.4 cm，先端渐尖，基部渐狭，边缘粗糙，叶脉 3 ~ 5，在两面均明显，并在下面凸起，叶柄宽，扁平，膜质，长 2 ~ 4 cm，包被于枯存的纤维状叶鞘中；茎生叶少数，线状披针形至线形，长 2 ~ 5 cm，宽 0.2 ~ 0.4 cm，先端渐尖，基部渐狭，边缘粗糙，叶脉 1 ~ 3，在两面均明显，中脉在下面凸起，叶柄宽，长 0.5 ~ 10 cm，向茎上部叶渐小，柄渐短。聚伞花序顶生或腋生，

排列成疏松的花序；花梗斜伸，黄绿色或紫红色，极不等长，总花梗长至 5.5 cm，小花梗长至 3 cm；花萼筒膜质，黄绿色或带紫红色，筒形，长 7 ~ 10 mm，不裂，稀一侧浅裂，裂片 5，不整齐，线形，绿色，长 3 ~ 8 mm，先端渐尖，边缘粗糙，背面脉不明显，弯缺宽，圆形或截形；花冠深蓝色，有时喉部具多数黄色斑点，筒形或漏斗形，长 3.5 ~ 4.5 cm，裂片卵形或卵状椭圆形，长 5 ~ 7 mm，先端钝，全缘，褶整齐，三角形或卵形，长 1.5 ~ 2 mm，先端钝，全缘或啮蚀状；雄蕊着生于花冠筒中下部，整齐，花丝线状钻形，长 1 ~ 1.2 cm，花药矩圆形，长 2 ~ 3 mm；子房无柄，披针形或线形，长 18 ~ 23 mm，先端渐尖，花柱线形，连同柱头长 2 ~ 4 mm，柱头 2 裂。蒴果内藏，无柄，狭椭圆形，长 2.5 ~ 3 cm；种子淡褐色，有光泽，矩圆形，长 1.3 ~ 1.5 mm，表面有细网纹。花果期 7 ~ 9 月。

| **生境分布** | 生于海拔 870 ~ 4 500 m 的田边、路旁、河滩、湖边沙地、水沟边、向阳山坡及干草原。分布于新疆阿勒泰地区、伊犁哈萨克自治州、塔城地区、昌吉回族自治州、哈密市、和田地区及和静县等。

| **资源情况** | 野生资源一般。药材主要来源于野生。

| **采收加工** | 春、秋季采挖，晒干。

| **功能主治** | 祛风湿，退虚热，止痛。用于关节炎，发热，疳积。

| **用法用量** | 内服煎汤，4.5 ~ 9 g；或浸酒；或入丸、散剂。外用适量，研末撒。

龙胆科 Gentianaceae 龙胆属 Gentiana

中亚秦艽

Gentiana kaufmanniana Regel & Schmalh

| 药 材 名 | 秦艽（药用部位：根）。

| 形态特征 | 多年生草本。高 15 ~ 25 cm，全体光滑无毛，基部被枯存的纤维状叶鞘包裹。须根数条，黏结成一较细瘦、圆柱形、直下的根。枝少数丛生，斜升，紫红色或黄绿色。莲座丛叶宽披针形、狭椭圆形至线形，长 3 ~ 8 cm，宽 0.5 ~ 1.8 cm，先端钝，基部渐狭，边缘平滑，叶脉 3 ~ 5，细，在两面均明显，并在下面凸起，叶柄宽，膜质，长 1 ~ 2 cm，包被于枯存的纤维状叶鞘中；茎生叶 2 ~ 3 对，线状披针形或线状椭圆形，长 3 ~ 5.2 cm，宽 0.7 ~ 1.2 cm，先端钝，基部渐狭，边缘平滑，叶脉 1 ~ 3，细，中脉在下面凸起，叶柄短，长 0.2 ~ 0.9 cm。聚伞花序顶生或腋生，排列成疏散的花序；花梗粗，

紫红色或黄绿色，极不整齐，总花梗长至 6 cm，小花梗长至 1.8 cm；花萼筒膜质，黄绿色或紫红色，倒锥状筒形，长 10 ～ 14 mm，不裂或一侧浅裂，裂片 5，不整齐，绿色，线状披针形或宽线形，长 6 ～ 21 mm，先端钝，边缘平滑，中脉在背面凸起，并向萼筒下延成脊，弯缺宽，截形；花冠蓝紫色或深蓝色，宽漏斗形，长 4 ～ 5 cm，裂片卵形，长 6 ～ 9 mm，先端钝，全缘，褶偏斜，截形，边缘具不整齐细齿；雄蕊着生于花冠筒中部，整齐，花丝线状钻形，长 9 ～ 11 mm，花药矩圆形，长 3 ～ 4.5 mm；子房披针形或狭椭圆形，长 11 ～ 17 mm，两端渐狭，柄粗，长 5 ～ 8 mm，花柱线形，连同柱头长 1.5 ～ 2 mm，柱头 2 裂，裂片叉开，线形。蒴果内藏，狭椭圆形或狭椭圆状披针形，长 13 ～ 20 mm，两端渐狭，柄长 7 ～ 11 mm；种子褐色，有光泽，矩圆形，长 1.4 ～ 1.6 mm，表面具细的网纹。花果期 7 ～ 9 月。

| **生境分布** | 生于海拔 1 800 ～ 3 500 m 的草甸、山坡草地及山谷冲积平原草地。分布于新疆尼勒克县、伊宁县、特克斯县、昭苏县、温泉县、和静县、精河县、昌吉市、石河子市、和硕县、轮台县、乌恰县等。

| **资源情况** | 野生资源一般。药材主要来源于野生。

| **采收加工** | 春、秋季采挖，晒干。

| **功能主治** | 祛风湿，退虚热，止痛。用于关节炎，发热，疳积。

| **用法用量** | 内服煎汤，4.5 ～ 9 g；或浸酒；或入丸、散剂。

龙胆科 Gentianaceae 龙胆属 Gentiana

蓝白龙胆
Gentiana leucomelaena Maxim. ex Kusn.

| 药 材 名 | 龙胆（药用部位：根）。

| 形态特征 | 一年生草本。高 3 ~ 5 cm。茎紫红色或黄绿色，密被乳突，自基部多分枝，似丛生状；枝多次二叉分枝，铺散，斜升。叶先端钝圆或急尖，外反，边缘软骨质，具极细乳突，两面光滑，中脉软骨质，在背面凸起；基生叶大，在花期枯萎，宿存，卵圆形或圆形，长 3 ~ 6 mm，宽 3 ~ 5 mm，叶柄宽，长 1 ~ 2 mm；茎生叶疏离或密集，覆瓦状排列，倒卵形或匙形，长 3 ~ 5 mm，宽 2 ~ 3 mm，叶柄边缘具乳突，背面光滑，连合成长 1 ~ 1.5 mm 的筒。花多数，单生于小枝先端；花梗紫红色或黄绿色，长 2 ~ 13 mm，藏于上部叶中或裸露；花萼筒状漏斗形，长 5 ~ 6 mm，裂片三角形，长 1.5 ~ 2 mm，

先端急尖，边缘膜质，狭窄，光滑，中脉在背面呈脊状凸起，并下延至萼筒基部，弯缺截形；花冠深蓝色，外面常具黄绿色宽条纹，漏斗形，长 9 ~ 14 mm，裂片卵形，长 2 ~ 2.5 mm，先端急尖或钝，褶卵形，长 1.5 ~ 2 mm，先端钝，全缘或啮蚀状；雄蕊着生于花冠筒中下部，整齐，花丝丝状，长 3 ~ 3.5 mm，花药矩圆形，长 1 ~ 1.5 mm；子房狭椭圆形，长 2.5 ~ 3.5 mm，两端渐狭，柄粗而短，长 1 ~ 2 mm，花柱线形，连同柱头长 1.5 ~ 2 mm，柱头 2 裂，裂片外卷，线形。蒴果外露，倒卵状矩圆形，长 3 ~ 4 mm，先端圆形，有宽翅，两侧边缘有狭翅，基部钝，柄长至 18 mm；种子褐色，椭圆形，长 1 ~ 1.2 mm，表面具明显的细网纹。花果期 4 ~ 8 月。

| **生境分布** | 生于海拔 1 900 ~ 4 300 m 的亚高山草甸或高山草原。分布于新疆尼勒克县、伊宁县、特克斯县、昭苏县、温泉县、和静县、精河县、巴里坤哈萨克自治县、伊吾县、阿合奇县、木垒哈萨克自治县等。

| **资源情况** | 野生资源一般。药材主要来源于野生。

| **采收加工** | 春、秋季采挖，选大者除去茎叶，洗净，干燥。

| **功能主治** | 祛风湿，退虚热，止痛。用于关节炎，发热，疳积。

| **用法用量** | 内服煎汤，3 ~ 6 g。

龙胆科 Gentianaceae 龙胆属 Gentiana

秦艽
Gentiana macrophylla Pall.

| 药 材 名 | 秦艽（药用部位：根）。

| 形态特征 | 多年生草本。高 30 ~ 60 cm，全体光滑无毛，基部被枯存的纤维状
叶鞘包裹。须根多条，扭结或黏结成一圆柱形的根。枝少数丛生，
直立或斜升，黄绿色或上部带紫红色，近圆形。莲座丛叶卵状椭圆
形或狭椭圆形，长 6 ~ 28 cm，宽 2.5 ~ 6 cm，先端钝或急尖，基
部渐狭，边缘平滑，叶脉 5 ~ 7，在两面均明显，并在下面凸起，
叶柄宽，长 3 ~ 5 cm，包被于枯存的纤维状叶鞘中；茎生叶椭圆状
披针形或狭椭圆形，长 4.5 ~ 15 cm，宽 1.2 ~ 3.5 cm，先端钝或急
尖，基部钝，边缘平滑，叶脉 3 ~ 5，在两面均明显，并在下面凸起，
叶柄无至长达 4 cm。花多数，无花梗，簇生于枝顶，呈头状或腋生

而呈轮状；花萼筒膜质，黄绿色或带紫色，长（3 ~）7 ~ 9 mm，一侧开裂，呈佛焰苞状，先端截形或圆形，萼齿 4 ~ 5，稀 1 ~ 3，甚小，锥形，长 0.5 ~ 1 mm；花冠筒部黄绿色，冠檐蓝色或蓝紫色，壶形，长 1.8 ~ 2 cm，裂片卵形或卵圆形，长 3 ~ 4 mm，先端钝或钝圆，全缘，褶整齐，三角形，长 1 ~ 1.5 mm，全缘；雄蕊着生于花冠筒中下部，整齐，花丝线状钻形，长 5 ~ 6 mm，花药矩圆形，长 2 ~ 2.5 mm；子房无柄，椭圆状披针形或狭椭圆形，长 9 ~ 11 mm，先端渐狭，花柱线形，连同柱头长 1.5 ~ 2 mm，柱头 2 裂，裂片矩圆形。蒴果内藏或先端外露，卵状椭圆形，长 15 ~ 17 mm；种子红褐色，有光泽，矩圆形，长 1.2 ~ 1.4 mm，表面具细网纹。花果期 7 ~ 10 月。

| 生境分布 | 生于海拔 1 500 ~ 2 500 m 的山地草原、林缘、河谷、亚高山草甸。分布于新疆乌鲁木齐县、尼勒克县、青河县、托里县、和静县、伊吾县、哈巴河县、布尔津县、奇台县、昌吉市、塔城市、伊宁县、拜城县、阿克苏市等。

| 资源情况 | 野生资源一般。药材来源于野生和栽培。

| 采收加工 | 春、秋季采挖，除去泥沙，晒干。

| 功能主治 | 祛风湿，清湿热，止痹痛。用于风湿痹痛，筋脉拘挛，骨节酸痛，日晡潮热，疳积发热。

| 用法用量 | 内服煎汤，3 ~ 9 g。

龙胆科 Gentianaceae 龙胆属 Gentiana

假水生龙胆

Gentiana pseudoaquatica Kusn.

| 药 材 名 | 龙胆（药用部位：根）。

| 形态特征 | 一年生草本。高 3 ~ 5 cm。茎紫红色或黄绿色，密被乳突，自基部多分枝，似丛生状；枝多次二叉分枝，铺散，斜升。叶先端钝圆或急尖，外反，边缘软骨质，具极细的乳突，两面光滑，中脉软骨质，在背面凸起；基生叶大，在花期枯萎，宿存，卵圆形或圆形，长 3 ~ 6 mm，宽 3 ~ 5 mm，叶柄宽，长 1 ~ 2 mm；茎生叶疏离或密集，覆瓦状排列，倒卵形或匙形，长 3 ~ 5 mm，宽 2 ~ 3 mm，叶柄边缘具乳突，背面光滑，连合成长 1 ~ 1.5 mm 的筒。花多数，单生于小枝先端；花梗紫红色或黄绿色，长 2 ~ 13 mm，藏于上部叶中或裸露；花萼筒状漏斗形，长 5 ~ 6 mm，裂片三角形，长 1.5 ~ 2 mm，

先端急尖，边缘膜质，狭窄，光滑，中脉在背面呈脊状凸起，并下延至萼筒基部，弯缺截形；花冠深蓝色，外面常具黄绿色宽条纹，漏斗形，长 9 ~ 14 mm，裂片卵形，长 2 ~ 2.5 mm，先端急尖或钝，褶卵形，长 1.5 ~ 2 mm，先端钝，全缘或啮蚀状；雄蕊着生于花冠筒中下部，整齐，花丝丝状，长 3 ~ 3.5 mm，花药矩圆形，长 1 ~ 1.5 mm；子房狭椭圆形，长 2.5 ~ 3.5 mm，两端渐狭，柄粗而短，长 1 ~ 2 mm，花柱线形，连同柱头长 1.5 ~ 2 mm，柱头 2 裂，裂片外卷，线形。蒴果外露，倒卵状矩圆形，长 3 ~ 4 mm，先端圆形，有宽翅，两侧边缘有狭翅，基部钝，柄长至 18 mm；种子褐色，椭圆形，长 1 ~ 1.2 mm，表面具明显的细网纹。花果期 4 ~ 8 月。

| 生境分布 |　生于海拔 1 000 ~ 4 300 m 的山地草原至高山草原。分布于新疆阿勒泰市、奇台县、阜康市、米东区、伊宁县、塔什库尔干塔吉克自治县、和田县、于田县等。

| 资源情况 |　野生资源一般。药材主要来源于野生。

| 采收加工 |　春、秋季采挖，除去泥沙，晒干。

| 功能主治 |　祛风湿，清湿热，止痹痛。用于风湿痹痛，筋脉拘挛，骨节酸痛，日晡潮热，疳积发热。

| 用法用量 |　内服煎汤，3 ~ 9 g。

鳞叶龙胆
Gentiana squarrosa Ledeb.

| **药 材 名** | 龙胆（药用部位：全草）。

| **形态特征** | 一年生草本。高 2 ~ 8 cm。叶先端钝圆或急尖，具短小尖头，基部渐狭，边缘厚软骨质，密生细乳突，两面光滑，中脉白色，软骨质，在下面凸起，密生细乳突；叶柄白色，膜质，边缘具短睫毛，背面具细乳突，连合成长 0.5 ~ 1 mm 的短筒。花梗黄绿色或紫红色，密被黄绿色乳突，有时夹杂紫色乳突，长 2 ~ 8 mm，全部或大部分藏于最上部叶中；花萼倒锥状筒形，长 5 ~ 8 mm，外面具细乳突，萼筒常具白色、膜质和绿色、叶质相间的宽条纹，裂片外反，绿色，叶状，整齐，卵圆形或卵形，长 1.5 ~ 2 mm，先端钝圆或钝，具短小尖头，基部圆形，突然收缩成爪，边缘厚软骨质，密生细乳突，

两面光滑，中脉白色，厚软骨质，在下面凸起，并向萼筒下延成短脊或否，密生细乳突，弯缺宽，截形；花冠蓝色，筒状漏斗形，长 7 ～ 10 mm，裂片卵状三角形，长 1.5 ～ 2 mm，先端钝，无小尖头，褶卵形，长 1 ～ 1.2 mm，先端钝，全缘或有细齿；雄蕊着生于花冠筒中部，整齐，花丝丝状，长 2 ～ 2.5 mm，花药矩圆形，长 0.7 ～ 1 mm；子房宽椭圆形，长 2 ～ 3.5 mm，先端钝圆，基部渐狭成柄，柄粗，长 0.5 ～ 1 mm，花柱柱状，连同柱头长 1 ～ 1.5 mm，柱头 2 裂，外反，半圆形或宽矩圆形。蒴果外露，倒卵状矩圆形，长 3.5 ～ 5.5 mm，先端圆形，有宽翅，两侧边缘有狭翅，基部渐狭成柄，柄粗壮，直立，长至 8 mm；种子黑褐色，椭圆形或矩圆形，长 0.8 ～ 1 mm，表面有白色、光亮的细网纹。花果期 4 ～ 9 月。

| 生境分布 | 生于海拔 1 000 ～ 3 500 m 的山地草原、亚高山至高山草甸草原。分布于新疆阿勒泰市、木垒哈萨克自治县、奇台县、昌吉市、玛纳斯县、塔城市、伊宁县、昭苏县、特克斯县、巴里坤哈萨克自治县、拜城县等。

| 资源情况 | 野生资源一般。药材主要来源于野生。

| 采收加工 | 春、秋季采收，晒干。

| 功能主治 | 辛，苦，寒。清热解毒，凉血消肿。用于疔疮肿毒，痈疽发背，黄疸，丹毒，毒蛇咬伤，尿路感染。

| 用法用量 | 内服煎汤，3 ～ 9 g。

龙胆科 Gentianaceae 龙胆属 Gentiana

单花龙胆
Gentiana subuniflora C. Marquand

| 药 材 名 | 龙胆（药用部位：根）。

| 形态特征 | 一年生草本。高 2 ~ 4 cm。茎紫红色，近光滑，在基部多分枝，枝不再分枝，斜升，铺散。花数朵，单生于小枝先端；花梗紫红色，近光滑，长 2 ~ 3 mm，藏于最上部 1 对叶中；花冠淡蓝色，外面具深绿色宽条纹，筒状漏斗形，长 14 ~ 16 mm，裂片卵形，长 2 ~ 4.5 mm，先端钝圆，褶宽三角形，长 1.5 ~ 2.5 mm，先端圆形，边缘有不整齐的圆齿。蒴果内藏，狭矩圆形，长 8 ~ 9 mm，先端圆形，有宽翅，两侧边缘有狭翅，基部渐狭，柄长至 4 mm；种子褐色，长 0.9 ~ 1.1 mm，表面具致密的细网纹。花果期 4 ~ 7 月。

| 生境分布 | 生于山地草甸、河谷、林缘、灌丛。分布于新疆阿勒泰市、塔城市、

伊宁市、昭苏县等。

| **资源情况** | 野生资源一般。药材主要来源于野生。

| **采收加工** | 春、秋季采挖，晒干。

| **功能主治** | 清热燥湿，泻肝胆火。用于肝胆湿热、肝阳上亢及肝经热盛导致的病证。

| **用法用量** | 内服煎汤，3 ~ 6 g；或入丸、散剂。外用适量，煎汤洗；或研末调搽。

龙胆科 Gentianaceae 龙胆属 Gentiana

天山秦艽

Gentiana tianschanica Rupr.

|药材名|

秦艽（药用部位：根）。

|形态特征|

多年生草本。高 15 ~ 25 cm，全体光滑无毛，基部被枯存的纤维状叶鞘包裹。须根数条，黏结成一较细瘦、圆锥状的根。枝少数丛生，斜升，黄绿色或上部紫红色，近圆形。聚伞花序顶生或腋生，排列成疏松的花序；花梗斜伸，紫红色，极不等长，总花梗长 4 cm，常无小花梗。蒴果内藏，狭椭圆形，长 12 ~ 15 mm，先端钝，基部渐狭，柄长 7 ~ 10 mm；种子褐色，有光泽，矩圆形，长 1.2 ~ 1.5 mm，表面具细网纹。花果期 8 ~ 9 月。

|生境分布|

生于海拔 1 000 ~ 1 500 m 的山地草原、林缘、灌丛。分布于新疆布尔津县、巴里坤哈萨克自治县、哈巴河县、玛纳斯县、额敏县、塔城市、托里市、博乐市、伊吾县、和硕县、叶城县、民丰县等。

|资源情况|

野生资源一般。药材主要来源于野生。

| **采收加工** | 春、秋季采挖，晒干。

| **功能主治** | 清热解毒，凉血消肿。用于疔疮肿毒，痈疽发背，黄疸，丹毒，毒蛇咬伤，尿路感染。

| **用法用量** | 内服煎汤，15 ~ 30 g。

龙胆科 Gentianaceae 龙胆属 Gentiana

新疆秦艽

Gentiana walujewii Regel & Schmalh

| 药 材 名 | 秦艽（药用部位：根）。

| 形态特征 | 多年生草本。高 10 ~ 15 cm，全株光滑无毛，基部被枯存的纤维状
叶鞘包裹。须根数条，黏结成一较粗的圆柱形根。枝少数丛生，斜
升，下部黄绿色，上部紫红色，近圆形。花多数，无花梗，簇生于
枝顶，呈头状；花萼筒膜质，筒状，长 7 ~ 10 mm，不开裂，裂片
5，线状披针形或三角状披针形，长 5 ~ 7 mm，先端急尖，边缘平
滑或微粗糙，中脉在背面明显；花冠黄白色，宽筒形或筒状钟形，
长 2.5 ~ 3 cm，裂片卵状三角形，长 3 ~ 4 mm，先端钝，全缘，褶
整齐，三角形，长 2.5 ~ 3 mm，2 深裂；雄蕊着生于花冠筒中部，
整齐，花丝线状钻形，长 8 ~ 11 mm，花药狭矩圆形，长 1.5 ~ 2.5 mm。

蒴果内藏，椭圆形，长 13 ~ 15 mm，两端渐狭，柄长 8 ~ 9 mm；种子褐色，有光泽，矩圆形，长 1.3 ~ 1.5 mm，表面具细网纹。花果期 8 ~ 9 月。

| 生境分布 | 生于海拔 2 000 ~ 2 500 m 的阿尔泰山、塔尔巴哈台山、准噶尔西部山地、天山亚高山至高山草甸。分布于新疆阿勒泰市、木垒哈萨克自治县、奇台县、乌鲁木齐市、玛纳斯县、塔城市、裕民县、托里县、博乐市、伊宁县、新源县、尼勒克县、伊吾县、巴里坤哈萨克自治县、鄯善县、和硕县、阿克苏市等。

| 资源情况 | 野生资源一般。药材主要来源于野生。

| 采收加工 | 春、秋季采挖，晒干。

| 功能主治 | 清热解毒，凉血消肿。用于疔疮肿毒，痈疽发背，黄疸，丹毒，毒蛇咬伤，尿路感染。

| 用法用量 | 内服煎汤，15 ~ 30 g。

龙胆科 Gentianaceae 假龙胆属 Gentianella

黑边假龙胆
Gentianella azurea (Bunge) Holub

| 药 材 名 | 龙胆（药用部位：根）。

| 形态特征 | 一年生草本。高 2 ~ 25 cm。茎直立，常紫红色，有条棱，从基部或下部起分枝，枝开展。聚伞花序顶生或腋生，稀单花顶生；花梗常紫红色，不等长，长至 4.5 cm；花 5 基数，直径 4.5 ~ 5.5 mm；花冠蓝色或淡蓝色，漏斗形，长 5 ~ 14 mm，近中裂，裂片矩圆形，长 2 ~ 6 mm，先端钝，花冠筒基部具 10 小腺体。蒴果无柄，先端稍外露；种子褐色，矩圆形，长 1 ~ 1.2 mm，表面具极细网纹。花果期 7 ~ 9 月。

| 生境分布 | 生于海拔 2 280 ~ 4 900 m 的亚高山至高山草甸。分布于新疆阿勒泰市、昭苏县、乌恰县等。

| **资源情况** | 野生资源一般。药材主要来源于野生。

| **采收加工** | 春、秋季采挖，晒干。

| **功能主治** | 清热燥湿，泻肝胆火。用于下焦湿热导致的病证，肝胆实火导致的头痛目赤等。

| **用法用量** | 内服煎汤，3 ~ 6 g。

龙胆科 Gentianaceae 假龙胆属 Gentianella

矮假龙胆
Gentianella pygmaea (Regel et Schmalh.) Harry Sm.

| 药 材 名 | 龙胆（药用部位：全草）。

| 形态特征 | 一年生草本。高1～3 cm。茎从基部多分枝，铺散，草黄色，具棱，节间极短缩。花4基数，单生于分枝先端，直径3～4 mm；花梗草黄色，斜升，不等长，长至2 cm；花萼绿色，稍短于花冠，长3～4 mm，深裂，萼筒长1.2～1.5 mm，裂片直立，椭圆形或菱形，先端钝或急尖，基部稍狭缩，背面具不明显3脉；花冠淡黄色，筒状，长4.5～5 mm，裂达中部，裂片矩圆形，先端钝圆，花冠筒上部具8小腺体。蒴果无柄，披针形，长5.5～6 mm；种子深褐色，宽矩圆形或矩圆形，长0.7～0.8 mm，表面具极细网纹。花果期7～8月。

| **生境分布** | 生于海拔 3 500 ~ 4 300 m 的高山草原、高山河谷。分布于新疆阿克陶县、乌恰县、塔什库尔干塔吉克自治县等。 |

| **资源情况** | 野生资源一般。药材主要来源于野生。 |

| **采收加工** | 春、秋季采收，晒干。 |

| **功能主治** | 清热降火。用于目赤肿痛，牙痛，咽喉肿痛，疔疮疖肿等。 |

| **用法用量** | 内服煎汤，10 ~ 15 g。 |

龙胆科 Gentianaceae 假龙胆属 Gentianella

新疆假龙胆 *Gentianella turkestanorum* (Gand.) Holub

| 药 材 名 |

龙胆（药用部位：全草）。

| 形态特征 |

一年生或二年生草本。高 10 ~ 35 cm。茎单生，直立，近四棱形，光滑，常带紫红色，通常从基部起分枝，枝细瘦。聚伞花序顶生或腋生，具多花，密集，其下有叶状苞片；花 5 基数，大小不等，顶花为基部小枝花的 2 ~ 3 倍大，直径 3 ~ 5.5 mm。蒴果具短柄，长 1.8 ~ 2.2 cm；种子黄色，圆球形，直径约 0.8 mm，表面具极细网纹。花果期 6 ~ 7 月。

| 生境分布 |

生于海拔 1 500 ~ 3 100 m 的山地草原、林缘、河谷、灌丛。分布于新疆乌鲁木齐县、玛纳斯县、巴里坤哈萨克自治县、木垒哈萨克自治县、特克斯县、阿勒泰市、布尔津县、奇台县、石河子市、塔城市、裕民县、温泉县、伊宁县、昭苏县、乌恰县、阿克陶县、塔什库尔干塔吉克自治县等。

| 资源情况 |

野生资源一般。药材主要来源于野生。

| **采收加工** | 春、秋季采收，晒干。

| **功能主治** | 清热解毒，利胆。用于黄疸，头痛，发热，口干等。

| **用法用量** | 内服煎汤，10 ~ 15 g。

龙胆科 Gentianaceae　扁蕾属 *Gentianopsis*

扁蕾 *Gentianopsis barbata* (Froel.) Ma

| **药 材 名** | 扁蕾（药用部位：全草）。

| **形态特征** | 一年生或二年生草本。高 8 ~ 40 cm。茎单生，直立，近圆柱形，下部单一，上部有分枝，条棱明显，有时带紫色。花单生于茎或分枝先端；花梗直立，近圆柱形，有明显的条棱，长达 15 cm，果时更长；花冠筒状漏斗形，筒部黄白色，檐部蓝色或淡蓝色，长 2.5 ~ 5 cm，口部宽达 12 mm，裂片椭圆形，长 6 ~ 12 mm，宽 6 ~ 8 mm，先端圆形，有小尖头，边缘有小齿，下部两侧有短的细条裂齿。蒴果具短柄，与花冠等长；种子褐色，矩圆形，长约 1 mm，表面有密的指状突起。花果期 7 ~ 9 月。

| **生境分布** | 生于海拔 700 ~ 4 400 m 的山地草原至高山草甸草原。分布于新疆

哈密市及伊宁县、塔什库尔干塔吉克自治县、奇台县、阿勒泰市、福海县、阜康市、乌鲁木齐县、玛纳斯县、石河子市、塔城市、额敏县、巩留县、尼勒克县、昭苏县等。

| **资源情况** | 野生资源一般。药材主要来源于野生。

| **采收加工** | 5～7月采收，晒干。

| **功能主治** | 清热解毒。用于急性黄疸性肝炎，结膜炎，高血压，急性肾盂肾炎，疮疖肿毒。

| **用法用量** | 内服煎汤，6～9 g；或入丸、散剂。

龙胆科 Gentianaceae 扁蕾属 Gentianopsis

新疆扁蕾 Gentianopsis stricta (Klotzsch) Ikonn.

| 药 材 名 | 扁蕾（药用部位：全草）。

| 形态特征 | 二年生至多年生草本。高 10 ~ 40 cm。茎直立或稍倾斜，近四棱形，有分枝，紫褐色。叶对生，基部近相连，无柄；基生叶匙形或披针形，先端钝，早枯落；茎生叶披针形，长 1.5 ~ 6 cm，宽 2 ~ 3 mm，先端尖，边缘稍反卷。花单生于分枝先端；花梗长；花萼管状钟形，具 4 棱，萼齿 4；花冠钟形，管长 1.5 ~ 3 cm，有 4 裂瓣，蓝色、淡紫蓝色或紫色。蒴果纺锤状圆柱形，具长柄；种子多数。花果期 7 ~ 9 月。

| 生境分布 | 生于海拔 700 ~ 4 400 m 的天山、帕米尔高原的山地草原，以及林缘、河谷、灌丛。分布于新疆玛纳斯县、巴里坤哈萨克自治县、乌恰县等。

资源情况	野生资源一般。药材主要来源于野生。
采收加工	5 ~ 7 月采收，晒干。
功能主治	清热解毒。用于急性黄疸性肝炎，结膜炎，高血压，急性肾盂肾炎，疮疖肿毒。
用法用量	内服煎汤，6 ~ 9 g；或入丸、散剂。

龙胆科 Gentianaceae 花锚属 Halenia

卵萼花锚

Halenia elliptica D. Don

| 药 材 名 |

花锚（药用部位：全草）。

| 形态特征 |

一年生草本。高 15 ～ 60 cm。根具分枝，黄褐色。茎直立，无毛，四棱形，上部具分枝。聚伞花序腋生和顶生；花冠蓝色或紫色，花冠筒长约 2 mm，裂片卵圆形或椭圆形，长约 6 mm，宽 4 ～ 5 mm，先端具小尖头，距长 5 ～ 6 mm，向外水平开展。蒴果宽卵形，长约 10 mm，直径 3 ～ 4 mm，上部渐狭，淡褐色；种子褐色，椭圆形或近圆形，长约 2 mm，宽约 1 mm。花果期 7 ～ 9 月。

| 生境分布 |

生于海拔 1 000 ～ 3 000 m 的山地草原至高山草甸。分布于新疆巩留县、特克斯县、昭苏县等。

| 资源情况 |

野生资源一般。药材主要来源于野生。

| 采收加工 |

6 ～ 8 月采收，除去杂质，晒干或鲜用。

| **功能主治** | 清热利湿，平肝利胆，疏风止痛。用于急性黄疸性肝炎，胆囊炎，胃炎，头晕头痛，牙痛，流行性感冒，咽喉痛，血栓闭塞性脉管炎等。 |

| **用法用量** | 内服煎汤，10 ~ 15 g；或炖肉。外用适量，捣敷。 |

龙胆科 Gentianaceae 肋柱花属 Lomatogonium

肋柱花

Lomatogonium carinthiacum (Wulfen) Rchb.

| 药 材 名 | 肋柱花（药用部位：全草）。

| 形态特征 | 一年生草本。高 3 ~ 30 cm。茎带紫色，自下部多分枝，枝细弱，斜升，近四棱形，节间较叶长。聚伞花序或花生于分枝先端；花梗斜上升，近四棱形，不等长，长达 6 cm；花 5 基数，大小不等，直径通常 8 ~ 20 mm；花冠蓝色，裂片椭圆形或卵状椭圆形，长 8 ~ 14 mm，先端急尖，基部两侧各具 1 腺窝，腺窝管形，下部浅囊状，上部具裂片状流苏。蒴果无柄，圆柱形，与花冠等长或稍长于花冠；种子褐色，近圆形，直径 1 mm。花果期 8 ~ 10 月。

| 生境分布 | 生于海拔 2 800 ~ 4 200 m 的山坡草地、灌丛草甸、河滩草地、高山草甸。分布于新疆阿勒泰市、塔城市、奇台县、阜康市、玛纳斯县、

昭苏县、鄯善县、阿图什市、乌恰县、和田县、塔什库尔干塔吉克自治县等。

| **资源情况** | 野生资源一般。药材主要来源于野生。

| **采收加工** | 夏、秋季采收，晒干。

| **功能主治** | 清热利湿，强心，利胆，利尿，保肝，促凝血，抗炎。用于肝炎，头痛发热等。

| **用法用量** | 内服煎汤，10 ~ 15 g。

龙胆科 Gentianaceae 獐牙菜属 Swertia

短筒獐牙菜 *Swertia connata* Schrenk

| 药 材 名 |

獐牙菜（药用部位：全草）。

| 形态特征 |

多年生草本。高达 1 m，具短根茎。茎直立，黄绿色，中空，圆形，无条棱，不分枝，基部直径达 7 mm。圆锥状复聚伞花序长 15 ~ 25 cm，多花；花梗黄绿色，长1.5 ~ 2.5 cm；花 5 基数，直径 1 ~ 1.5 cm；花冠黄绿色，有时具蓝色斑点，裂片矩圆形，长 8 ~ 11 mm，宽 3 ~ 5 mm，先端钝或急尖，基部具 2 腺窝，腺窝基部囊状，顶部具长 1.5 ~ 2 mm 的柔毛状流苏。蒴果近无柄，椭圆形，长 10 ~ 13 mm；种子扁平，褐色，圆形，直径 2.5 ~ 3 mm，边缘具宽翅。花果期 7 ~ 8 月。

| 生境分布 |

生于海拔 1 600 ~ 2 650 m 的山地草原、亚高山至高山草甸。分布于新疆博乐市、温泉县、巩留县、昭苏县、塔什库尔干塔吉克自治县等。

| 资源情况 |

野生资源一般。药材主要来源于野生。

| **采收加工** | 夏、秋季采收，切碎，晾干。

| **功能主治** | 清热，健胃，利湿。用于消化不良，胃炎，黄疸，风火眼，牙痛，口疮。

| **用法用量** | 内服煎汤，10 ~ 15 g；或研末冲。外用适量，捣敷。

龙胆科 Gentianaceae 獐牙菜属 Swertia

膜边獐牙菜 *Swertia marginata* Schrenk

| 药 材 名 |

獐牙菜 (药用部位：全草)。

| 形态特征 |

多年生草本。高 15 ~ 35 cm。茎直立，黄绿色，中空，近圆形，不分枝，基部直径 2 ~ 3 mm，被黑褐色的枯老叶柄。圆锥状复聚伞花序密集，常狭窄，有间断，多花，长 8 ~ 15 cm；花 5 基数，直径 1.3 ~ 1.5 cm。蒴果无柄，狭卵形，与宿存花冠等长；种子褐色，矩圆形，长 1.2 ~ 2 mm，表面具纵折皱。花果期 8 ~ 9 月。

| 生境分布 |

生于海拔 2 520 ~ 3 000 m 的山坡草地。分布于新疆阿勒泰市、奇台县、玛纳斯县、塔城市、伊宁市、昭苏县、和静县等。

| 资源情况 |

野生资源一般。药材主要来源于野生。

| 采收加工 |

夏、秋季采收，洗净，晒干。

| **功能主治** | 清热，利胆，除湿。用于肝炎，胆囊炎，尿道炎，肾炎，细菌性痢疾，消化不良等。

| **用法用量** | 内服煎汤，10 ~ 15 g；或研末冲。外用适量。

夹竹桃科 Apocynaceae 罗布麻属 Apocynum

白麻 Apocynum pictum Schrenk

| **药 材 名** | 罗布麻（药用部位：叶）。

| **形态特征** | 直立半灌木。高可达 2.5 m，一般高 1 m 左右，植株含乳汁。叶坚纸质，互生；叶片椭圆形至卵状椭圆形，叶两面特别是幼嫩时的叶背具颗粒状突起，叶缘具细牙齿，侧脉纤细，扁平，在两面均不明显；叶柄基部及腋间具腺体。圆锥状的聚伞花序 1 至多歧，顶生；总花梗、花梗、苞片及花萼外面均被白色短柔毛；苞片披针形；花冠骨盆状，下垂，内面稍带紫色，两面均具颗粒状突起，花冠裂片反折，宽三角形，先端钝，着生于花冠筒基部，基部合生，先端长尖状凸起；花药箭头状，先端渐尖，药耳平行，花丝短；花柱短，柱头先端钝，基部盘状，胚珠多数；花盘肉质，环状。种子卵状长圆形，先端具

1 簇白色绢质种毛。4 ~ 9 月开花。

| **生境分布** | 生于盐碱荒地、沙漠边缘、河流两岸冲积平原、水田和湖泊周围。分布于新疆塔城市、伊宁县、霍城县、察布查尔锡伯自治县、库尔勒市、尉犁县、沙雅县、阿拉尔市、麦盖提县、阿克苏市、喀什市及哈密市等。

| **资源情况** | 野生资源一般。药材主要来源于野生。

| **采收加工** | 夏季采收，除去杂质，干燥。

| **功能主治** | 清热平肝，利水消肿。用于高血压，眩晕，头痛，心悸，失眠，水肿尿少。

| **用法用量** | 内服煎汤，5 ~ 10 g；或泡茶。

夹竹桃科 Apocynaceae 罗布麻属 Apocynum

罗布麻
Apocynum venetum L.

| 药 材 名 | 罗布麻（药用部位：叶）。

| 形态特征 | 直立半灌木。高 1.5 ~ 3 m，全株具乳汁。枝条圆筒形，光滑无毛，紫红色或淡红色。叶对生；叶柄长 3 ~ 6 mm；叶片椭圆状披针形至卵圆状长圆形，长 1 ~ 5 cm，宽 0.5 ~ 1.5 cm，先端急尖至钝，具短尖头，基部急尖至钝，叶缘具细牙齿，两面无毛。圆锥状聚伞花序 1 至多歧，通常顶生，有时腋生；苞片膜质，披针形，长约 4 mm，宽约 1 mm；花 5 基数。蓇葖果 2，平行或叉生，下垂，长 8 ~ 20 cm，直径 2 ~ 3 mm；种子多数，卵圆状长圆形，黄褐色，长 2 ~ 3 mm，直径 0.5 ~ 0.7 mm，先端有 1 簇白色绢质种毛，毛长 1.5 ~ 2.5 cm。花期 4 ~ 9 月，果期 7 ~ 12 月。

| 生境分布 | 生于盐碱荒地、沙漠边缘、河流两岸冲积平原、湖泊周围及戈壁荒滩上。分布于新疆阿勒泰市、博乐市、库尔勒市、尉犁县、和田市、阿克苏市、温宿县、喀什市等。

| 资源情况 | 野生资源一般。药材主要来源于野生。

| 采收加工 | 夏季采收，除去杂质，干燥。

| 功能主治 | 清火，降血压，强心，利尿。用于心脏病，高血压，神经衰弱，肝炎腹胀，肾炎性水肿。

| 用法用量 | 内服煎汤，5 ~ 10 g；或泡茶。

戟叶鹅绒藤

Cynanchum acutum L. subsp. *sibiricum* (Willd.) Rech. f.

|药材名|

牛皮消（药用部位：根）。

|形态特征|

直立半灌木。高 0.5 ~ 2.5 m，通常高约 1 m，植株含乳汁。枝条倾向茎的中轴，无毛。叶坚纸质，互生；叶片椭圆形至卵状椭圆形，先端急尖或钝，具短尖头，基部楔形或浑圆，无毛，叶两面特别是幼嫩时的叶背具颗粒状突起，通常叶片长 3 ~ 4 cm，宽 1 ~ 1.5 cm，叶缘具细牙齿，中脉在叶背凸起，侧脉纤细，扁平，在两面均不明显；叶柄长 0.3 ~ 0.5 mm，基部及腋间具腺体，老时脱落。圆锥状的聚伞花序 1 至多歧，顶生；总花梗长 2.5 ~ 9 cm，花梗长 0.3 ~ 1 cm；总花梗、花梗、苞片及花萼外面均被白色短柔毛；苞片披针形，长 1 ~ 4 mm，反折；花萼 5 裂，梅花式排列，裂片卵状三角形，长 1.5 ~ 4 mm，宽 1 ~ 2 mm，内无腺体；花冠骨盆状，下垂，花张开时直径 1.5 ~ 2 cm，外面粉红色，内面稍带紫色，两面均具颗粒状突起，花冠筒长 2.5 ~ 7 mm，直径 1 ~ 1.5 cm，花冠裂片反折，宽三角形，先端钝，长 2.5 ~ 4 mm，宽 3 ~ 5 mm，每裂片具 3 深紫色的脉纹；副花冠裂片 5，着生于花冠筒基部，裂片宽三角形，基部合生，先端长尖状凸起；雄蕊 5，着生于花冠筒基部，与副花冠裂片互生，花药箭头状，先端渐尖，隐藏于花喉内，基部具耳，药耳平行，紧接或重叠，背部隆起，腹部黏生于柱头的基部，花丝短，被白色茸毛；雌蕊 1，长 3 ～ 4 mm，花柱短，长 1 ～ 2.5 mm，上部膨大，下部缩小，柱头先端钝，2 裂，基部盘状，子房半下位，由 2 离生心皮组成，下部埋藏于花托中，上部被白色茸毛，胚珠多数，着生于子房腹缝线的侧膜胎座上；花盘肉质，环状，先端 5 浅裂或微缺，基部合生，环绕子房，基部着生于花托上。蓇葖果 2，叉生或平行，倒垂，长而细，圆筒状，先端渐尖，幼嫩时绿色，成熟后黄褐色，长 10 ～ 30 cm，直径 0.3 ～ 0.4 cm；种子卵状长圆形，长 2.5 ～ 3 mm，直径 0.5 ～ 0.7 mm，先端具 1 簇白色绢质种毛，种毛长 1.5 ～ 2.5 cm，子叶长卵圆形，与胚根近等长，胚根在上。花期 4 ～ 9 月，果期 7 ～ 12 月。

| **生境分布** | 生于海拔 750 ～ 1 300 m 的绿洲及其边缘。新疆各地均有分布。

| **资源情况** | 野生资源一般。药材主要来源于野生。

| **采收加工** | 秋季采挖，除去残茎，洗净泥土，晒干，切片。

| **功能主治** | 祛风除湿，止痛。用于风湿疼痛，腰痛，胃痛，食积。

| **用法用量** | 内服煎汤，10 ～ 30 g。

打碗花 *Calystegia hederacea* Wall.

| 药 材 名 | 打碗花（药用部位：根茎、花）。

| 形态特征 | 一年生草本。全体不被毛，植株通常矮小，高 8 ~ 30（~ 40）cm，常自基部分枝，具细长的白色根。茎细，平卧，有细棱。基部叶片长圆形，长 2 ~ 3（~ 5.5）cm，宽 1 ~ 2.5 cm，先端圆，基部戟形，上部叶片 3 裂，中裂片长圆形或长圆状披针形，侧裂片近三角形，全缘或 2 ~ 3 裂，叶片基部心形或戟形；叶柄长 1 ~ 5 cm。花 1，腋生；花梗长于叶柄，有细棱；苞片宽卵形，长 0.8 ~ 1.6 cm，先端钝或锐尖至渐尖；萼片长圆形，长 0.6 ~ 1 cm，先端钝，具小的短尖头，内萼片稍短；花冠淡紫色或淡红色，钟状，长 2 ~ 4 cm，冠檐近截形或微裂；雄蕊近等长，花丝基部扩大，贴生于花冠管基部，被小

鳞毛；子房无毛，柱头 2 裂，裂片长圆形，扁平。蒴果卵球形，长约 1 cm，宿存萼片与蒴果近等长或稍短；种子黑褐色，长 4 ~ 5 mm，表面有小疣。

| **生境分布** | 生于农田、荒地、路旁。分布于新疆奇台县、玛纳斯县、阜康市、吉木萨尔县、博湖县、焉耆回族自治县、哈巴河县、吉木乃县、新源县、巩留县及乌鲁木齐市、哈密市等。

| **资源情况** | 野生资源较丰富。药材来源于野生。

| **采收加工** | 根茎，秋季采挖，洗净，晒干或鲜用。花，夏、秋季采收，鲜用。

| **功能主治** | 根茎，健脾益气，利尿，调经，止带。用于脾虚消化不良，月经不调，带下，乳汁稀少。花，止痛。外用于牙痛。

| **用法用量** | 根茎，内服煎汤，50 ~ 100 g。花，外用适量。

旋花科 Convolvulaceae 打碗花属 Calystegia

旋花
Calystegia sepium (L.) R. Br.

| 药 材 名 | 旋花（药用部位：花、苗、根）。

| 形态特征 | 多年生草本。全体不被毛。茎缠绕，伸长，有细棱。叶形多变，三角状卵形或宽卵形，长 4 ~ 10（~ 15）cm 或更长，宽 2 ~ 6（~ 10）cm 或更宽，先端渐尖或锐尖，基部戟形或心形，全缘或基部稍伸展为具 2 ~ 3 大齿缺的裂片；叶柄常短于叶片或与叶片近等长。花 1，腋生；花梗通常稍长于叶柄，长达 10 cm，有细棱或狭翅；苞片宽卵形，长 1.5 ~ 2.3 cm，先端锐尖；萼片卵形，长 1.2 ~ 1.6 cm，先端渐尖或锐尖；花冠通常白色、淡红色或紫色，漏斗状，长 5 ~ 6（~ 7）cm，冠檐微裂；雄蕊花丝基部扩大，被小鳞毛；子房无毛，柱头 2 裂，裂片卵形，扁平。蒴果卵形，长约 1 cm，被

增大的宿存苞片和萼片包被；种子黑褐色，长 4 mm，表面有小疣。

| 生境分布 | 生于海拔 140 ～ 2 600 m 的路旁、溪边草丛、农田边或山坡林缘。分布于新疆玛纳斯县、哈巴河县、吉木乃县、博乐市、温泉县、乌苏市等。

| 资源情况 | 野生资源较丰富。药材来源于野生。

| 采收加工 | 花，6 ～ 7 月开花时采收，晾干。苗，夏季采收，洗净，晒干或鲜用。根，3 ～ 9 月采挖，洗净，晒干或鲜用。

| 功能主治 | 花，益气，养颜，涩精。用于面皯，遗精，遗尿。苗，清热解毒。用于丹毒。根，益气补虚，续筋接骨，解毒，杀虫。用于劳损，金疮，丹毒，蛔虫病。

| 用法用量 | 花，内服煎汤，6 ～ 10 g；或入丸剂。

旋花科 Convolvulaceae 旋花属 Convolvulus

银灰旋花
Convolvulus ammannii Desr.

| 药 材 名 | 旋花（药用部位：全草）。

| 形态特征 | 多年生草本。根茎短，木质化。茎少数或多数，高 2 ~ 10（~ 15）cm，平卧或上升，枝和叶密被贴生或半贴生的银灰色绢毛。叶互生，线形或狭披针形，长 1 ~ 2 cm，宽（0.5 ~）1 ~ 4（~ 5）mm，先端锐尖，基部狭，无柄。花单生于枝端，具细花梗；花梗长 0.5 ~ 7 cm；萼片 5，长（3 ~）4 ~ 7 mm，外萼片长圆形或长圆状椭圆形，近锐尖或稍渐尖，内萼片较宽，椭圆形，渐尖，密被贴生的银色毛；花冠小，漏斗状，长（8 ~）9 ~ 15 mm，淡玫瑰色或白色而带紫色条纹，有毛，5 浅裂；雄蕊 5，较花冠短 1/2，基部稍扩大；雌蕊无毛，较雄蕊稍长，子房 2 室，每室具 2 胚珠，花柱 2 裂，柱头 2，

线形。蒴果球形，2裂，长4～5 mm；种子2～3，卵圆形，光滑，具喙，淡褐红色。

| **生境分布** | 生于干旱山坡草地或路旁。分布于新疆托里县、和布克赛尔蒙古自治县、奇台县、吉木萨尔县、塔城市、乌鲁木齐县、伊宁县及哈密市等。 |

| **资源情况** | 野生资源较丰富。药材来源于野生。 |

| **采收加工** | 夏、秋季采收，洗净，鲜用或切段晒干。 |

| **功能主治** | 泻下，利水，祛虫，攻积，调经活血，滋阴补虚。用于风湿痹痛，牙痛，神经性皮炎，水肿，二便不通，腹痛，气急咳喘，痰饮，身体虚弱，月经不调。 |

| **用法用量** | 内服煎汤，3～6 g。 |

田旋花 *Convolvulus arvensis* L.

| **药 材 名** | 旋花（药用部位：全草）。

| **形态特征** | 多年生草本。根茎横走。茎平卧或缠绕，有条纹及棱角，无毛或上部被疏柔毛。叶卵状长圆形至披针形，长 1.5 ~ 5 cm，宽 1 ~ 3 cm，先端钝或具小短尖头，基部戟形、箭形或心形，全缘或 3 裂，侧裂片展开，先端微尖，中裂片卵状椭圆形、狭三角形或披针状长圆形，先端微尖或近圆形；叶柄较叶片短，长 1 ~ 2 cm；叶脉羽状，基部掌状。花序腋生，总梗长 3 ~ 8 cm，具 1 花或 2 ~ 3 花至多花，花梗远长于花萼；苞片 2，线形，长约 3 mm；萼片有毛，长 3.5 ~ 5 mm，稍不等，2 外萼片稍短，长圆状椭圆形，钝，具短缘毛，内萼片近圆形，钝或稍凹，多少具小短尖头，边缘膜质；花冠宽漏斗形，长

15 ~ 26 mm，白色或粉红色，或白色具粉红色或红色的瓣中带，或粉红色具红色或白色的瓣中带，5 浅裂；雄蕊 5，稍不等长，较花冠短 1/2，花丝基部扩大，具小鳞毛；雌蕊较雄蕊稍长，子房有毛，2 室，每室具 2 胚珠，柱头 2，线形。蒴果卵状球形或圆锥形，无毛，长 5 ~ 8 mm；种子 4，卵圆形，无毛，长 3 ~ 4 mm，暗褐色或黑色。

| 生境分布 |　生于耕地及荒坡草地上。新疆各地均有分布。

| 资源情况 |　野生资源丰富。药材来源于野生。

| 采收加工 |　夏、秋季采收，洗净，鲜用或切段晒干。

| 功能主治 |　泻下，利水，祛虫，攻积，调经活血，滋阴补虚。用于风湿痹痛，牙痛，神经性皮炎，水肿，二便不通，腹痛，气急咳喘，痰饮，身体虚弱，月经不调。

| 用法用量 |　内服煎汤，3 ~ 6 g。

鹰爪柴

Convolvulus gortschakovii Schrenk

| 药 材 名 | 鹰爪柴（药用部位：全株）。

| 形态特征 | 亚灌木或近垫状小灌木。高 10 ～ 20（～ 30）cm，具呈直角开展而密集的分枝，小枝具短而坚硬的刺，枝条、小枝和叶均密被贴生的银色绢毛。叶倒披针形、披针形或线状披针形，先端锐尖或钝，基部渐狭。花单生于短的侧枝上，常在末端具 2 小刺；花梗短，长 1 ～ 2 mm；萼片被散生的疏柔毛、无毛或仅沿上部边缘具短缘毛，长 8 ～ 12 mm，不相等，2 外萼片宽卵圆形，基部心形，明显较 3 内萼片宽；花冠漏斗状，长 17 ～ 22 mm，玫瑰色；雄蕊 5，稍不等长，短于花冠的 1/2，花丝丝状，基部稍扩大，无毛，花药箭形；雌蕊稍长于雄蕊，花盘环状；子房圆锥状，被长毛，花柱丝状，柱头 2，

线形。蒴果阔椭圆形，长约 6 mm，先端具不密集的毛。花期 5 ~ 6 月。

| **生境分布** | 生于沙漠及干燥、多砾石的山坡。分布于新疆阿勒泰市、木垒哈萨克自治县、喀什市、和田县、博湖县、布尔津县、青河县、阜康市、精河县、温泉县、和布克赛尔蒙古自治县及哈密市、克拉玛依市、乌鲁木齐市等。

| **资源情况** | 野生资源较丰富。药材来源于野生。

| **功能主治** | 祛风止痒，止痛。

线叶旋花 *Convolvulus lineatus* L.

| 药 材 名 | 旋花（药用部位：花、根）。

| 形态特征 | 多年生草本。具粗的根茎。茎多数，平卧或上升，长 3 ~ 20（ ~ 40）cm，分枝和叶均密被贴生的银色至金黄色绢毛。叶椭圆形、长圆形至长圆状倒披针形，稀线状长圆形，长 4 ~ 6 cm，宽（5 ~ ）6 ~ 25 mm，枝端的较狭，先端锐尖或具小短尖头，基部渐狭，下部的叶具长柄。花序少花，具 3 ~ 4 花，位于茎及侧枝顶部，通常短于叶片，形成不大且密集的聚伞花序，稀单一；萼片长 6 ~ 10 mm，密被贴生的银色绢毛，外萼片长圆形或长圆状椭圆形，先端稍狭，向外反折，内萼片常更宽，渐尖；花冠漏斗形，长 15 ~ 25 mm，亮玫红色或白色，外面于瓣中带上密被黄色绢毛；雄

蕊 5，稍不等长，花丝丝状，基部扩大，扁平，较花冠短 1/2，花药箭形；雌蕊稍长过雄蕊，子房被毛，花柱丝状，2 裂，柱头 2，线形；花盘环状。蒴果卵形，多少被贴生毛。花期 6 ~ 8 月。

| **生境分布** | 生于半荒漠草原地带、干草原地带及砾石滩中。分布于新疆霍城县、特克斯县、新源县、伊宁市、昭苏县、裕民县等。

| **资源情况** | 野生资源一般。药材来源于野生。

| **采收加工** | 花，6 ~ 7 月开花时采收，晾干。根，3 ~ 9 月采挖，洗净，晒干或鲜用。

| **功能主治** | 花，益气，养颜，涩精。用于面䵟，遗精，遗尿。根，益气补虚，续筋接骨，解毒，杀虫。用于劳损，金疮，丹毒，蛔虫病。

| **用法用量** | 花，内服煎汤，6 ~ 10 g；或入丸剂。

旋花科 Convolvulaceae 旋花属 Convolvulus

刺旋花 *Convolvulus tragacanthoides* Turcz.

| **药 材 名** | 旋花（药用部位：花、根）。

| **形态特征** | 匍匐有刺亚灌木。全体被银灰色绢毛，高 4 ~ 10（~ 15）cm。茎密集分枝，呈披散垫状，小枝坚硬，具刺。叶狭线形，稀倒披针形，长 0.5 ~ 2 cm，宽 0.5 ~ 4（~ 6）mm，先端圆形，基部渐狭，无柄，均密被银灰色绢毛。花 2 ~ 5（~ 6）密集于枝端，稀单花，花枝有时伸长，无刺；花梗长 2 ~ 5 mm，密被半贴生绢毛；萼片长 5 ~ 7（~ 8）mm，椭圆形或长圆状倒卵形，先端短渐尖或骤细成尖端，外面被棕黄色毛；花冠漏斗形，长 15 ~ 25 mm，粉红色，具 5 密生毛的瓣中带，5 浅裂；雄蕊 5，不等长，花丝丝状，无毛，基部扩大，较花冠短 1/2；雌蕊较雄蕊长，子房有毛，2 室，每室 2 胚珠，花柱

丝状，柱头 2，线形。蒴果球形，有毛，长 4～6 mm；种子卵圆形，无毛。花期 5～7 月。

| 生境分布 | 生于石缝中及戈壁滩。分布于新疆轮台县、焉耆回族自治县、库尔勒市、布尔津县、博乐市、精河县、塔城市、乌苏市、昌吉市、察布查尔锡伯自治县、巩留县、特克斯县、温宿县、拜城县、乌鲁木齐县、玛纳斯县等。

| 资源情况 | 野生资源较丰富。药材来源于野生。

| 采收加工 | 花，6～7 月开花时采收，晾干。根，3～9 月采挖，洗净，晒干或鲜用。

| 功能主治 | 花，益气，养颜，涩精。用于面䵟，遗精，遗尿。根，益气补虚，续筋接骨，解毒，杀虫。用于劳损，金疮，丹毒，蛔虫病。

| 用法用量 | 花，内服煎汤，6～10 g；或入丸剂。

南方菟丝子
Cuscuta australis R. Br.

| 药 材 名 | 菟丝子（药用部位：种子）。

| 形态特征 | 一年生寄生草本。茎缠绕，金黄色，纤细，直径约 1 mm，无叶。花序侧生，少花或多花簇生成小伞形或小团伞花序；总花序梗近无；苞片及小苞片均小，鳞片状；花梗稍粗壮，长 1 ~ 2.5 mm；花萼杯状，基部连合，裂片 3 ~ 5，长圆形或近圆形，通常不等大，长 0.8 ~ 1.8 mm，先端圆；花冠乳白色或淡黄色，杯状，长约 2 mm，裂片卵形或长圆形，先端圆，与花冠管近等长，直立，宿存；雄蕊着生于花冠裂片弯缺处，比花冠裂片稍短；鳞片小，边缘短流苏状；子房扁球形，花柱 2，等长或稍不等长，柱头球形。蒴果扁球形，直径 3 ~ 4 mm，下半部为宿存花冠所包裹，成熟时不规则开裂，不为

周裂；种子 4，淡褐色，卵形，长约 1.5 mm，表面粗糙。

| **生境分布** | 生于海拔 50 ~ 2 000 m 的田边或路旁。分布于新疆哈巴河县、福海县、墨玉县、新源县、乌苏市、沙湾市、岳普湖县、阿克苏市、阿瓦提县、库车市及哈密市、乌鲁木齐市等。

| **资源情况** | 野生资源较丰富。药材来源于野生。

| **采收加工** | 9 ~ 10 月采收成熟果实，晒干，打出种子，簸去果壳、杂质。

| **功能主治** | 补肾益精，养肝明目，固胎止泻。用于腰膝酸痛，遗精，阳痿，早泄，不育，消渴，淋浊，遗尿，目昏耳鸣，胎动不安，流产，泄泻。

| **用法用量** | 内服煎汤，6 ~ 10 g。外用，6 ~ 12 g。

旋花科 Convolvulaceae 菟丝子属 Cuscuta

菟丝子
Cuscuta chinensis Lam.

| 药 材 名 | 菟丝子（药用部位：种子）。

| 形态特征 | 一年生寄生草本。茎缠绕，黄色，纤细，直径约 1 mm。无叶。花序侧生，少花或多花簇生成小伞形或小团伞花序；总花序梗近无；苞片及小苞片小，鳞片状；花梗稍粗壮，长约 1 mm；花萼杯状，中部以下连合，裂片三角状，长约 1.5 mm，先端钝；花冠白色，壶形，长约 3 mm，裂片三角状卵形，先端锐尖或钝，向外反折，宿存；雄蕊着生于花冠裂片弯缺微下处；鳞片长圆形，边缘长流苏状；子房近球形，花柱 2，等长或不等长，柱头球形。蒴果球形，直径约 3 mm，几乎全被宿存的花冠所包围，成熟时整齐的周裂；种子 2 ~ 4，淡褐色，卵形，长约 1 mm，表面粗糙。

| **生境分布** | 生于海拔 200 ~ 3 000 m 的田边、山坡阳处、路边灌丛或海边沙丘。新疆各地均有分布。

| **资源情况** | 野生资源丰富。药材来源于野生。

| **采收加工** | 秋季果实成熟时采收植株，晒干，打下种子，除去杂质。

| **功能主治** | 补肾益精，养肝明目，固胎止泻。用于腰膝酸痛，遗精，阳痿，早泄，不育，消渴，淋浊，遗尿，目昏耳鸣，胎动不安，流产，泄泻。

| **用法用量** | 内服煎汤，6 ~ 10 g。外用，6 ~ 12 g。

欧洲菟丝子 *Cuscuta europaea* L.

| 药 材 名 | 菟丝子（药用部位：种子）。

| 形态特征 | 一年生寄生草本。茎缠绕，带黄色或带红色，纤细，毛发状，直径不超过 1 mm。无叶。花序侧生，少花或多花密集成团伞花序；花梗长 1.5 mm；花萼杯状，中部以下连合，裂片 4 ~ 5，有时不等大，三角状卵形，长 1.5 mm；花冠淡红色，壶形，长 2.5 ~ 3 mm，裂片 4 ~ 5，三角状卵形，通常向外反折，宿存；雄蕊着生于花冠凹缺微下处，花药卵圆形，花丝比花药长；鳞片薄，倒卵形，着生于花冠基部之上、花丝之下，先端 2 裂或不分裂，边缘流苏较少；子房近球形，花柱 2，柱头棒状，下弯或叉开，与花柱近等长，花柱和柱头短于子房。蒴果近球形，直径约 3 mm，上部覆以凋存的花冠，

成熟时整齐周裂；种子通常 4，淡褐色，椭圆形，长约 1 mm，表面粗糙。

| 生境分布 | 生于海拔 840 ~ 3 100 m 的路边草丛阳处、河边或山地。分布于新疆乌什县、且末县、察布查尔锡伯自治县、特克斯县、伊宁市、阿图什市、玛纳斯县、呼图壁县、博乐市、乌苏市及吐鲁番市等。

| 资源情况 | 野生资源较丰富。药材来源于野生。

| 采收加工 | 9 ~ 10 月采收成熟果实，晒干，打出种子，簸去果壳、杂质。

| 功能主治 | 补肾益精，养肝明目，固胎止泻。用于腰膝酸痛，遗精，阳痿，早泄，不育，消渴，淋浊，遗尿，目昏耳鸣，胎动不安，流产，泄泻。

| 用法用量 | 内服煎汤，6 ~ 10 g。外用，6 ~ 12 g。

旋花科 Convolvulaceae 菟丝子属 Cuscuta

啤酒花菟丝子

Cuscuta lupuliformis Krock.

| 药 材 名 | 菟丝子（药用部位：种子）。

| 形态特征 | 一年生草本。茎粗壮，细绳状，直径达 3 mm，红褐色，具瘤，多分枝，无毛。花无柄或具短柄，淡红色，花谢时近白色，聚集成断续的穗状或总状花序；苞片广椭圆形或卵形；花萼长 2 mm，半球形，带绿色，干后褐色，裂片宽卵形或卵形，钝；花冠圆筒状，超出花萼约 1 倍，裂片长圆状卵形，全缘或稍具齿，直立或多少反折，短于花冠筒；雄蕊着生于花冠喉部稍下方，先端几达花冠裂片间凹陷处，花药长圆状卵形，花丝无或很短；鳞片在花冠筒下部，不超过中部，广椭圆形或卵形，全缘或 2 裂，有时极度退化，沿边缘呈不等的流苏状；子房近球状或宽卵形，花柱多少圆柱状，柱头广椭

圆形，2 裂，短于花柱。蒴果卵形或卵状圆锥形，长 7 ~ 9 mm，通常在先端具凋存的干枯花冠；种子卵形，长 2 ~ 3 mm，具喙，浅棕色或暗棕色，脐线形。花期 7 月，果期 8 月。

| **生境分布** | 生于乔灌木或多年生草本植物上。分布于新疆新源县、尼勒克县、特克斯县、霍城县、巩留县、木垒哈萨克自治县、青河县、福海县、乌苏市等。

| **资源情况** | 野生资源较丰富。药材来源于野生。

| **采收加工** | 9 ~ 10 月采收成熟果实，晒干，打出种子，簸去果壳、杂质。

| **功能主治** | 补益肝肾，固精缩尿，安胎，明目，止泻，消风祛斑。用于肝肾不足，腰膝酸软，阳痿遗精，遗尿尿频，肾虚胎漏，胎动不安，目昏耳鸣，脾肾虚泻；外用于白癜风。

| **用法用量** | 内服煎汤，6 ~ 10 g。外用，6 ~ 12 g。

旋花科 Convolvulaceae 菟丝子属 Cuscuta

单柱菟丝子
Cuscuta monogyna Vahl

| 药 材 名 | 菟丝子（药用部位：种子）。

| 形态特征 | 一年生草本。全体无毛。茎线形，强壮，粗糙，多分枝，直径 1 ~ 2 mm，微红色，有深紫色瘤状突起，无叶。花序腋生，松散穗状或数花密集而成短的穗状圆锥花序；苞片小，肉质，卵圆形或卵状三角形，长 1 ~ 2 mm，锐尖；花长 3 ~ 4 mm，几无梗或明显具梗，玫红色或近白色；花萼碗形，长不及 2 mm，萼片 5，相等，卵圆形，锐尖，基部相连，常有紫红色瘤状突起；花冠壶形，管形，最后呈钟形，紫色，长 3 ~ 3.5 mm，裂片 5，卵圆形，钝，全缘或微具齿，短于花冠筒 1/2；雄蕊 5，着生于花冠喉部，花丝短，与花药等长，花药广椭圆形或广椭圆状心形；鳞片 5，近长圆形，边缘缝形，达

花冠中部，多少2裂，具不等的流苏；子房近球形，直径约1mm，无毛，平滑，2室，每室2胚珠，花柱1，很短，长0.5～0.45mm，柱头头状，中央有浅裂缝，与花柱近等长。蒴果卵圆形或近球形，长4mm，周裂；种子1～2，不等的圆心形，长3～3.5mm，多少具喙，平滑，暗棕色。

| **生境分布** | 生于乔木、灌木及多年生草本植物上。分布于新疆库尔勒市、和硕县、温宿县、霍城县、察布查尔锡伯自治县、伊宁市、新源县、沙湾市、额敏县、哈巴河县、石河子市，以及乌鲁木齐市、克拉玛依市、哈密市等。

| **资源情况** | 野生资源较丰富。药材来源于野生。

| **采收加工** | 9～10月采收成熟果实，晒干，打出种子，簸去果壳、杂质。

| **功能主治** | 滋补肝肾，固精缩尿，安胎，明目，止泻。用于遗精，早泄，遗尿，目昏耳鸣，胎动不安，流产，泄泻。

| **用法用量** | 内服煎汤，6～10g。

硬萼软紫草
Arnebia decumbens (Vent.) Coss. et Kralik

| 药 材 名 | 紫草根（药用部位：根）。

| 形态特征 | 一年生草本。根含少量紫色物质。茎直立，高 15 ～ 30 cm，自基部分枝，有伸展的长硬毛；枝互生或近对生。茎生叶无柄，线状长圆形至线状披针形，长 2 ～ 6 cm，宽 2 ～ 16 mm，两面均疏生硬毛，先端钝。花萼裂片线形，长约 7 mm，有长硬毛和短伏毛，果期增大，长可达 12 mm，基部扩展并硬化，包围小坚果；花冠黄色，筒状钟形，长 1 ～ 1.4 cm，外面有短柔毛，筒部直或稍弯曲，檐部直径 3 ～ 6 mm，裂片宽卵形，近等大；雄蕊 5，螺旋状着生于花冠筒上部，花药长圆形，长约 1 mm；子房 4 裂，花柱丝状，长几达喉部，先端 2 浅裂，每分枝各具 1 球形柱头。小坚果三角状卵形，长约 2 mm，褐色，密

生疣状突起，背面凸，稍有皱纹，近先端处龙骨状，腹面中线隆起。花果期 5 ~ 6 月。

| 生境分布 | 生于 600 ~ 3 000 m 的山坡、沙地、荒地。分布于新疆克拉玛依市、乌鲁木齐市、霍城县、巩留县、特克斯县、阿勒泰市、呼图壁县、博乐市、塔城市、和布克赛尔蒙古自治县、和静县等。

| 资源情况 | 野生资源较丰富。药材来源于野生。

| 采收加工 | 春、秋季采挖，除去泥沙，干燥，晒干或微火烘干。

| 功能主治 | 用于温热斑疹，湿热黄疸，吐血，尿血，紫癜，烫火伤等。

| 用法用量 | 内服煎汤，5 ~ 15 g；或入散剂。外用适量，熬膏涂。

紫草科 Boraginaceae 软紫草属 Arnebia

软紫草
Arnebia euchroma (Royle) Johnst.

| **药 材 名** | 软紫草（药用部位：根）。

| **形态特征** | 多年生草本。根粗壮，直径可达2 cm，富含紫色物质。茎1或2，直立，高15～40 cm，仅上部花序分枝，基部有残存的叶基形成的茎鞘，被开展的白色或淡黄色长硬毛。叶无柄，两面均疏生半贴伏的硬毛；基生叶线形至线状披针形，长7～20 cm，宽5～15 mm，先端短渐尖，基部扩展成鞘状；茎生叶披针形至线状披针形，较小，无鞘状基部。镰状聚伞花序生于茎上部叶腋，长2～6 cm，最初有时密集成头状，含多数花；苞片披针形；花萼裂片线形，长1.2～1.6 cm，果期长可达3 cm，先端微尖，两面均密生淡黄色硬毛；花冠筒状钟形，深紫色，有时淡黄色带紫红色，外面无毛或

稍有短毛，筒部直，长 1 ~ 1.4 cm，檐部直径 6 ~ 10 mm，裂片卵形，开展；雄蕊着生于花冠筒中部或喉部，花药长约 2.5 mm；花柱长达喉部或仅达花筒中部，先端 2 浅裂，柱头 2，倒卵形。小坚果宽卵形，黑褐色，长约 3.5 mm，宽约 3 mm，有粗网纹和少数疣状突起，先端微尖，背面凸，腹面略平，中线隆起，着生面略呈三角形。花果期 6 ~ 8 月。

| 生境分布 | 生于海拔 1 000 ~ 4 000 m 的阿勒泰山、天山、帕米尔高原及昆仑山的洪积扇、前山和中山山坡。分布于新疆焉耆回族自治县、富蕴县、察布查尔锡伯自治县、伊宁县、新源县、和静县、博乐市、温泉县、精河县、昭苏县、霍城县、巩留县、玛纳斯县、乌鲁木齐县、特克斯县、阿图什市、阿克陶县、库车市、拜城县、乌恰县、塔什库尔干塔吉克自治县、温宿县、乌什县、沙湾市、裕民县等。

| 资源情况 | 野生资源较丰富。药材来源于野生。

| 采收加工 | 春、秋季采挖，除去泥沙，晒干或微火烘干。

| 功能主治 | 凉血，活血，清热，解毒透疹。用于血热毒盛，斑疹紫黑，麻疹不透，疮疡，湿疹，烫火伤，湿热黄疸，紫癜，吐血，衄血，尿血，淋浊，热结便秘，烧伤，丹毒。

| 用法用量 | 内服煎汤，5 ~ 15 g；或入散剂。外用适量，熬膏涂。

紫草科 Boraginaceae 软紫草属 Arnebia

天山软紫草

Arnebia tschimganica (Fedtsch.) G. L. Chu.

| 药 材 名 | 软紫草（药用部位：根）。

| 形态特征 | 多年生草本。根无紫色物质。茎数条，高 15 ~ 30 cm，不分枝，有短柔毛。基生叶有叶柄，叶片倒披针形，长 8 ~ 15 cm，宽 2 ~ 4 cm，两面均有毛，全缘，先端短渐尖，基部渐狭，叶柄长 4 ~ 10 cm；茎生叶无柄，椭圆形至长圆状披针形，基部抱茎。镰状聚伞花序不分枝；苞片披针形；花萼裂片线状披针形至钻形，长 6 ~ 8 mm；花冠黄色，漏斗状，长 1.5 ~ 2 cm，檐部直径约 8 mm；雄蕊着生于花冠筒中部或喉部，花药长约 1.5 mm，先端钝；花柱长达花冠筒上部或仅达中部，先端 2 浅裂，各具一 2 裂的柱头。未见成熟小坚果。花期 4 ~ 5 月。

| 生境分布 | 生于海拔 1 000 ~ 2 000 m 的山坡草地或河滩灌丛下。分布于新疆特克斯县、新源县、巩留县等。

| 资源情况 | 野生资源较少。药材来源于野生。

| 采收加工 | 春、秋季采挖，除去泥沙，晒干。

| 功能主治 | 凉血，活血，解毒透疹。用于斑疹，麻疹，黄疸，紫癜，吐血，衄血，尿血，痈疽，烫伤。

| 用法用量 | 内服煎汤，5 ~ 15 g；或入散剂。外用适量，熬膏涂。

糙草 *Asperugo procumbens* L.

| 药 材 名 | 糙草（药用部位：全草）。

| 形态特征 | 一年生蔓生草本。茎细弱，攀缘，高可达 90 cm，中空，有 5 ~ 6 纵棱，沿棱有短倒钩刺，通常有分枝。下部的茎生叶具叮柄，叶片匙形或狭长圆形，长 5 ~ 8 cm，宽 8 ~ 15 mm，全缘或有明显的小齿，两面疏生短糙毛；中部以上的茎生叶无柄，渐小并近对生。花通常单生于叶腋，具短花梗；花萼长约 1.6 mm，5 裂至中部稍下，有短糙毛，裂片线状披针形，稍不等大，裂片之间各具 2 小齿，花后增大，左右压扁，略呈蚌壳状，边缘具不整齐的锯齿，直径达 8 mm；花冠蓝色，长约 2.5 mm，筒部比檐部稍长，檐部裂片宽卵形至卵形，稍不等大，喉部附属物疣状；雄蕊 5，内藏，花药长约

0.6 mm；花柱长约 0.8 mm，内藏。小坚果狭卵形，灰褐色，长约 3 mm，表面有疣点，着生面圆形。花果期 7 ～ 9 月。

| **生境分布** | 生于海拔 2 000 m 以上的山地草坡、村旁、田边。分布于新疆特克斯县、察布查尔锡伯自治县、伊宁市、尼勒克县、霍城县、巩留县、奎屯市、青河县、沙湾市、乌苏市、昌吉市、奇台县、阜康市、和田县、策勒县、于田县、和硕县、若羌县、且末县、和静县、温泉县、石河子市，以及乌鲁木齐市、哈密市、克拉玛依市等。

| **资源情况** | 野生资源较丰富。药材来源于野生。

| **采收加工** | 夏、秋季开花时采收，洗净，捣烂，鲜用或晒干。

| **功能主治** | 清热解毒，止咳祛痰。用于感冒发热，咳嗽，高血压等。

| **用法用量** | 内服煎汤，6 ～ 10 g。

大果琉璃草

Cynoglossum divaricatum Stephan ex Lehmann

| **药 材 名** | 倒提壶（药用部位：根）。

| **形态特征** | 多年生草本。高 25 ~ 100 cm，具红褐色的粗壮直根。茎直立，中空，具肋棱，由上部分枝，分枝开展，被向下贴伏的柔毛。基生叶、茎下部的叶长圆状披针形或披针形，长 7 ~ 15 cm，宽 2 ~ 4 cm，先端钝或渐尖，基部渐狭成柄，灰绿色，上、下面均密生贴伏的短柔毛；茎中部、上部叶无柄，狭披针形，被灰色短柔毛。花序顶生或腋生，长约 10 cm；花稀疏，集为疏松的圆锥状花序；苞片狭披针形或线形；花梗细弱，长 3 ~ 10 mm，花后伸长，果期长 2 ~ 4 cm，下弯，密被贴伏的柔毛；花萼长 2 ~ 3 mm，外面密生短柔毛，裂片卵形或卵状披针形，果期几不增大，向下反折；花冠蓝紫色，长约

3 mm，檐部直径 3 ～ 5 mm，深裂至 1/3 处，裂片卵圆形，先端微凹，喉部有 5 梯形附属物，附属物长约 0.5 mm；花药卵球形，长约 0.6 mm，着生于花冠筒中部以上；花柱肥厚，扁平。小坚果卵形，长 4.5 ～ 6 mm，宽约 5 mm，密生锚状刺，背面平，腹面中部以上有卵圆形的着生面。花期 6 ～ 7 月，果实 8 月成熟。

| 生境分布 | 生于海拔 525 ～ 2 500 m 的干山坡、草地、沙丘、石滩及路边。分布于新疆和静县、奇台县、塔城市、巩留县、特克斯县、伊吾县及乌鲁木齐市等。

| 资源情况 | 野生资源较丰富，栽培资源较少。药材来源于野生。

| 采收加工 | 春、秋季采收，洗净，切片，晒干或鲜用。

| 功能主治 | 清热解毒。用于扁桃体炎，疮疖痈肿。

| 用法用量 | 内服煎汤，15 ～ 25 g。

紫草科 Boraginaceae 琉璃草属 Cynoglossum

绿花琉璃草
Cynoglossum viridiflorum Pall. ex Lehm.

药材名

倒提壶（药用部位：根）。

形态特征

多年生草本。高 50 ～ 100 cm。茎粗壮，具肋棱，无毛。基生叶及茎下部的叶长圆状椭圆形，长 15 ～ 25 cm，宽 7 ～ 9 cm，先端渐尖，基部渐狭成柄，上面绿色，无毛，下面灰绿色，密生短柔毛；茎中部的叶长圆形，长 10 ～ 15 cm，宽 3 ～ 5 cm，具短柄；茎上部的叶渐小，披针形，无柄，上面散生长柔毛，下面密生短柔毛。花序顶生或腋生，集为圆锥状花序；无苞片；花梗长 1.5 ～ 3 mm，密生白色柔毛，花后增长，长达 1 cm，下弯；花萼长 2.5 ～ 4 mm，外面被贴伏的短柔毛，裂片长圆状线形；花冠绿黄色，长 4.5 ～ 5.5 mm，基部直径 1 ～ 1.5 mm，檐部直径 5 ～ 6 mm，裂片圆形，喉部附属物梯形，肥厚，长约 1.5 mm，宽约 1 mm；花药长圆形，与附属物近等长，花丝极短，着生于花冠筒中部；花柱短粗，长约 1.5 mm，直径约 0.8 mm。小坚果卵形或菱状卵形，长 5 ～ 7 mm，宽 4.5 ～ 5.5 mm，密生锚状刺，背面凹陷，中央无龙骨状突起或具不明显的龙骨状突起，边缘增厚而凸起，腹面中部以上有卵状长圆形的着生面。花期 5 ~ 6 月，果期 7 ~ 8 月。

| **生境分布** | 生于海拔 700 ~ 1 700 m 的山谷溪边、灌木林缘及阳坡石山隙中。分布于新疆阿勒泰市、青河县、福海县、吉木乃县、沙湾市、托里县、于田县、石河子市、乌鲁木齐市、哈密市等。

| **资源情况** | 野生资源较丰富。药材来源于野生。

| **采收加工** | 春、秋季采挖，洗净，切片，晒干或鲜用。

| **功能主治** | 清热利湿，止咳，止血。用于尿路感染，痢疾，带下，阴虚咳嗽，咯血，吐血，衄血，外伤出血。

| **用法用量** | 内服煎汤，15 ~ 50 g。外用适量，鲜品捣敷；或研末撒敷。

紫草科 Boraginaceae 蓝蓟属 Echium

蓝蓟
Echium vulgare L.

| 药 材 名 |

蓝蓟（药用部位：地上部分）。

| 形态特征 |

二年生草本。茎高达 100 cm，有开展的长硬毛和短密伏毛，通常多分枝。基生叶、茎下部的叶线状披针形，长可达 12 cm，宽可达 1.4 cm，基部渐狭成短柄，两面有长糙伏毛；茎上部的叶较小，披针形，无柄。花序狭长，花多数，较密集；苞片狭披针形，长 4 ~ 15 mm；花萼 5 裂至基部，外面有长硬毛，裂片披针状线形，长约 6 mm，果期增大至 10 mm；花冠斜钟状，两侧对称，蓝紫色，长约 1.2 cm，外面有短伏毛，檐部不等地浅裂，上方 1 裂片较大；雄蕊 5，花丝长 1 ~ 1.2 cm，花药短，长圆形，长约 0.5 mm；花柱长约 1.4 cm，先端 2 裂，柱头顶生，细小。小坚果卵形，长约 2.5 mm，表面有疣状突起，着生面位于果实基部。

| 生境分布 |

生于山脚岩石间。分布于新疆布尔津县、昭苏县、霍城县、塔城市、和布克赛尔蒙古自治县、阿克苏市、新和县、乌鲁木齐市、克拉玛依市等。

| **资源情况** | 野生资源较丰富。药材来源于野生。

| **采收加工** | 夏季花盛开时采收，晒干。

| **功能主治** | 止咳平喘，健胃疏肝，清热解毒，清脑，降血压。用于痰热咳喘，热结胃肠，食欲不振，头晕头痛，高血压等。

| **用法用量** | 内服煎汤，6 ~ 10 g。

紫草科 Boraginaceae 齿缘草属 *Eritrichium*

密花齿缘草 *Eritrichium confertiflorum* W. T. Wang

药材名

齿缘草（药用部位：根）。

形态特征

多年生草本。茎数条丛生，细弱，不分枝，密被短伏毛，基部密被枯叶残基。基生叶叶柄长 2 ~ 4（~ 5）cm，叶片卵状披针形至卵状椭圆形，长 1.5 ~ 3.3（~ 4.5）cm，宽 0.5 ~ 1.2 cm，先端渐尖至急尖，基部宽楔形，两面密被短伏毛，中肋明显；茎生叶 3 ~ 5（~ 6），下部的有柄，上部的几无柄，花序下的 2 叶几对生而呈总苞状。2（~ 3）花序孪生于茎顶，长 1 ~ 3（~ 4）cm；花梗长 0.5 ~ 1 mm，生微毛；花萼裂片线形或线状披针形，长 2 ~ 2.5 mm，外面生伏毛，内面被短而疏的毛，果期稍增大；花冠白色，钟状辐形，檐部直径约 6 mm，裂片倒卵形，长 2.5 mm，附属物明显突出于喉部，梯形，高约 1 mm，内有 1 疣突；花药椭圆形，长 1 mm；雌蕊基高约 0.5 mm，花柱常因仅 1 小坚果发育而偏向一侧。小坚果长约 2.5 mm，宽约 1.5 mm，背面卵状三角形，微凸，无毛或疏生微毛，中肋明显，棱缘稍凸起，在中下部常有数枚三角形粗齿，先端无锚状钩，腹面无毛或疏生微毛，在着生面以上有龙骨状突起，着生面卵形或近圆形，位于腹面中部稍上。花果期 7 ~ 8 月。

| **生境分布** | 生于海拔 2 000 ~ 2 500 m 的高山石缝中。分布于新疆和静县、乌鲁木齐县等。

| **资源情况** | 野生资源较少。药材来源于野生。

| **采收加工** | 夏、秋季采挖，阴干。

| **功能主治** | 清热利水，补虚止血。

| **用法用量** | 内服研末，5 g。

对叶齿缘草 *Eritrichium pseudolatifolium* Popov

| 药 材 名 | 齿缘草（药用部位：根）。

| 形 态 特 征 | 多年生草本。高 10 ~ 20 cm。茎数条丛生，被短柔毛，上部常二叉分枝，基部密被枯叶残基。基生叶叶柄长 3 ~ 9 cm，叶片卵形或椭圆形，长 1 ~ 2（~ 2.5）cm，宽 0.8 ~ 1.3 cm，先端钝，基部近圆形，下面被有基盘和无基盘的短伏毛，上面毛极少或几无毛；茎生叶无柄或几无柄，互生或假对生，卵形或宽卵形，长 1 ~ 1.5 cm，宽 0.6 ~ 1 cm，先端 4 ~ 5 常呈总苞状。花腋生或腋外生；花梗长 0.4 ~ 0.7 cm，被微毛；花萼裂片线状长圆形或卵状长圆形，长约 1.5 mm，外面被伏毛，内面毛少而短或近无毛，在花期直立，在果期平展；花冠白色，钟状辐形，筒部长 2 mm，檐部直径约 7 mm，

裂片宽倒卵形或近圆形，附属物明显伸出喉部外，梯形，内有 1 乳突；花药近圆形，直径约 0.5 mm；雌蕊基高约 0.5 mm，花柱长约 0.5 mm。小坚果长约 1.5 mm，宽约 1 mm，先端渐尖，基部圆钝，背面微凸，卵形至狭卵形，生短毛，腹面生微毛，着生面卵形，位于腹面中部以上，具 1 小圆孔，棱缘的刺锐三角形或披针形，先端有锚状钩，基部离生。

| 生境分布 | 生于海拔 3 000 ~ 3 400 m 的小溪边湿地或高山石缝中。分布于新疆拜城县、和田县、策勒县、于田县、叶城县、阿克陶县等。

| 资源情况 | 野生资源一般。药材来源于野生。

| 采收加工 | 夏、秋季采挖，阴干。

| 功能主治 | 清热利水，补虚止血。

| 用法用量 | 内服研末，5 g。

紫草科 Boraginaceae 天芥菜属 *Heliotropium*

尖花天芥菜 *Heliotropium acutiflorum* Kar. et Kir.

| 药 材 名 | 天芥菜（药用部位：全草）。

| 形态特征 | 一年生草本。高 5 ~ 15 cm，具细长而直伸的根。茎由基部分枝，分枝通常直立，稀斜升，被开展的糙伏毛。叶狭卵形或卵形，长 1 ~ 2.5 cm，宽 1 ~ 1.5 cm，先端钝，基部宽楔形，稀圆形，全缘，上、下面均被糙伏毛或短硬毛；叶柄长 1 ~ 2 cm，密生糙伏毛。镰状聚伞花序少花，通常 3 ~ 7，排列稀疏，长 1 ~ 3 cm，花具明显细弱的花梗；萼片长圆状卵形，长 2 ~ 2.5 mm，果期稍增大，外面被开展的糙伏毛，内面无毛；花冠筒状，长约 3 mm，外面被短伏毛，内面无毛，裂片短小，线形，长约 0.5 mm，直伸，喉部有 5 柱状附属物；花药长圆形，长约 1 mm，无花丝，着生于花冠筒基

部以上 1 mm 处；子房近球形，直径约 0.8 mm，无毛，花柱长 0.6 ～ 0.8 mm，与柱头近等长，无毛，柱头短圆锥形或近椭圆形，被短毛。花果期 5 ～ 6 月。

| 生境分布 | 生于沙丘及路边沙地。分布于新疆奇台县、吉木萨尔县、精河县、沙湾市、福海县、石河子市、五家渠市、策勒县、昌吉市、霍城县等。

| 资源情况 | 野生资源一般。药材来源于野生。

| 采收加工 | 夏、秋季采收全草，除去杂质，晾干。

| 功能主治 | 清热明目，凉血止血。

勿忘草
Myosotis alpestris F. W. Schmidt

药材名

勿忘草（药用部位：全草或块根）。

形态特征

多年生草本。茎直立，单一或数条簇生，高20 ~ 45 cm，通常具分枝，疏生开展的糙毛，有时被卷毛。基生叶、茎下部的叶有柄，叶片狭倒披针形、长圆状披针形或线状披针形，长达 8 cm，宽 5 ~ 12 mm，先端圆形或稍尖，基部渐狭，下延成翅，两面被糙伏毛，毛基部具小型基盘；茎中部以上的叶无柄，叶片较短而狭。花序在花期短，花后伸长，长达15 cm；无苞片；花梗较粗，在果期直立，长 4 ~ 6 mm，等长于或稍长于花萼，密生短伏毛；花萼长 1.5 ~ 2.5 mm，在果期增大，长 4 ~ 5 mm，深裂至 2/3 ~ 3/4 处，裂片披针形，先端渐尖，密被伸展或具钩的毛；花冠蓝色，直径 6 ~ 8 mm，筒部长约 2.5 mm，裂片 5，近圆形，长约 3.5 mm，喉部附属物 5，高约 0.5 mm；花药椭圆形，先端具圆形附属物。小坚果卵形，长约 2 mm，宽 1 mm，暗褐色，平滑，有光泽，周围具狭边，先端较明显，基部无附属物。

| **生境分布** | 生于山地林缘或林下、山坡或山谷草地等。分布于新疆裕民县、阜康市、和静县、青河县、富蕴县、布尔津县、哈巴河县、和布克赛尔蒙古自治县、巩留县、精河县、新源县、昭苏县、奇台县、巴里坤哈萨克自治县等。

| **资源情况** | 野生资源较少。药材来源于野生。

| **采收加工** | 春、秋季采收，除去泥沙，干燥。

| **功能主治** | 清热解毒，去腐生肌，清肝明目，润肺止咳。

紫草科 Boraginaceae 勿忘草属 Myosotis

湿地勿忘草
Myosotis caespitosa Schultz

| 药 材 名 | 勿忘草（药用部位：全草或块根）。

| 形态特征 | 多年生草本。密生多数纤维状不定根。茎高 15 ~ 50（~ 70）cm，通常单一，有时数条，自下部或上部分枝，分枝斜升或开展，疏被向上的糙伏毛。茎下部的叶具叶柄，叶片长圆形至倒披针形，长 2 ~ 3 cm，宽 3 ~ 8 mm，全缘，先端钝，基部渐狭，两面被稀疏的糙伏毛；茎中部以上的叶无叶柄，叶片倒披针形或线状披针形，长 3 ~ 7 cm，宽 5 ~ 13 mm。花序在花期较短，花后伸长，在果期长 10 ~ 20 cm；无苞片或仅下部数花有线形苞片；花梗在果期长 6 ~ 8 mm，通常比花萼长，平伸；花萼钟状，基部楔形，5 裂至近中部，长约 2 mm，在果期稍增大，长 3 ~ 4 mm，裂片三角形，短

而直立，先端钝，外面疏生糙伏毛；花冠淡蓝色，长 2 ~ 3 mm，筒部与花萼近等长，檐部直径 3 ~ 4 mm，裂片长约 1.5 mm，卵形，平展，喉部黄色，有 5 附属物；花药椭圆形，长约 0.6 mm，先端具圆形附属物，附属物比花药短 3 倍；花柱比花萼短。小坚果卵形，长 1.5 ~ 2 mm，光滑，暗褐色，上半部具狭边，先端钝。

| 生境分布 | 生于溪边、水湿地及山坡湿润地。分布于新疆和静县、阜康市、吉木乃县、哈巴河县、富蕴县、塔城市、霍城县、博乐市、温泉县等。

| 资源情况 | 野生资源较少。药材来源于野生。

| 采收加工 | 春、秋季采收，除去泥沙，干燥。

| 功能主治 | 清热解毒，去腐生肌，清肝明目，润肺止咳。

紫草科 Boraginaceae 勿忘草属 Myosotis

稀花勿忘草 *Myosotis sparsiflora* Mikan

| 药 材 名 | 勿忘草（药用部位：全草或块根）。

| 形态特征 | 一年生草本。茎细弱，铺散，高 15 ～ 25 cm，基部多分枝，分枝展散，疏生向下的钩状柔毛。茎下部的叶倒卵形、长圆形或披针形，长 2 ～ 3 cm，宽 8 ～ 12 mm，先端钝或稍尖，基部渐狭，下延成翅，两面疏生柔毛；茎上部的叶无柄，卵状披针形或椭圆形，先端尖。花序生于枝顶，细弱，散生少数花，下部的花腋生，先端数花无苞片；花梗在果期长达 1.5 cm，曲折或下弯，细弱，呈线状，密被向上的短柔毛和钩状毛；花萼长 1.5 ～ 2 mm，在果时略增大，长 4 ～ 5 mm，5 深裂，裂片披针形，长约为花萼的 2/3，先端渐尖，密被钩状毛及开展的柔毛；花冠淡蓝色，直径约 3 mm，长约 2 mm，裂片小，卵

形，与花冠筒近等长；花药卵形，先端有小的圆形附属物。小坚果卵形，长约 2 mm，宽 1 ~ 1.2 mm，深褐色，平滑，有光泽，基部有淡黄色附属物，附属物肥厚，长圆形，有短柔毛。

| **生境分布** | 生于河滩潮湿地。分布于新疆伊宁县、青河县、富蕴县、哈巴河县、沙湾市、新源县、巩留县等。

| **资源情况** | 野生资源较少。药材来源于野生。

| **采收加工** | 春、秋季采收，除去泥沙，十燥。

| **功能主治** | 清热解毒，去腐生肌，清肝明目，润肺止咳。

紫草科 Boraginaceae 假狼紫草属 Nonea

假狼紫草

Nonea caspica (Willd.) G. Don

| 药 材 名 | 假狼紫草（药用部位：根、枝）。

| 形态特征 | 一年生草本。茎高 5 ~ 25 cm，常自基部分枝，分枝斜升或外倾，有开展的硬毛、短伏毛和腺毛。叶无柄，两面有糙伏毛和稀疏的长硬毛；基生叶、茎下部的叶线状倒披针形，长 3 ~ 6 cm，宽 4 ~ 10 mm；茎中部以上的叶线状披针形，较小。花序在花期短，花后逐渐延长至 15 cm；花序轴、苞片、花梗及花萼均有短伏毛和长硬毛；花密集，单生；花梗长约 3 mm；苞片叶状或线状披针形，长 1.5 ~ 5 cm；花萼长 5 ~ 8 mm，5 裂至中部，裂片披针状三角形，稍不等长；花冠紫红色，长 8 ~ 12 mm，檐部长约为筒部的 1/3，裂片卵形或近圆形，全缘或微有齿，附属物位于喉部之下，2 微裂；

雄蕊着生于花冠筒中部稍上处，内藏，花丝很短，花药长约 1.4 mm；花柱长约 4 mm，柱头近球形，2 浅裂；胚珠着生于子房近基部，花托微凸。小坚果肾形，成熟时黑褐色，长约 4 mm，稍弯曲，无毛或未成熟时稍有柔毛，表面有横细肋，先端纵龙骨状，着生面居腹面中下部，碗状，边缘有细齿；种子肾形，灰褐色，胚根在上方，子叶倒卵状长圆形，肥厚，含油脂。

| **生境分布** | 生于山坡、洪积扇、河谷阶地等处。分布于新疆温泉县、和布克赛尔蒙古自治县、乌鲁木齐县、福海县、哈巴河县、阿勒泰市、吉木乃县、塔城市、裕民县、托里县、沙湾市、伊宁县、霍城县、新源县、昭苏县、特克斯县、博乐市、玛纳斯县、昌吉市、奇台县等。

| **资源情况** | 野生资源较少，栽培资源稀少。药材来源于野生和栽培。

| **采收加工** | 春、秋季采收，除去泥沙，干燥。

| **功能主治** | 解毒透疹，凉血解热，抗肿瘤，发汗止咳，祛痰平喘。

紫草科 Boraginaceae 滇紫草属 Onosma

昭苏滇紫草 *Onosma echioides* L.

| 药 材 名 | 紫草根（药用部位：根）。

| 形态特征 | 多年生草本。高 20 ~ 40 cm，绿黄色，密生开展的黄色长硬毛及短伏毛，硬毛基部具基盘。茎单一或数条丛生，直立或斜升。基生叶倒披针形，长 10 ~ 25 cm，宽 5 ~ 10 mm，先端钝，基部渐狭成叶柄；茎生叶线形或披针形，长 2.5 ~ 6.5 cm，宽 5 ~ 7 mm，无叶柄。花序生于茎顶及枝顶，在花期长 3 ~ 4 cm，在果期延长成总状，长达 15 cm；苞片披针形，长 1 ~ 2 cm，宽 3 ~ 6 mm，在果期增大，长达 4 cm；花多数，密集；花梗短，长约 5 mm，在果期增长，被开展的黄色硬毛及短伏毛；花萼长 1 ~ 1.5 cm，在果期增大，长达 3 cm，密生向上的长硬毛，萼裂片线状披针形，裂至近基部；花冠

黄色，筒状钟形，长 2 ~ 2.5 cm，基部直径 2 ~ 2.5 mm，向上逐渐扩张，喉部直径 5 ~ 7 mm，内外面均无毛，裂片宽三角形，长 1 ~ 2 mm，下弯；花药基部结合，长 8 ~ 10 mm，内藏，不育先端长 1 ~ 1.5 mm，花丝长 3 ~ 5 mm，着生于花冠筒基部以上 12.5 ~ 13.5 mm 处；花柱长 2.5 ~ 2.8 cm，伸出花冠外；腺体环形，高约 0.5 mm，无毛。小坚果黄褐色，长约 5 mm，具折皱。花果期 6 月。

| 生境分布 | 生于海拔 1 000 ~ 1 500 m 的山地草原及砾石质山坡。分布于新疆和布克赛尔蒙古自治县、托里县、察布查尔锡伯自治县、巩留县、特克斯县、昭苏县、温泉县等。

| 资源情况 | 野生资源稀少。药材来源于野生。

| 采收加工 | 春、秋季采挖，除去泥沙，干燥。

| 功能主治 | 解毒透疹，凉血，抗肿瘤。

紫草科 Boraginaceae 滇紫草属 Onosma

黄花滇紫草 *Onosma gmelinii* Ledeb.

| 药 材 名 | 紫草根（药用部位：根）。

| 形态特征 | 半灌木状草本。高 25 ~ 40 cm，灰白色，被开展的硬毛及向下的伏毛。茎单一或数条丛生，直立，不分枝。基生叶具长柄，叶片倒披针形，长 10 ~ 20 cm，宽 5 ~ 10 mm，先端钝，基部渐狭成叶柄，上面密生向上贴伏的硬毛及短伏毛，下面密生短柔毛，叶脉及叶缘生硬毛；茎生叶披针形，长 2 ~ 5 cm，宽约 5 mm，无叶柄。花序单生于茎顶，不分枝，在花期直径 4 ~ 6 cm；苞片披针形，长 1 ~ 1.5 cm，密生开展的硬毛及短伏毛；花多数，密集；花梗短，长约 5 mm；花萼长 1.5 ~ 2 cm，萼裂片线状披针形，裂至近基部，密生向上的硬毛及短伏毛；花冠黄色，筒状钟形，长 2 ~ 2.5 cm，基部直径 2 mm，向

上逐渐扩张，喉部直径 5.5 ～ 7.5 mm，外面被极不明显的短柔毛，内面无毛，裂片宽三角形，长约 2 mm，宽约 3 mm；花药基部结合，长约 10 mm，内藏，不育先端长约 2 mm，花丝钻形，长 9 ～ 10 mm，下延，着生于花冠筒基部以上 10 ～ 11 mm 处；花柱长 16.5 ～ 22 mm，内藏，无毛；腺体高约 1 mm，无毛。小坚果未见。花期 5 ～ 6 月。

| 生境分布 | 生于海拔 1 000 ～ 1 500 m 的山地草原。分布于新疆阿勒泰市、富蕴县、青河县、乌苏市、和静县、新源县等。

| 资源情况 | 野生资源较少。药材来源于野生。

| 采收加工 | 春、秋季采挖，除去泥沙，干燥。

| 功能主治 | 解毒透疹，凉血，抗肿瘤。

紫草科 Boraginaceae 聚合草属 Symphytum

聚合草 *Symphytum officinale* L.

| 药 材 名 |

聚合草（药用部位：根茎）。

| 形态特征 |

丛生型多年生草本。高 30 ~ 90 cm，全体被向下稍弧曲的硬毛和短伏毛。根发达，主根粗壮，淡紫褐色。茎数条，直立或斜升，有分枝。基生叶通常 50 ~ 80，最多可达 200，具长柄，叶片带状披针形、卵状披针形至卵形，长 30 ~ 60 cm，宽 10 ~ 20 cm，稍肉质，先端渐尖；茎中部和上部的叶较小，无叶柄，基部下延。花序含多数花；花萼裂至近基部，裂片披针形，先端渐尖；花冠长 14 ~ 15 mm，淡紫色、紫红色至黄白色，裂片三角形，先端外卷，喉部附属物披针形，长约 4 mm，不伸出花冠檐部；花药长约 3.5 mm，先端有稍突出的药隔，花丝长约 3 mm，下部与花药近等宽；子房通常不育。小坚果斜卵形，长 3 ~ 4 mm，黑色，平滑，有光泽。花期 5 ~ 10 月。

| 生境分布 |

生于山林草甸及林缘。分布于新疆温宿县、阿勒泰市、塔城市等。

| **资源情况** | 野生资源稀少，栽培资源较丰富。药材来源于栽培。

| **采收加工** | 春、秋季采挖，洗净，晾干。

| **功能主治** | 凉血活血，清热解毒。

马鞭草科 Verbenaceae 马鞭草属 Verbena

马鞭草
Verbena officinalis L.

| **药 材 名** | 鞭草（药用部位：全草或根）。

| **形态特征** | 多年生草本。高30～120 cm。茎四方形，近基部可为圆形，节和棱上有硬毛。叶片卵圆形至倒卵形或长圆状披针形，长2～8 cm，宽1～5 cm；基生叶边缘通常有粗锯齿和缺刻；茎生叶多数3深裂，裂片边缘有不整齐的锯齿，两面均有硬毛，背面脉上毛尤多。穗状花序顶生和腋生，细弱，结果时长达25 cm；花小，无花梗，最初密集，结果时疏离；苞片稍短于花萼，具硬毛；花萼长约2 mm，有硬毛，有5脉，脉间凹穴处质薄而色淡；花冠淡紫色至蓝色，长4～8 mm，外面有微毛，裂片5；雄蕊4，着生于花冠管中部，花丝短；子房无毛。果实长圆形，长约2 mm，外果皮薄，成熟时4

瓣裂。花期 6 ~ 8 月,果期 7 ~ 10 月。

| **生境分布** | 生于低山带河谷及平原绿洲。分布于新疆木垒哈萨克自治县、奇台县、吉木萨尔县、沙湾市等。新疆阿克苏市有栽培。

| **资源情况** | 野生资源稀少。药材来源于栽培。

| **采收加工** | 7 ~ 10 月开花时采收,晒干。

| **功能主治** | 清热解毒,活血祛瘀,利水消肿。用于外感风热,湿热黄疸。